JN144749

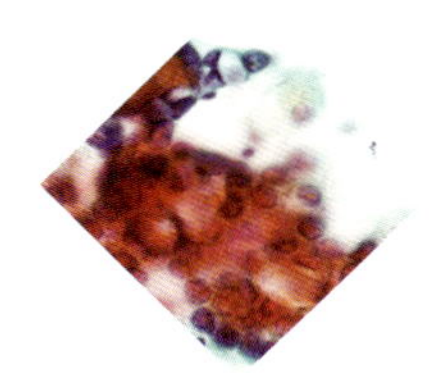
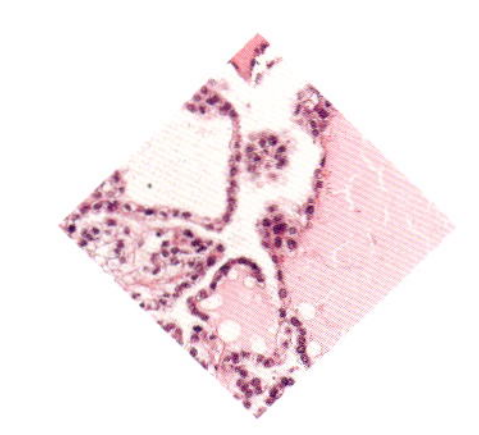

ヨコハマシステム準拠 子宮内膜細胞診アトラス

第2版

総編集

平井康夫（獨協医科大学特任教授／PCL ジャパン病理細胞診センター所長）

編集

矢納研二（JA 三重厚生連鈴鹿中央総合病院・産婦人科部長）

則松良明（愛媛県立医療技術大学保健科学部教授・臨床検査学科）

執筆（執筆順）

平井康夫（獨協医科大学特任教授／PCL ジャパン病理細胞診センター所長）

矢納研二（JA 三重厚生連鈴鹿中央総合病院・産婦人科部長）

則松良明（愛媛県立医療技術大学保健科学部教授・臨床検査学科）

小林忠男（学校法人天理大学理事／前・大阪大学大学院医学系研究科保健学専攻招へい教授）

渡邉　純（弘前大学大学院保健学研究科生体検査科学領域教授）

前田宜延（富山赤十字病院病理診断科部長）

泉　　緑（PCL ジャパン病理細胞診センター主任）

黒川哲司（福井大学准教授・産科婦人科）

大沼利通（福井大学助教・産科婦人科）

品川明子（福井大学助教・産科婦人科）

吉田好雄（福井大学教授・産科婦人科）

二村　梓（慶應義塾大学病院臨床検査技術室病理診断科）

古田則行（PCL ジャパン病理細胞診センター学術指導責任者）

河原明彦（久留米大学病院病理診断科・病理部副技師長）

秋葉　純（久留米大学病院病理診断科・病理部教授）

執筆協力

今井寿美子（PCL ジャパン病理細胞診センター主任）

小林加津子（PCL ジャパン病理細胞診センター主任）

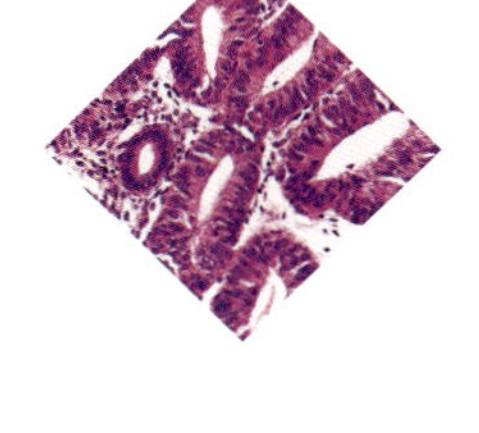
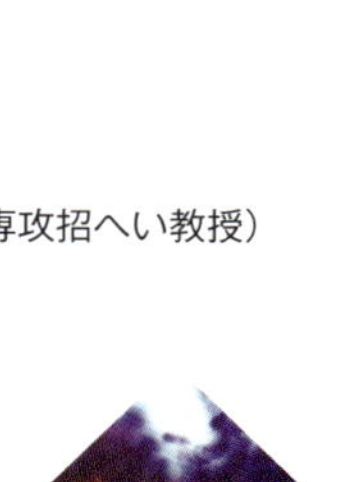
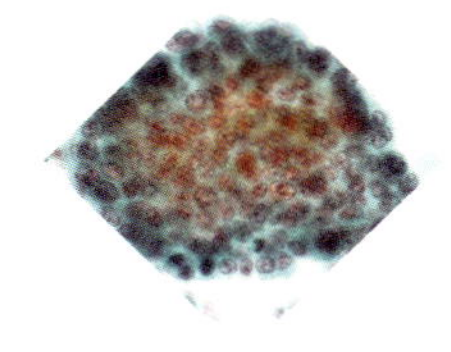

ヨコハマシステム準拠　子宮内膜細胞診アトラス

発　行　2015年11月15日　第1版第1刷
　　　　2017年12月1日　第1版第2刷
　　　　2022年6月15日　第2版第1刷©

総編集　平井康夫（ひらいやすお）

編　集　矢納研二（やのうけんじ）・則松良明（のりまつよしあき）

発行者　株式会社　医学書院
　　　　代表取締役　金原　俊
　　　　〒113-8719　東京都文京区本郷1-28-23
　　　　電話　03-3817-5600（社内案内）

印刷・製本　横山印刷

ISBN978-4-260-04979-5

第2版の序

子宮内膜細胞診は，子宮体癌高危険群を対象とした子宮体癌スクリーニングの手法として日本で頻用されている．外来診療の現場では，子宮内膜組織診による精密検査の必要性を判断するための重要な低侵襲検査法として重用される．したがって，その診断精度と精度管理は重要な課題である．

こうした中，全身26領域の細胞診をまとめた『細胞診ガイドライン』(日本臨床細胞学会編)[1]が順次出版された．このガイドラインは，日本における細胞診の標準的報告様式として，判定基準や実用的な精度管理の基礎となることが期待された．

一方，世界的に見ると，細胞診の種々の領域で報告様式の標準化と精度管理の深化が目覚ましく進んだ．子宮内膜細胞診においては，日本発の「記述式子宮内膜細胞診報告様式」が，ほぼそのままの形で「子宮内膜細胞診報告様式ヨコハマシステム」としてまとめられ，国際的にも標準的な報告様式として提案された[2]．

今回の改訂版では，初版の「記述式子宮内膜細胞診報告様式」のアトラス部分を継承しつつ，用語については国際的に提案された「子宮内膜細胞診報告様式ヨコハマシステム」に準拠して統一的に記載された．本書によって診断判定することで，そのまま国際的な「The Yokohama System (TYS)」の判定として通用するものとなっている．本書初版の特徴であった，子宮内膜細胞診結果報告の各項目ごとに「背景」「定義」「診断基準」が明記されたアトラスである点は，そのまま継承されている．特に結果報告項目ごとの具体的「細胞診判定基準」は，子宮頸部細胞診報告様式であるベセスダシステムにおいても明示されている「細胞診判定基準」と同じように活用でき，従来の書にはない特徴となっている点も同様である．

近年，従来の直接塗抹法による子宮内膜細胞診に代わって，液状化検体細胞診(liquid based cytology：LBC)による子宮内膜細胞診(子宮内膜LBC法)の研究が世界的に進み，特に日本では子宮内膜LBC法が急速に拡がりつつある．子宮内膜LBC法は従来の直接塗抹法にはない多くの利点(再現性が高い，不適正が少ない，臨床医の負担が少ない，など)を有し，今後も世界的普及が期待される．本書では，子宮内膜LBC法による細胞写真が数多く掲載され，解説されている．

「子宮内膜細胞診報告様式ヨコハマシステム」は，簡潔，明瞭な記載方式により，臨床的取扱いの助けになることを目指している．本書で用いている項目や結果報告の用語は，2022年初頭にSpringer-Nature社から出版された「The Yokohama System (TYS)」の解説書[3]や『細胞診ガイドライン』[1]に完全に準拠しているので，そのまま臨床医に報告内容と推奨される臨床的取扱いを伝達することが可能である．歴史的にみて，子宮内膜細胞診の報告様式や用語は，国や施設によっても大きな違いがあり，そのことが時には混乱を招いたり，あるいは多施設間でのデータの共有や精度管理を妨げてきた面がある．

本書が「子宮内膜細胞診報告様式ヨコハマシステム」の標準的アトラスとして，子宮内膜細胞診の診断判定に携わる人々にとっての座右の書として活用されることを願う．また臨床の場では，「子宮内膜細胞診報告様式ヨコハマシステム」の結果報告に沿った標準的な臨床的取扱いの選択基準として大きな力を発揮することを期待する．

2022 年 6 月

総編集　平井康夫

文献

1) 日本臨床細胞学会(編)．細胞診ガイドライン 1　婦人科・泌尿器．金原出版，2015
2) Fulciniti F，Yanoh K，Karakitsos P，et al．The Yokohama system for reporting directly sampled endometrial cytology：The quest to develop a standardized terminology．Diagn Cytopathol．2018；46：400-412.
3) Hirai Y，Fulciniti Fl(eds)．The Yokohama System for Reporting Endometrial Cytology：Definitions，Criteria，and Explanatory Notes，Springer，Singapore，2022.

初版の序

子宮内膜細胞診は，子宮体癌高危険群を対象とした子宮体癌スクリーニングの手法として日本で頻用されてきた．同時に外来診療の現場でも，内膜組織診による精密検査の必要性を判断するための重要な検査法とされている．したがって，その診断精度と精度管理は重要な課題となっている．

こうした中，全身26領域の細胞診をまとめた『細胞診ガイドライン』（日本臨床細胞学会編）が本年より適宜出版されている．このガイドラインは，今後日本における細胞診の標準的報告様式として，判定基準や実用的な精度管理の基礎となることが期待されている．

本書は，『細胞診ガイドライン1（婦人科・泌尿器）』の「記述式内膜細胞診報告様式」に則り，報告様式の項目ごとに「背景」「定義」「診断基準」を明記したアトラスとした．特に項目ごとの具体的「診断基準」は，子宮頸部細胞診報告様式であるベセスダシステムにおいて示されている「判定基準」と同じように活用でき，従来の書にはない特徴となっている．

近年，従来の直接塗抹法による子宮内膜細胞診に代わって，液状化検体細胞診（liquid based cytology：LBC）による子宮内膜細胞診（内膜LBC法）の研究が世界的に進んできた．内膜LBC法は従来法にはない多くの利点（再現性が高い，不適正が少ない，臨床医の負担が少ない，など）が期待され，全国的な広がりをみせている．本書では，内膜LBC法による細胞写真も数多く掲載し，解説している．

記述式内膜細胞診報告様式は，簡潔，明瞭で臨床的取扱いの助けになることが期待されている．本書で用いている項目や結果報告の用語は，『細胞診ガイドライン1』に準拠しているので，そのまま臨床医にその報告内容と臨床的取扱いを伝達することが可能となっている．歴史的にみて，子宮内膜細胞診の報告様式や用語は，国や施設によっても大きな違いがあり，そのことが時には混乱を招いたり，あるいは多施設間でのデータの共有や精度管理を妨げてきた面がある．本書が「記述式内膜細胞診報告様式」の標準的アトラスとして，子宮内膜細胞診の判定診断に携わる人々にとっての座右の書として活用されることを願う．また臨床の場では，「記述式内膜細胞診報告様式」の結果報告に沿った標準的な臨床的取扱いの選択基準として大きな力を発揮することを期待している．

2015年10月

総編集　平井康夫

目 次 Contnets

イントロダクション

I 診断用語と報告様式の概略

II 子宮内膜細胞診検体採取法の実際

III 標本の種類による判定法

Memo

イントロダクション

国際的に標準化された子宮内膜細胞診報告様式への希求

子宮内膜細胞診が日常の臨床検査として実施されているのは，ほぼ日本だけである．

これは，1970年代の米国において，当時米国でも実施されていた子宮内膜細胞診の信頼性の低さを結論づける論文が複数出されたことで，米国政府のFDA（U.S. Food and Drug Administration）が検査法としての認可を取り消し，その後，諸外国がこの動きに追従したためである．

一方，日本では，多くの産婦人科医が子宮内膜細胞診を子宮腟・頸部細胞診と同じように用い，信頼を得てきたため，臨床検査としての立場を失うことなく現在に至っている．その結果，1970年代当時の信頼性の低さを結論づけるような報告があったにもかかわらず，診断精度の確立にある程度成功した施設も多く存在したものと思われる．

しかし，残念ながら国内における検査精度は，標本作製や判定方法の標準化が果たされていなかったために大きなばらつきがあった．国際的にはベセスダシステムをはじめ細胞診の種々の領域で報告様式の標準化と精度管理の深化が目覚ましく進んだ．そのような中で登場した「子宮内膜細胞診報告様式ヨコハマシステム」は，子宮内膜細胞診において細胞標本や細胞診の判定基準の標準化が国際的合意に基づいて達成された成果として，初めて実現した国際標準の報告様式である[1]．

今回の改訂版では，欧州とのコンセンサス合意に基づき，世界的に子宮内膜細胞診の精度向上と標準化の達成に大きく貢献するために，新たに設定された「子宮内膜細胞診報告様式ヨコハマシステム」と液状化検体細胞診（liquid based cytology：LBC）の子宮内膜細胞診への導入に特に力点が置かれた．これらは2022年初頭にSpringer社から出版された『子宮内膜細胞診ヨコハマシステム』のアトラス兼解説本[2]や『細胞診ガイドライン』（日本臨床細胞学会・編）[3]を通じて，国際的にも国内的にも今後広く認知が進むと期待される．直接塗抹標本に替えてLBC標本を用いた子宮内膜細胞診の精度は，一般的に普及している吸引式子宮内膜組織病理生検の精度と比較して，優るとも劣らないことは日本の多施設共同研究でも示された[4]．

本書の初版は，2015年春に日本臨床細胞学会の編集により出版された『細胞診ガイドライン1』に新たに掲載された,「記述式子宮内膜細胞診報告様式」の理解を深めるためにまとめられた初めてのアトラスであった.本文では,鮮明で豊富な写真を掲載し,各々の細胞診判定区分の理解を深めるように工夫されていた.また,今後の子宮内膜細胞診標本の標準化には欠かせないLBCの写真を中心に取りまとめられていたことにより,しばしば問題とされてきた,アトラスで紹介されている画像所見と自施設における標本所見との差異に,気を煩わされることがないように配慮されていた.今回の改訂では,これらの特徴を残しつつ,標準化を目指して国際的に合意された「子宮内膜細胞診報告様式ヨコハマシステム」に完全に準拠するように用語等が統一された.

「子宮内膜細胞診報告様式ヨコハマシステム」では,日本の記述式子宮内膜細胞診報告様式と同様に,新たに標本の適正基準が設定されるとともに,組織診断に即した報告様式が設定された.また,判定のグレーゾーンとしての子宮内膜異型細胞(atypical endometrial cells:ATEC)も設けられており,さらに判定区分ごとに推奨される臨床対応が暫定的に設定されている.今後,「子宮内膜細胞診報告様式ヨコハマシステム」を用いることで,国際的に細胞診標本が標準化され,その結果として細胞診判定の標準化と子宮内膜細胞診の検査精度が,これまで以上に向上することを期待したい.

今後は,これまで以上に臨床医側も子宮内膜細胞診の精度への関心を深め,より完成度の高い子宮内膜細胞診が行われることが望まれる.その結果として今後予想される子宮体癌の罹患率・死亡率の上昇の抑制に役立つことを期待したい.

「子宮内膜細胞診報告様式ヨコハマシステム」においても,ATECは現時点では未知の病態を含めた判定領域である.今後,判定のグレーゾーンであるATECに科学的検証が集中することによって,子宮体癌の癌化プロセスの解明の一助にもなることを期待したい.そのためにも,病理医や細胞検査士の方々だけではなく,臨床医の方々にもATECのもつ意味が十分に理解され,総力を挙げて子宮内膜細胞診から子宮体癌の癌化プロセスの解明が進むことを願っている.この願いを「子宮内膜細胞診報告様式ヨコハマシステム」に込め,本書により,子宮内膜細胞診に関する理解が十分に深まることを望みたい.

(平井康夫,矢納研二,則松良明)

2 子宮内膜細胞診報告様式ヨコハマシステムについての補遺

図1,**表1**に「子宮内膜細胞診報告様式ヨコハマシステム」と組織診断,従来の分類との関係を示す.従来の分類ではリスクの大きさを高さで示しており,「疑陽性」の中のかなりの割合が低リスクで占められていることがわかる.また,従来の分類では,組織診断との整合性が曖昧である.

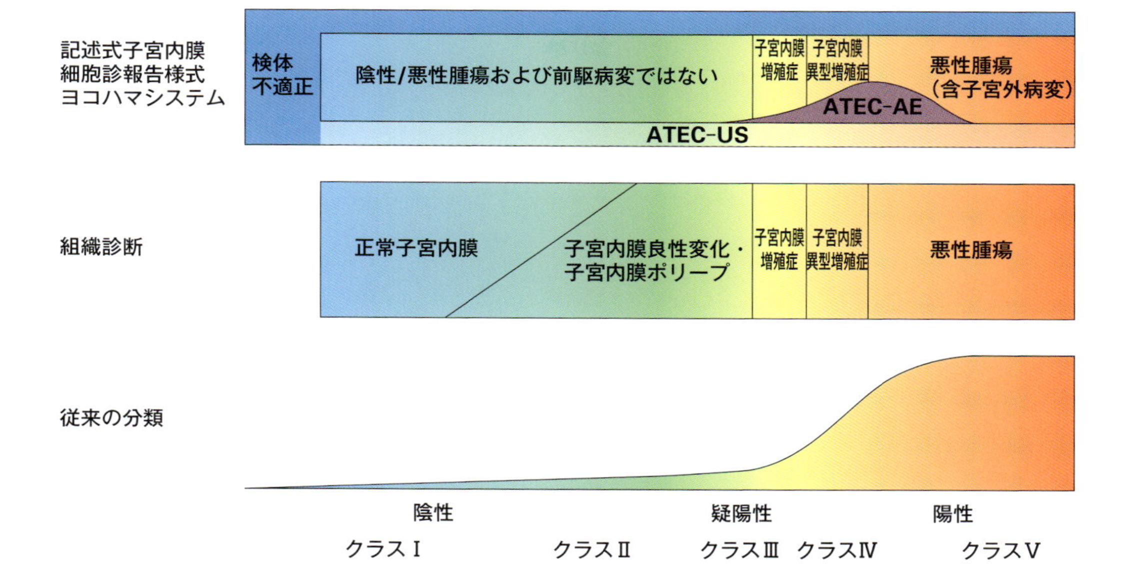

図 1　記述式子宮内膜細胞診報告様式ヨコハマシステムと組織診断，従来の分類との関係

表 1　細胞診ガイドラインが推奨する「記述式子宮内膜細胞診報告様式」

結果報告		従来の分類	臨床対応方法
陰性/悪性腫瘍および前駆病変ではない		陰性	異常なし
子宮内膜異型細胞(ATEC)	意義不明(ATEC-US)	疑陽性	細胞診を用いた経過観察もしくは子宮内膜生検
	子宮内膜異型増殖症/類内膜上皮内腫瘍や悪性病変を除外できない(ATEC-AE)		子宮内膜組織診断の確定
子宮内膜増殖症			
子宮内膜異型増殖症			
悪性腫瘍		陽性	

「子宮内膜細胞診報告様式ヨコハマシステム」では，基本的に検体不適正は報告対象から除外される[1, 2]．しかし，実際の運用においては，柔軟な対応が必要である．例えば，観察される細胞と臨床情報から，萎縮内膜と判断されるが，採取細胞量が少ない場合，判定者の責任において，「陰性/悪性腫瘍および前駆病変ではない」と報告することは許容される．また，同じく採取される細胞量は少ないが，その中に異型細胞が認められる場合には，極力，推定される組織診断に応じた判定が行われるべきである．

ATEC-USは，今までの検討では，広く「陰性/悪性腫瘍および前駆病変ではない」から「悪性腫瘍」までの可能性を含む判定のグレーゾーンである．この判定を受けた場合には，臨床医は，臨床所見や症状に応じた追加検査や経過観察が必要である．一方，ATEC-AEは悪性腫瘍が強く疑われているので，必ず組織診断が確定される必要があり生検が実施されるべきである．

（平井康夫，矢納研二，則松良明）

3 子宮内膜細胞診の歴史的背景と展望

一般的に子宮癌検診は子宮頸癌に対する検診を意味し，子宮頸部細胞診(頸部細胞診)を実施することによって，主として扁平上皮細胞異常の検出が行われている．婦人科領域における癌の診断(子宮頸部)に細胞診の果たした役割は余りにも大きいと言えよう．

一方，子宮内膜癌は子宮体部に発生する悪性腫瘍であり，組織学的には腺癌が大部分を占めている．日本においては，子宮内膜細胞診(内膜細胞診)は子宮内膜癌の初期評価のための最も一般的な検査で，子宮内膜癌のリスクが高い女性に対しての第一段階のスクリーニング方法として推奨されている．また，わが国では先駆的であった旧癌研病院(現がん研有明病院)における増淵一正博士らの際立った貢献もあり，子宮体癌の発見を目的とした子宮内膜細胞診は，欧米先進国と比較しても限定的ではあるが，早い時期から実施され現在に至っている[5-9]．しかし，子宮内膜癌の検出は，子宮頸部細胞診を用いた子宮頸癌検診のように死亡率の減少効果を示す明確なエビデンスは今現在も示されていない．

近年，国際誌などに発表される，日本発の子宮内膜細胞診関連の研究・業績は量，質ともに目を見張るものがある．いま，期せずして，内膜細胞診の精度向上に向けた，新たな取り組みが始まり，大きな転換期に立っているとも考えられる．その意味においても，本書の改訂版が出版される意義は大きい．ここでは子宮内膜細胞診に関わった研究・開発の流れを歴史的観点から概観したい．

1928年，パパニコロウ博士によって子宮頸(腟)部の剝離細胞診が提唱されて以後，子宮頸癌の早期発見・治療は現実のものとなった[10]．しかし，子宮内膜癌の細胞診断は子宮頸癌と比較し，困難なものとされている．その原因として，直視下で病変から細胞採取することが難しいこと，すなわち採取上の問題点が存在する[9]．したがって，検体採取操作が容易かつ安定的で安全な器具の開発が必要であった．

子宮内膜細胞診の細胞採取器具を最初に研究開発したのは，1943年にパパニコロウ博士と同じコーネル大学ニューヨーク病院産婦人科医のWilliam Caryであった[11]．彼は金属製のカニューレを子宮体部に挿入して，注射筒で陰圧にて吸引し，スライドに塗抹する方法を子宮内膜細胞診の観察法として推奨した．パパニコロウ博士らは既に頸(腟)部細胞診標本においては，子宮内膜癌の検出感度は決して高くないと認識していた[12]．

1943年に出版された「PAPANICOLAOU・TRAUT」の図譜には画家 村山橋目氏(日系アメリカ人，科学イラストレーター)によって，子宮内膜癌の細胞がスケッチされ，細密に描写されている(**図2**)[12]．また，パパニコロウ博士は1952年ごろには，

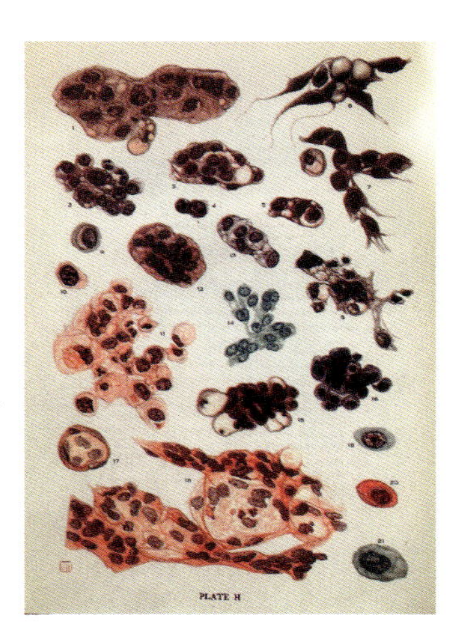

図 2　村山橋目によって細密に描写された子宮内膜癌を含む悪性細胞像：PLATE（H）.「PAPANICOLAOU・TRAUT」図譜

（Papanicolaou GN, Traut HF：Diagnosis of uterine cancer by the vaginal smear. New York. The Commonwealth Fund, 1943 より）

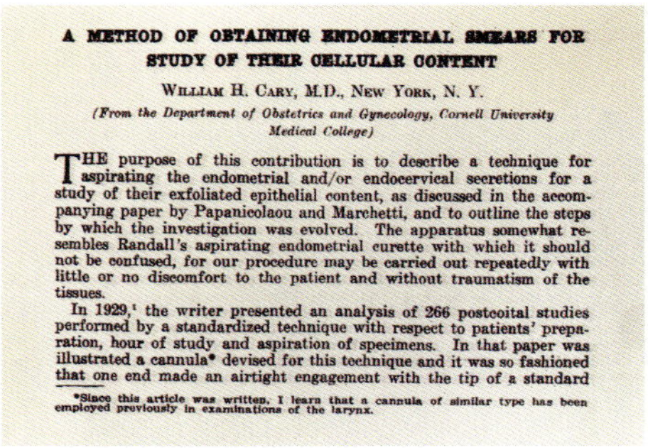

A METHOD OF OBTAINING ENDOMETRIAL SMEARS FOR STUDY OF THEIR CELLULAR CONTENT

WILLIAM H. CARY, M.D., NEW YORK, N. Y.

(From the Department of Obstetrics and Gynecology, Cornell University Medical College)

THE purpose of this contribution is to describe a technique for aspirating the endometrial and/or endocervical secretions for a study of their exfoliated epithelial content, as discussed in the accompanying paper by Papanicolaou and Marchetti, and to outline the steps by which the investigation was evolved. The apparatus somewhat resembles Randall's aspirating endometrial curette with which it should not be confused, for our procedure may be carried out repeatedly with little or no discomfort to the patient and without traumatism of the tissues.

In 1929,[1] the writer presented an analysis of 266 postcoital studies performed by a standardized technique with respect to patients' preparation, hour of study and aspiration of specimens. In that paper was illustrated a cannula* devised for this technique and it was so fashioned that one end made an airtight engagement with the tip of a standard

*Since this article was written, I learn that a cannula of similar type has been employed previously in examinations of the larynx.

図 3　Cary による内膜細胞診の採取法に関する報告

（Cary WH. Am J Obstet Gynecol, 1943；46：422-423.）

子宮内膜の直接細胞採取材料（Cary の方法を利用したと考えられる）を用いた細胞診断を行っていたとされており，Carmichael はコーネル大学の公式な報告書を自身の著書の中で紹介している（図 3，4）[13].

Cary によって初めて，採取器具が紹介されたのち，多種多様の器具が開発され使用されてきた．細胞の採取やその手技については，それぞれ一長一短があり，より簡便で検出率の高い方法の開発にしのぎを削った歴史が伺える．しかし，基本的な手法としては吸引法あるいは擦過法によるものが中心であった．

1950 年後半には吸引法は子宮内腔洗浄法へと改良され，子宮腔内に生食を注入し，陽圧をかけてから陰圧で吸引し細胞採取を実施するようになった．しかし，手技に付随した行為などによって，感染症の懸念や細胞判定の困難性などが残ることから使用は限定的であった[10].

1955 年，Ayre は装置の先端にブラシを装着させた，内膜ブラシ法を開発[14]，その後 Butler ら[15] や Johnsson と Stormby[16] によって改良が加えられた．その後，各種のらせん状のプラスチックを利用した，擦過器具の開発へと新しい世代に入った[7].

また，Isaacs と Wilhoite は直径 1.9 mm のステンレス製のカニューレで，注射筒の先端に小孔から細胞成分を，吸入し採取する方法を開発した[10,16].

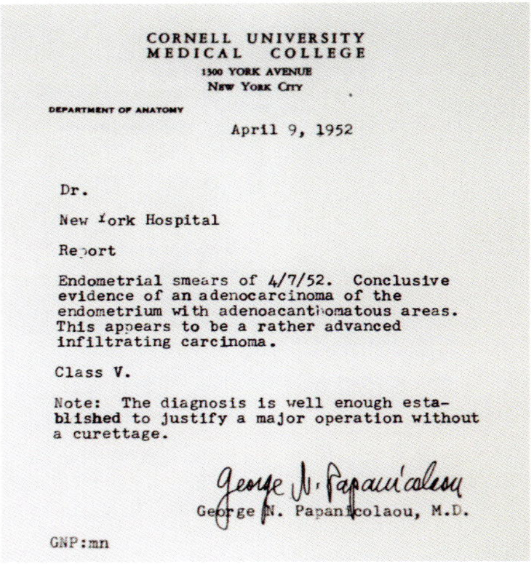

CORNELL UNIVERSITY
MEDICAL COLLEGE
1300 YORK AVENUE
NEW YORK CITY

DEPARTMENT OF ANATOMY

April 9, 1952

Dr.

New York Hospital

Report

Endometrial smears of 4/7/52. Conclusive evidence of an adenocarcinoma of the endometrium with adenoacanthomatous areas. This appears to be a rather advanced infiltrating carcinoma.

Class V.

Note: The diagnosis is well enough established to justify a major operation without a curettage.

George N. Papanicolaou
George N. Papanicolaou, M.D.

GNP:mn

図4 パパニコロウ博士によるコーネル大学の内膜細胞診報告書と自筆サイン

（The Pap Test：Life of George N. Papanicolaou by D. Erskine Carmichael, Charles C Thomas Publisher, Springfield, Illinois, U.S.A. より）

藤原らは，ウテロブラシの検討で直接スライドグラスに塗抹する“flicked法”を推奨した[10, 16]．1998年，佐藤ら[17]は宮城県における6年間の調査で，集団検診としての子宮内膜細胞診と外来における検査と比較したところ，検出率は集団検診で2.3%，外来で5.9%と数値に開きがあり，検出率の向上のためには対象者の選択基準を新たに設ける必要性を示した．また，津田らのエンドサイトを使った報告では，子宮内膜癌検診において，経膣超音波検査(TVS)をエンドサイト法と比較し，エンドサイトの検出感度は78.9%，特異度は95.4%でTVSは内膜組織診を含むさらなる診断の場合に有用であると述べた[18]．

一方，子宮内膜細胞診では，材料不適例や子宮内膜特有の生理学的変化に基づく細胞判定の困難性や細胞異型の判断において，正常病変/境界病変/癌の間で細胞異型に重なりがあることから，子宮頸癌検診のような普及には至らなかった[9]．

米国における評価は，1984年，Kossらによる，無症状の女性を対象に子宮内膜癌のスクリーニング検査としての手法を評価する目的で，女性2,586人のうち45歳以上(98%)を対象に検査したところ，16例の潜伏癌と子宮内膜過形成が21例検出された，との報告がある[19]．特に，子宮内膜過形成の検出率が非常に低かったことなどから，スクリーニングテストとしての検査の価値が疑問視された．この研究発表以後，子宮内膜細胞診を懐疑的にみる傾向が生まれた[20, 21]．また，無症候性の女性を対象にした，子宮内膜癌のスクリーニングの実施は，推奨されないとの報告も示されている[10]．

1986年，Skaarlandは，これまでの子宮内膜細胞診の核異型に重きを置いた細胞所見の読み方から，細胞集塊所見(architecture of large tissue fragments)を観察する子宮内膜細胞診の重要性を示し，英国臨床病理医協会雑誌に報告した[22]．

一方，Hutchinsonら[23]による子宮頸部におけるLBC報告から遅れること約10年で，LBCによる子宮内膜細胞診がTao brushを用いて直接内膜細胞採取が初めて実施され[24]，非癌例を用いて，内膜周期における細胞形態学的評価が行われた．その後，Garciaら[25]，Buccolieroら[10,16]，則松ら[10,16]またPapaefthimiouら[26]によって，欧州，米国および日本からほぼ同じ時期に，子宮内膜細胞診におけるLBC処理法が報告されはじめ[16]，LBCによる子宮内膜細胞診は新領域の細胞診として動き始めた．

LBCを含む子宮内膜細胞診の研究は，日本とギリシャのグループからの報告が目立ち研究活動を牽引した[10,16]．1997年には石井・藤井らは複雑型子宮内膜増殖症以上の病変において，乳頭状集塊や樹枝状集塊とともに細胞集塊の中に出現する間質細胞の存在が，これらの内膜病変の細胞形態学的な観察において重要な要素となることを示した[10,16]．2006年，則松らは，子宮内膜細胞の観察を組織片の細胞構築に基づいた子宮内膜増殖症や類内膜癌(G1)の病変検出の有用性を報告した．すなわち，上皮細胞集塊と間質細胞集塊の細胞構築による区分を同時に提唱した[10,16]．

最近，米国メイヨークリニックのグループは，子宮内膜癌と子宮内膜過形成についてTao brushと内膜組織診との比較検討を行い，良好な相関を示す結果を報告し，子宮内膜細胞診の潜在的価値を再検討する必要があるとした[27]．Margariら[28]は，LBCによる子宮内膜細胞診における報告システムについて，特にグレーゾーンの扱いでは細胞病理医間での一致率を高める必要性を述べた．さらに清水らは，グレーゾーン病変の細胞判定について異常内膜病変である機能不全性内膜(不全増殖内膜)における子宮内膜腺・間質破綻(endometrial glandular and stromal breakdown：EGBD)を細胞構築から評価し，偽陽性の減少につながると述べ，内膜表層で観察される好酸性細胞質を有する化生細胞や，乳頭状化生集塊の診断的価値を合わせて強調した[10,16]．

西村らは，類内膜癌を用いた細胞診断において，独自の細胞学的スコア評価を試み，子宮内膜細胞診と組織診のグレードの相関性を臨床病理学的パラメーターとともに示した[29]．小林らは，子宮内膜細胞診を間質および，上皮集塊を用いた判定基準を提示し，類内膜癌G1，G2と異型を伴わない複雑型子宮内膜増殖症の診断を容易にさせた[30]．また，Papaefthimiouら[26]はLBCによる子宮内膜細胞診が再現性や標準化において優れ，特に観察者間における細胞所見の一致は，良好であり，その結果，共通の診断基準の適応が可能になったことを強調した．

さらに，子宮内膜病変の診断において，不必要な子宮内容除去術を減少させることができるとも述べている[26]．則松らは，新しい診断基準に基づいて，LBCによる子宮内膜細胞診の評価を実施し，観察者間および観察者の一致率を3か月間隔で2回の鏡検を実施して再現性の高い結果を報告した[31]．

最近米国からの報告で，子宮内膜癌の罹患と肥満の蔓延(obesity epidemic)や特に若い年代における発生などから，今後数年内に重要な公衆衛生上の問題が起こるとの指摘がある[32]．また，高リスクの女性に対して，スクリーニング戦略の数理的モデルに基づいた費用対効果についても正確に評価される必要がある[33, 34]．

LBCによる子宮内膜細胞診のルーティン化が，現実味を帯びてくると，細胞判定を行うものにとって，細胞診の標準化に向けた多専門的なアプローチを含めた，取り組みと検討が必要となる[16]．これまで，細胞判定の難しさの議論に集中していた「子宮内膜細胞診」は，LBCによる子宮内膜細胞診の出現でより普遍的な判定や報告様式の標準化が進み，存在感を増し始めた．

2016年に横浜市で開催された，第19回国際細胞学会「子宮内膜シンポジウム」："Intrauterine sampled endometrial cytology"において，子宮内膜細胞診断のアルゴリズム〔The Yokohama System（TYS）for Reporting for Endometrial Cytology〕が取り上げられ，その後国際的合意が交わされたことは意義深い[1]．TYS分類は，直接採取された子宮内膜細胞診の新しい「ベセスダシステム」を考案したことになる．さらに，このTYS分類は，細胞学的な診断クラスと明確なリスクカテゴリーとの相関を示している．これまで，子宮頸部細胞診と比較して標準化に遅れが否めなかった「子宮内膜細胞診」は，ここに大きな一歩を踏み出すこととなるかも知れない．

（小林忠男）

文献

1）Fulciniti F, Yanoh K, Karakitsos P, et al. The Yokohama system for reporting directly sampled endometrial cytology：The quest to develop a standardized terminology. Diagn Cytopathol. 2018；46：400-412.
2）Hirai Y, Fulciniti F（eds）, The Yokohama System for Reporting Endometrial Cytology：Definitions, Criteria, and Explanatory Notes, Springer, Singapore, 2022.
3）日本臨床細胞学会（編）．細胞診ガイドライン１　婦人科・泌尿器．pp66-67，金原出版，2015.
4）Hirai Y, Sakamoto K, Fujiwara H, et al. Liquid-based endometrial cytology using SurePath is not inferior to suction endometrial tissue biopsy for detecting endometrial malignancies：Midterm report of a multicentre study advocated by Japan Association of Obstetricians and Gynecologists. Cytopathology. 2019；30：223-228.
5）増淵一正，林仲聡，鈴木忠雄，ほか．子宮体癌の吸引内膜細胞診について，癌の臨床．1970；16：919-926.
6）岡島弘幸，増淵一正，岩崎秀昭，ほか．癌研婦人科における内膜細胞診―増淵式反覆吸引細胞診について―，日臨細胞誌．1980；19：1-6.
7）蔵本博行（著）．カラーアトラス子宮体癌検診．医歯薬出版：1988．2-56.
8）清水恵子（編著）．子宮内膜細胞診の実際―臨床から報告様式まで―．近代出版：2012．10-16，20-25，26-71.
9）柏村正道（編著）．婦人科細胞診の実際．永井書店：1998．53-77.
10）Kobayashi TK. Endometrial cytology in historical perspective. In Hirai Y, Fulciniti F（eds）. The Yokohama System for Reporting Endometrial Cytology：Definitions, Criteria, and Explanatory Notes. Springer, Singapore：2022. 1-10.
11）Cary WH. A method of obtaining endometrial smears for study of their cellular content. Am J Obstet Gynecol. 1943；46：422-423.
12）Papanicolaou GN, Traut HF：Diagnosis of uterine cancer by the vaginal smear. New York. The Commonwealth Fund, 1943.

13) Carmichael DE. The Pap Smear : Life of George N. Papanicolaou. Illinois. Springfield, IL : Charles C Thomas Publisher ; 1973.
14) Ayre JE. Rotating endometrial brush : new technic for the diagnosis of fundal carcinoma. Obstet Gynecol. 1955 ; 5 : 137-141.
15) Butler EB, Monahan PB, Warrell DW. Kuper brush in the diagnosis of endometrial lesions. Lancet. 1971 ; 2(7739) : 1390-1392.
16) Kobayashi TK, Norimatsu Y, Buccoliero AM. Cytology of the body of the uterus. In Gray W, Kocjan G(eds). Diagnostic Cytopathology. 3rd ed. London : Churchill Livingstone : 2010. 689-719.
17) Sato S, Matsunaga G, Konno R, Yajima A. Mass screening for cancer of the endometrium in Miyagi Prefecture, Japan. Acta Cytol. 1998 ; 42 : 295-298.
18) Tsuda H, Kawabata M, Yamamoto K et al. Prospective study to compare endometrial cytology and transvaginal ultrasonography for identification of endometrial malignancies. Gynecol Oncol. 1997 ; 65 : 383-386.
19) Koss LG, Schreiber K, Oberlander SG, et al. Detection of endometrial carcinoma and hyperplasia in asymptomatic women. Obstet Gynecol. 1984 ; 64 : 1-11.
20) Robertson G. Screening for endometrial cancer. Med J Aust. 2003 ; 178 : 657-659.
21) Frable WJ. Screening endometrial cancer? Cancer. 2008 ; 114 : 219-221.
22) Skaarland E. New concept in diagnostic criteria based on composition and architecture of large tissue fragments in smears. J Clin Pathol. 1986 ; 39 : 36-43.
23) Hutchinson ML, Cassin CM, Ball HG. The efficacy of an automated preparation device for cervical cytology. Am J Clin Pathol. 1991 ; 96 : 300-305.
24) Firat P, Mocan G, Kapucuoglu N. Liquid-based endometrial cytology : endometrial sample collection by using Tao brush. Diagn Cytopathol. 2002 ; 27 : 393-394.
25) Garcia F, Barker B, Davis J, et al. Thin-layer cytology and histopathology in evaluation of abnormal uterine bleeding. J Reprod Med. 2003 ; 48 : 882-888.
26) Papaefthimiou M, Symiakaki H, Mentzelopoulou P, et al. Study on the morphology and reproducibility of the diagnosis of endometrial lesions utilizing liquid-based cytology. Cancer. 2005 ; 105 : 56-64.
27) DeJong SR, Bakkum-Gamez JN, Clayton AC, et al. Tao brush endometrial cytology is a sensitive diagnostic tool for cancer and hyperplasia among women presenting to clinic with abnormal uterine bleeding. Cancer Med. 2021 ; 10 : 7040-7047.
28) Margari N, Pouliakis A, Aninos D, et al. Internal quality control in an academic cytopathology laboratory for the introduction of a new reporting system for endometrial cytology. Diagn Cytopathol. 2017 ; 45 : 883-888.
29) Nishimura Y, Watanabe T, Jobo T, et al. Cytologic scoring of endometrioid adenocarcinoma of the endometrium. Cancer. 2005 ; 105 : 8-12.
30) Kobayashi H, Otsuki Y, Shimizu S, et al. Cytological criteria of endometrial lesions with emphasis on stromal and epithelial cell clusters : results of 8 years of experience with intrauterine sampling. Cytopathology. 2008 ; 19 : 19-27.
31) Norimatsu Y, Yamaguchi T, Taira T, et al. Inter-observer reproducibility of endometrial cytology by the Osaki Study Group method : utilizing the Becton Dickinson SurePath liquid-based cytology. Cytopathology. 2016 ; 27 : 472-478.
32) Smrz SA, Calo C, Fisher JL et al. An ecological evaluation of increasing incidence of endometrial cancer and the obesity epidemic. Am J Obstet Gynecol 2021 ; 224 : 506 e1-e8.
33) Fambrini M, Sorbi F, Sisti G, et al. Endometrial carcinoma in high-risk populations : is it time to consider a screening policy? Cytopathology 2014 ; 25 : 71-77
34) Wang Q, Wang Q, Zhao L, et al. Endometrial cytology as a method to improve the accuracy of diagnosis of endometrial cancer : case report and meta-analysis. Front Oncol 2019 ; 9 : 256.

I

診断用語と報告様式の概略

子宮内膜細胞診の報告

細胞診の役割として最も重要なことは，悪性腫瘍をできる限り正確に判定することである．一方，子宮内膜の悪性腫瘍は，細胞診で判定されただけでは最終診断とはされず，原則として組織診断による確定のあとに治療方針が決定される．そのため，子宮内膜細胞診の判定結果を受けて判断される組織診断には，高い診断精度が求められている．

子宮内膜細胞を採取する検査行為は，子宮頸・腟部から細胞を採取する行為に比べて被検者の苦痛を伴いやすい．また，子宮内膜組織採取はさらなる苦痛を与えてしまうため，不必要な再検やあいまいな細胞診判定によって，無用な組織診検査を増加させるようなことがあってはならない．

子宮内膜は，月経周期に応じて短期間の間に細胞および組織形態が変化する，特異的な組織である．また，卵巣機能自体の異常に加え，薬物などの体外からの影響でも月経周期を調整する性ホルモンバランスに乱れを生じ，直接子宮内膜に影響を与える．さらに炎症や放射線は，細胞の形態に悪性腫瘍との鑑別に苦慮するような変化を及ぼす場合があることが知られている．

そのため子宮内膜細胞診では，単に細胞の形態が明らかに正常な状態を「陰性」，明らかに悪性腫瘍と判定される場合を「陽性」，悪性腫瘍が疑われるが断定的ではない場合を「疑陽性」と区分して判定した．しかし，それだけでは結果的に悪性腫瘍と関連性のない細胞まで，「疑陽性」と判定されてしまう場合が多くなってしまう．このことは，結果的に不必要な負担と苦痛を被検者に及ぼすことになる．そこで，子宮内膜細胞診では，明らかな良性，悪性の判定に加え，細胞や組織構築の変化が認められた場合に，それらを良性ととらえられるべき範疇の中での変化と，悪性腫瘍が疑われる変化とに区分をして臨床側に報告することが，特に重要となる．臨床側としては，悪性もしくは悪性が疑われる判定を受けた場合には，組織診断を行う必要がある．

2 従来から用いられてきた子宮内膜細胞診報告様式

子宮体癌取扱い規約第3版[1]には，子宮内膜細胞診評価判定方法として，1987年4月から実施された老人保健法における子宮体癌検診の細胞診報告書に，「陰性(negative)」「疑陽性(suspicious)」「陽性(positive)」と報告することが紹介されている．この分類では，標本自体の質的評価は判定基準に含まれておらず，不適正検体は異型細胞が認められないという理由で，「陰性」として報告するようになっている．その他，施設独自の取り決めを設定し，より詳細な区分を用いた判定・報告を行う施設もある．しかし，普遍的かつ組織診断との整合性が図られている報告様式が設定されてこなかったため，これまで施設間の細胞診診断精度の比較や検証は不可能であった．

3 国際的に標準化された子宮内膜細胞診報告様式 ヨコハマシステム

従来の報告様式では，報告された子宮内膜細胞診判定結果と組織診断との整合性が不十分であり，必ずしも臨床側にとって十分なものではなかった．特に「疑陽性」と判定された場合，本来の意味は「異型細胞を認めるが悪性の確定ができないもの」であった．しかし，のちに拡大して解釈されるようになり，「正常細胞とは断定できない場合」も包括されるようになっている．この中には，ホルモン環境の異常に起因する多くの良性反応性変化が含まれているが，この病態も形態的変化も認識されにくかったため，結果的に「疑陽性」と報告される場合が多くなった．

国際的に標準化された子宮内膜細胞診報告様式ヨコハマシステム[2-4]では，原則的に『子宮体癌取扱い規約』[1]や『細胞診ガイドライン』[5]に基づいた組織診断との整合性が図られている．そして，それらは「陰性/悪性腫瘍および前駆病変ではない(Negative for Malignant Tumors and Precursors)」「異型を伴わない子宮内膜増殖症(Endometrial Hyperplasia without Atypia)」「子宮内膜異型増殖症/類内膜上皮内腫瘍〔Endometrial Atypical Hyperplasia/Endometrioid Intraepithelial Neoplasia(EAH/EIN)〕」「悪性腫瘍(Malignant Neoplasms)」に区分されている(**表1**)．実際の報告では，可能な限り推定される組織診断名が記載されることが望ましい．さらに，本報告様式では，判定のグレーゾーンとして子宮内膜異型細胞(Atypical Endometrial Cells：ATEC)が設定された．

この記述式報告様式においては，おのおのの判定区分が従来の「陰性」「疑陽性」「陽性」と，一定の整合性を有している．そのため，今後，臨床の現場で運用される判定方法としては，可能な限り本報告様式への切り替えが望ましいが，当面は，従来の判定との併用も許容される．

表 1 記述式子宮内膜細胞診報告様式ヨコハマシステム[註1]

1)標本の種類
　直接塗抹標本
　液状化検体標本

2)標本の適否
　検体適正
　検体不適正：**TYS 0**

3)記述式細胞診結果報告
□ 陰性/悪性腫瘍および前駆病変でない Negative for malignant tumors and precursors：**TYS 1**
　増殖期内膜 endometrium in proliferative phase
　分泌期内膜 endometrium in secretory phase
　月経期内膜 endometrium in menstrual phase
　萎縮内膜 atrophic endometrium
　良性反応性変化 benign reactive change
　子宮内膜ポリープ endometrial polyp
　子宮内膜化生 endometrial metaplasia
　アリアス-ステラ反応 Arias-Stella reaction
　子宮内膜腺・間質破綻 endometrial glandular and stromal breakdown(EGBD)
□ 子宮内膜異型細胞 Atypical endometrial cells(ATEC)
　□ 子宮内膜異型細胞；意義不明 Atypical endometrial cells, of undetermined significance(ATEC-US)：**TYS 2**
　＊ATEC-US の理由は下記から可及的に選択する
　　・炎症により腫瘍性病変を否定できない
　　・ホルモン環境異常により腫瘍性病変を否定できない
　　・医原性変化により腫瘍性病変を否定できない
　　・良性変化ないし良性病変が疑われるが，腫瘍性病変の可能性も除外できない
　□ 子宮内膜異型細胞；子宮内膜異型増殖症/類内膜上皮内腫瘍や悪性病変を除外できない
　Atypical endometrial cells, cannot exclude endometrial atypical hyperplasia(EAH)/endometrioid intraepithelial neoplasia(EIN) or Malignant condition(ATEC-AE)：**TYS 4**
□ 異型を伴わない子宮内膜増殖症 Endometrial hyperplasia without atypia：**TYS 3**
□ 子宮内膜異型増殖症/類内膜上皮内腫瘍 Endometrial atypical hyperplasia/endometrioid intraepithelial neoplasia(EAH/EIN)：**TYS 5**
　ポリープ状異型腺筋腫 atypical polypoid adenomyoma を含む．なお，漿液性子宮内膜上皮内癌を除く
□ 悪性腫瘍 Malignant neoplasms：**TYS 6**
　すべての悪性腫瘍を含む
　類内膜癌(G1, G2, G3, 扁平上皮への分化を伴う)endometrioid carcinoma(G1, G2, G3, squamous differentiation)
　漿液性子宮内膜上皮内癌 serous endometrial intraepithelial carcinoma(SEIC)
　漿液性癌 serous carcinoma
　明細胞癌 clear cell carcinoma
　未分化および脱分化癌 undifferentiated and dedifferentiated carcinoma
　混合癌 mixed carcinoma
　その他の子宮内膜癌 other endometrial carcinomas(中腎癌 mesonephric carcinoma，扁平上皮癌 squamous cell carcinoma，胃または胃腸型粘液性癌 gastric or gastrointestinal type mucinous carcinoma，中腎様癌 mesonephric-like carcinoma)
　癌肉腫 carcinosarcoma
　平滑筋肉腫 leiomyosarcoma
　子宮内膜間質肉腫 endometrial stromal sarcoma
　未分化子宮肉腫 undifferentiated uterine sarcoma
　腺肉腫 adenosarcoma
　子宮外悪性腫瘍 extrauterine malignant tumors

註 1：組織型分類は WHO 第 5 版に準拠〔Kim K-R, et al(eds). Tumors of the uterine corpus. WHO Classification of Tumors, 5th edition, Female Genital Tumors. International Agency for Research on Cancer, Lyon, 2020；p246-308.〕

「子宮内膜細胞診報告様式ヨコハマシステム」では，細胞診判定に必要な標本の質を確保するために，標本適正基準が設定された．また，従来直接塗抹標本(conventional preparation)と，今後普及が予想される液状化検体細胞診(liquid based cytology：LBC)標本とを区分し，記載することが定められている．

表2に，ヨコハマシステムと従来の日本臨床細胞学会(JSCC)およびギリシャ発の記述式報告様式との関係を示した．表3では，ヨコハマシステムのカテゴリーごとのTYS(The Yokohama System)グレードを示した．表4では，ヨコハマシステムの各カテゴリーにおける悪性腫瘍に対する相対リスクを示した．表5では，日本におけるヨコハマシステムの各カテゴリーの取り扱いについての暫定的な推奨を示した．

A 標本の種類

細胞診標本として従来から用いられている直接塗抹標本と，今後臨床の現場への導入が予想される液状化検体細胞診標本とを区分する．

B 標本の適否

ラベル剥がれやガラス破損などの理由により，明らかに標本が検鏡に適さないと判断された場合には検体不合格とされる．検体不合格と報告を行う際には，検体を不合格とした理由が明記される必要がある．一方，細胞診標本が検鏡された結果，標本の質が不良であるため，細胞診報告には適さないと判断される場合には検体不適正とする．その場合にも，理由(子宮内膜細胞なし，乾燥，固定不良など)が明記される必要がある．

なお，標本が不適正と判断される場合でも，検鏡を実施し，明らかな異型細胞が認められた場合には，被検者の利益を優先し，臨床側に可能な限り具体的な組織診断名を報告することとされている．また，出現している細胞集塊数が適正基準に満たない場合で，すべてが萎縮内膜として判定されるような場合にも，標本不適正と判定したうえで，診断者側の責任において臨床側に萎縮内膜と報告することも許容される．最終的な総合的臨床診断は，臨床医に委ねられる．

そのため臨床側においては，検体の適正に問題がある(検体不適正)とコメントで指摘された場合には，診断精度が劣ることに十分留意し，状況に応じて経過観察，再細胞診，組織診などを行うことを考慮しなくてはならない．

表2　細胞学的解釈/結果および組織診断

細胞診結果（JSCC）	細胞診結果（ギリシャ）	組織診断（WHO分類）	ヨコハマシステム細胞診結果の記述的用語	TYSグレードカテゴリー	説明コメント
不十分 Unsatisfactory	不十分 Inadequate		検体不適正 Unsatisfactory for evaluation	TYS 0	ベセスダスタイルに準拠 To be compliant with the Bethesda Style
陰性/悪性ではない Negative for malignancy	悪性の証拠なし Without evidence of malignancy	増殖期子宮内膜 Proliferative endometrium 分泌期子宮内膜 Secretory endometrium 月経期子宮内膜 Menstrual endometrium 萎縮子宮内膜 Atrophic endometrium 良性反応性変化 Benign reactive change 子宮内膜ポリープ Endometrial polyp 子宮内膜化生 Endometrial metaplasia アリアス-ステラ反応 Arias-Stella reaction 子宮内膜腺・間質破綻 Endometrial glandular and stromal breakdown（EGBD）	陰性/悪性腫瘍および前駆病変ではない Negative for malignant tumors and precursors	TYS 1	ベセスダスタイルに準拠 To be compliant with the Bethesda Style
子宮内膜増殖症 Endometrial hyperplasia	ACE-L（Atypical endometrial cells with low probability for malignancy）	子宮内膜増殖症 Endometrial hyperplasia without atypia	異型を伴わない子宮内膜増殖症 Endometrial hyperplasia without atypia	TYS 3	より記述的に To be more descriptive
子宮内膜異型増殖症 Atypical endometrial hyperplasia	ACE-H（Atypical endometrial cells with high probability for malignancy）	子宮内膜異型増殖症/類内膜上皮内腫瘍 Endometrial atypical hyperplasia, endometrioid intraepithelial neoplasia（EAH/EIN）	子宮内膜異型増殖症/類内膜上皮内腫瘍 Endometrial atypical hyperplasia/Endometrioid intraepithelial neoplasia（EAH/EIN）	TYS 5	より記述的に，そしてWHO組織学的分類，第5版に準拠 To be more descriptive, and to be compliant with WHO Histological classification, 5th edition
悪性腫瘍 Malignant tumor	悪性 Malignant	全悪性腫瘍，以下を含む：類内膜癌（G1，G2，G3，扁平上皮への分化を伴う），漿液性癌，明細胞癌，未分化および脱分化癌，混合癌，その他の子宮内膜癌（中腎癌，扁平上皮癌，胃または胃腸型粘液性癌，中腎様癌），癌肉腫，平滑筋肉腫，子宮内膜間質肉腫，未分化子宮肉腫，腺肉腫，子宮外悪性腫瘍 All malignant tumors, including endometrioid carcinoma（G1, G2, G3, squamous differentiation）, serous carcinoma, clear cell carcinoma, undifferentiated and dedifferentiated carcinoma, mixed carcinoma, other endometrial carcinomas（mesonephric carcinoma, squamous cell carcinoma, gastric or gastrointestinal type mucinous carcinoma, mesonephric-like carcinoma）, carcinosarcoma, leiomyosarcoma, endometrial stromal sarcoma, undifferentiated uterine sarcoma, adenosarcoma and extrauterine malignant sarcoma	悪性腫瘍 Malignant neoplasms	TYS 6	より記述的に，そしてWHO組織学的分類，第5版に準拠 To be more descriptive, and to be compliant with WHO Histological classification, 5th edition

表3　子宮内膜細胞診を報告するためのヨコハマシステム(The Yokohama System)の記述的カテゴリー

1　検体不適正 Unsatisfactory for evaluation	TYS 0
2　陰性/悪性腫瘍および前駆病変ではない Negative for malignant tumors and precursors	TYS 1
3　子宮内膜異型細胞：意義不明 Atypical endometrial cells, of undetermined significance(ATEC-US)	TYS 2
4　異型を伴わない子宮内膜増殖症 Endometrial hyperplasia without atypia	TYS 3
5　子宮内膜異型細胞：子宮内膜異型増殖症/類内膜上皮内腫瘍や悪性病変を除外できない Atypical endometrial cells, cannot exclude EAH/EIN or malignant condition(ATEC-AE)	TYS 4
6　子宮内膜異型増殖症/類内膜上皮内腫瘍 Endometrial atypical hyperplasia/Endometrioid intraepithelial neoplasia(EAH/EIN)	TYS 5
7　悪性腫瘍 Malignant neoplasms	TYS 6

表4　これまでの日本等の研究に基づいたヨコハマシステムの記述的カテゴリーの相対リスク

カテゴリー	悪性のリスク(%)		管理
	悪性腫瘍 Malignant tumor	子宮内膜異型増殖症 Endometrial atypical hyperplasia	
検体不適正：TYS 0	これまでのところデータなし	これまでのところデータなし	臨床的疑いが高まった場合は，3か月以内に細胞診を繰り返す
陰性/悪性腫瘍および前駆病変ではない：TYS 1	0.40%	0.20%	必要に応じて臨床的にフォローアップ
子宮内膜異型細胞：意義不明(ATEC-US)：TYS 2	これまでのところデータなし	これまでのところデータなし	必要に応じて3か月以内に細胞診を繰り返す
異型を伴わない子宮内膜増殖症：TYS 3	18.20%	18.20%	さらにフォローアップ，子宮鏡，生検
子宮内膜異型細胞：子宮内膜異型増殖症/類内膜上皮内腫瘍や悪性病変を除外できない(ATEC-AE)：TYS 4	60.00%	5.70%	より積極的なフォローアップ，子宮鏡，生検
子宮内膜異型増殖症/類内膜上皮内腫瘍(EAH/EIN)：TYS 5	61.50%	30.80%	より積極的なフォローアップ，子宮鏡，生検
悪性腫瘍：TYS 6	94.50%	0.30%	より積極的なフォローアップ，子宮鏡，生検，進行期分類

表5　日本におけるヨコハマシステムの各カテゴリーの取り扱い方法に関する暫定的推奨

TYS カテゴリー		臨床的取り扱い
TYS 0	検体不適正	再検査
TYS 1	陰性/悪性腫瘍および前駆病変ではない	定期診察
TYS 2	子宮内膜異型細胞：意義不明(ATEC-US)	細胞診または子宮内膜組織生検による再検査
TYS 3	異型を伴わない子宮内膜増殖症	子宮内膜組織生検
TYS 4	子宮内膜異型細胞：子宮内膜異型増殖症/類内膜上皮内腫瘍や悪性病変を除外できない(ATEC-AE)	子宮内膜組織生検
TYS 5	子宮内膜異型増殖症/類内膜上皮内腫瘍(EAH/EIN)	子宮内膜組織生検
TYS 6	悪性腫瘍	子宮内膜組織生検

C 子宮内膜細胞診報告様式ヨコハマシステム結果報告

1 ● 陰性/悪性腫瘍および前駆病変ではない Negative for Malignant Tumors and Precursors：TYS 1

異常が認められない，もしくは通常の定期診察で対応が可能であると判断される場合の判定区分である．これは従来の「陰性」に該当する．

典型的な正常内膜としての増殖期内膜，分泌期内膜，月経期内膜，および萎縮内膜が本区分に含まれる．また，ホルモン環境異常に伴う変化や医原性変化が推定される場合も良性と判定のうえ，以下の取扱い方法が求められる．

a ▸ 良性反応性変化やアリアス-ステラ反応

薬剤性変化や人工妊娠中絶後もしくは子宮内膜生検後，子宮内避妊具(intrauterine contraceptive device：IUD)による変化が本区分に含まれる．医原性の原因が除去可能な場合には，それらを除去したうえでの再検が望ましい．医原性の原因が除去不可能もしくは困難な場合には，基本的には細胞診を用いた経過観察が推奨される．

b ▸ 化生性変化や子宮内膜ポリープが細胞診で推定される場合

これらの病態を細胞診に基づく細胞形態のみで判定することはしばしば困難であり，その場合，下記の「子宮内膜異型細胞；意義不明(ATEC-US)」に含めて報告される可能性もある．

c ▸ ホルモン環境異常に伴う変化

ホルモン環境異常としては，エストロゲン破綻出血，エストロゲン消退出血，病的プロゲステロン消退出血が考えられる．これに対応する病態は，不調増殖期内膜(disordered proliferative phase endometrium：DPP)，子宮内膜腺・間質破綻(endometrial glandular and stromal breakdown：EGBD)，剝脱不全内膜(irregular shedding)，不正成熟内膜などである．これらの病態が認められた場合，ホルモン環境の正常化に対する治療を行い，その後必要に応じて細胞診などを用いた再検査が施行されることが望ましい．

いずれの場合においても，不正子宮出血，もしくは画像診など，他の臨床情報により子宮内病変が疑われる場合には，たとえ細胞診判定が「陰性/悪性腫瘍および前駆病変ではない」と報告されても，子宮内膜組織診断の施行が考慮される必要がある．

2 ● 子宮内膜異型細胞　Atypical Endometrial Cells(ATEC)：TYS 2/TYS 4

病変名推定が困難な異型細胞が認められる場合の判定区分である．この区分に限り，ATECという区分のみの診断は許可されず，必ず「子宮内膜異型細胞；意義不明」(ATEC-USと略す)，もしくは「子宮内膜異型増殖症/類内膜上皮内腫瘍や悪性病変を除外できない」(ATEC-AEと略す)のいずれかが選択される必要がある．ATECは従来の「疑陽性」の一部に該当する．

なお，異型ポリープ状腺筋腫(atypical polypoid adenomyoma)に関しては，子宮内膜細胞診で正確に判定することは困難であると考えられる．そのため，この組織診断区分に対応する細胞診判定区分は，当面，その細胞異型に応じてATEC-USもしくはATEC-AEとして報告されることが望ましい．

a 子宮内膜異型細胞；意義不明 Atypical Endometrial Cells, of Undetermined Significance(ATEC-US)：TYS 2

標本適正なら子宮内膜生検を必ずしも必要としないと判断される場合の判定区分である．フォローアップ(細胞診再検)が薦められるが，臨床医が総合的に子宮内膜組織診の必要性を判断する必要がある．この報告は全標本の5%以下であることが望ましい．

b 子宮内膜異型細胞；子宮内膜異型増殖症/類内膜上皮内腫瘍や悪性病変を除外できない Atypical Endometrial Cells, cannot exclude EAH/EIN or Malignant Condition(ATEC-AE)：TYS 4

明らかな腫瘍性背景や腫瘍の存在を示唆する化生細胞(異型のある扁平上皮化生など)が存在し，子宮内膜異型増殖症またはそれ以上の病変が示唆されるが，明瞭な腫瘍細胞が存在しない場合，もしくは不整な形の細胞集塊が認められ，悪性腫瘍からの由来が疑われるものの，断定できない場合などに選択される．臨床医に子宮内膜生検を推奨する．この報告は「ATEC」全体の10%以下であることが望ましい．

3 ● 異型を伴わない子宮内膜増殖症 Endometrial Hyperplasia without Atypia：TYS 3

細胞異型を伴わない子宮内膜増殖症で，拡張した内膜腺を主体とした「いわゆる単純型子宮内膜増殖症」，および分岐や拡張を伴い構造の複雑性を示す「いわゆる複雑型子宮内膜増殖症」が推定される場合に選択される判定区分である．子宮内膜異型増殖症/類内膜上皮内腫瘍(EAH/EIN)との鑑別を主な目的として，臨床医に子宮内膜生検を推奨する．従来の「疑陽性」に該当する．

4 • 子宮内膜異型増殖症/類内膜上皮内腫瘍　Endometrial Atypical Hyperplasia/Endometrioid Intraepithelial Neoplasia（EAH/EIN）：TYS 5

細胞異型を伴う構造異型が認められ，子宮内膜異型増殖症/類内膜上皮内腫瘍が推定される場合の判定区分である．臨床医に内膜生検を推奨する．従来の「疑陽性」に該当する．

5 • 悪性腫瘍　Malignant Neoplasms：TYS 6

細胞所見から，悪性腫瘍と推定される場合の判定区分である．なるべく推定病変名の選択肢が記載されることが望ましい．臨床医に子宮内膜生検を推奨する．従来の「陽性」に該当する．子宮外悪性腫瘍の可能性が考えられる場合には，特別に，その旨を記載する．

4 将来の子宮内膜細胞診報告様式と子宮内膜細胞診

今回，国際標準となった「子宮内膜細胞診報告様式ヨコハマシステム」[2-4]は，必ずしも完成されたものではない．新たに設定された判定区分であるATECは，暫定的にATEC-USとATEC-AEそれぞれに臨床対応方法が設定されている．しかし，その臨床的意義の解明は必ずしも十分ではない．特にATEC-USは，現時点では陰性から悪性腫瘍までの広い範囲を包括している，あいまいな判定区分である．そのため将来的には，何らかのトリアージ方法が確立される必要がある．特に良性反応性変化と悪性腫瘍および前癌病変との区分は，きわめて重要である．

漿液性癌や明細胞癌といった，いわゆるII型の子宮体癌の前癌病変は，今の時点ではその存在が確定されておらず，細胞診判定も不可能である．また，将来的にもこれらの病態が細胞診で判定される可能性に関しては，全く未知である．今後，この領域の病態に関する解明が進み，新たな細胞診判定に関する知見が報告されれば，それが子宮内膜細胞診報告様式に盛り込まれることが期待される．萎縮内膜から発生すると考えられているII型の子宮体癌の前癌病変は，組織診での検出がきわめて困難であると考えられている[6]．そのことから仮に細胞診での検出が可能となれば，子宮体癌全体の中で占める割合は少数でありながら，死亡率の中で占める割合が高いこれらの癌の治療成績の向上に内膜細胞診が寄与できることが期待される．

記述式細胞診報告様式について

・報告様式は，標本の種類，標本の適否，および記述式細胞診結果報告によって構成される．
・記述式細胞診結果報告は6区分に分類する．その際には，基本的には子宮体癌取扱い規約組織分類に基づき，可能な限り推定される組織型が記載されることが望ましい．
・ATECは細胞診判定のグレーゾーンである．そのため，この判定区分に限り対応する組織型は存在しない．
・ATECはATEC-USとATEC-AEのいずれかを必ず選択して報告されなければならず，ATECというカテゴリーのみの報告は許容されていない．ATEC-USは経過観察や再検査，組織診という臨床対応が必要であるのに対して，ATEC-AEでは，必ず組織診断が必要である．
・子宮内膜細胞診の報告様式は，当面，本ガイドラインに記載された記述式報告様式単独，もしくは「陰性」「疑陽性」「陽性」の3区分との併用が望ましい．

文献

1) 日本産科婦人科学会，日本病理学会，日本医学放射線学会，他(編)．子宮体癌取扱い規約(第3版)．金原出版，2012.
2) Yanoh K, Hirai Y, Sakamoto A, et al. New terminology for intrauterine endometrial samples：A group study by the Japanese society of clinical cytology. Acta Cytol. 2012；56：233-241.
3) Fulciniti F, Yanoh K, Karakitsos P, et al. The Yokohama system for reporting directly sampled endometrial cytology：The quest to develop a standardized terminology. Diagn Cytopathol. 2018；46：400-412.
4) Hirai Y, Fulciniti F(eds). The Yokohama System for Reporting Endometrial Cytology：Definitions, Criteria, and Explanatory Notes. Springer Nature Singapore Pte Ltd, 2022.
5) 日本臨床細胞学会(編)．細胞診ガイドライン1　婦人科・泌尿器．pp66-67，金原出版，2015.
6) Zheng W, Xiang L, Fadare O, et al. A proposed model for endometrial serous carcinogenesis. Am J Surg Pathol. 2011；35：e1-e14.

（矢納研二，平井康夫，渡邉　純，則松良明，前田宜延，泉　緑）

Ⅱ

子宮内膜細胞診検体採取法の実際

子宮内膜癌は，婦人科癌の中で最も一般的な悪性腫瘍の1つである．さらに，日本における子宮内膜癌の推定罹患数は1999年には2,240人であったが，10年後の2019年には12,631人と約5倍に増加したことが特徴である[1,2]．子宮内膜癌は，早期に発見された場合，比較的予後良好な疾患である[3]．しかし，**子宮内膜癌検診**は子宮内膜細胞診を含めて死亡率を低下させるエビデンスのある検査がないため，世界中で実施されていない．子宮内膜癌が強く疑われる患者には，世界では一般的に**子宮内膜組織診**が実施されている．機能性子宮出血だと考えるが子宮内膜癌を除外したい患者においても，世界では子宮内膜組織診が選択されている[4]．

日本では，子宮内膜組織診よりもまず**子宮内膜細胞診**が選択されることが多い．これは次のような理由による．欧米では，46年前の1976年に出された論文で子宮内膜細胞診の不適正検体率の高さと感度の低さが報告されたことをきっかけに，子宮内膜細胞診は検査法として消滅した．しかしながら日本では，この46年間多くの産婦人科医と細胞検査士が採取器具・固定法・診断方法に改良を加えてきたことにより，有用な検査法として臨床現場で一般的に利用されている．

1 子宮内膜細胞の採取器具

子宮内膜細胞の採取法は大きく**吸引法**と**ブラシ法**に分けられる．

まず，吸引法の代表的な器具である **Isaac endometrial cell sampler（IECS）**と本邦の**増淵式子宮内膜スメア吸引器**を紹介する．IECSは小孔のある直径1.9 mmの金属製のカニューレで，これを注射器の先端に付けて吸入することで小孔から細胞を採取するという器具で，Huttonらが1978年に初めて報告した[5]．その後，Venetiらも症状のある120名に対してIECSを使用して細胞診を施行した結果，組織診との正診率が96%であったと報告した[6]．日本産の増淵式子宮内膜スメア吸引器は，注射器の先端に小孔のあるカニューレが付いているのは同じだが，注射器の内筒の先に穴が開いているので，穴を指で塞いで吸引して細胞を採取した後に穴を開放して内筒を元に戻すことにより，繰り返して細胞を採取することができる．カニューレを1回挿入して複数回吸引することで多くの細胞を採取できるというメリットがある．カニューレは，1973年まで銀製であったが1974年からはディスポーザブルのポリエチレンに変更されている．蔵本らは，子宮内膜癌13例中12例の92%を診断できたと報告した[7]．

次に，ブラシ法の代表的器具である**Mi-Mark kit**と**エンドブラシ**を紹介する．Mi-Mark kitは，2本のスティック状のプラスチック器具から構成されていて，1本目は頸管を拡張し内腔の方向を確認するためのスティックで，2本目は細胞を採取するためのらせん状のスティックである．エンドブラシは，プラスチックカニューレの中に細胞を採取するためのナイロン製ブラシが入っている器具である．プラスチックカニューレでブラシをカバーすることにより，頸管腺細胞のコンタミネーションを防ぐことができる．各々の感度は，Mi-Mark kitで97%，エンドブラシで92%であった[8,9]．

筆者らは，使いやすさと採取できる細胞量の観点から**エンドブラシ**を選択している(採取器具による感度を比較した研究はない)．

2 子宮内膜細胞の採取法(エンドブラシとBD SurePath™の固定液を使用する場合)

① 問診で妊娠や妊娠の疑いがないかを確認し，妊娠の可能性がある場合は検査を行わない．

② 月経周期を確認する(子宮内膜細胞は月経周期により変化するため診断を行うために重要な情報である)．

③ 採取器具が子宮内腔に挿入しやすいように排尿後に行う．

④ 採取器具を挿入する前に，経腟超音波検査で子宮の位置と傾きおよび子宮腔長を確認する．

⑤ ビニール袋から採取器具を取り出す前に，子宮頸管から子宮内腔への角度に一致するようにブラシを覆っているプラスチックカバーの先端を曲げておく(**図1a, b**)．

⑥ 子宮腟部を固定するために腟鏡(クスコ腟鏡や桜井式腟鏡)を挿入して，外子宮口を消毒する．

⑦ 採取器具をビニール袋から取り出し，ブラシをプラスチックカバーの中に入れたままの状態で外子宮口に挿入する．

⑧ 採取器具の先端が子宮底に達した後，プラスチックカバーのみを手前に引いてブラシを露出させる．

⑨ ブラシを回転させたり前後に動かしたりして十分な細胞を収集する(**図1c**)．

⑩ 子宮頸管腺細胞が混ざらないようにブラシをプラスチックカバーに戻してから採取器具を抜く．

⑪ ブラシを固定液の中に浸し，静かに攪拌してブラシから細胞を固定液の中に落とす．

〔参考資料：https://www.youtube.com/watch?v=Q-lllraSt2w&feature=youtu.be〕

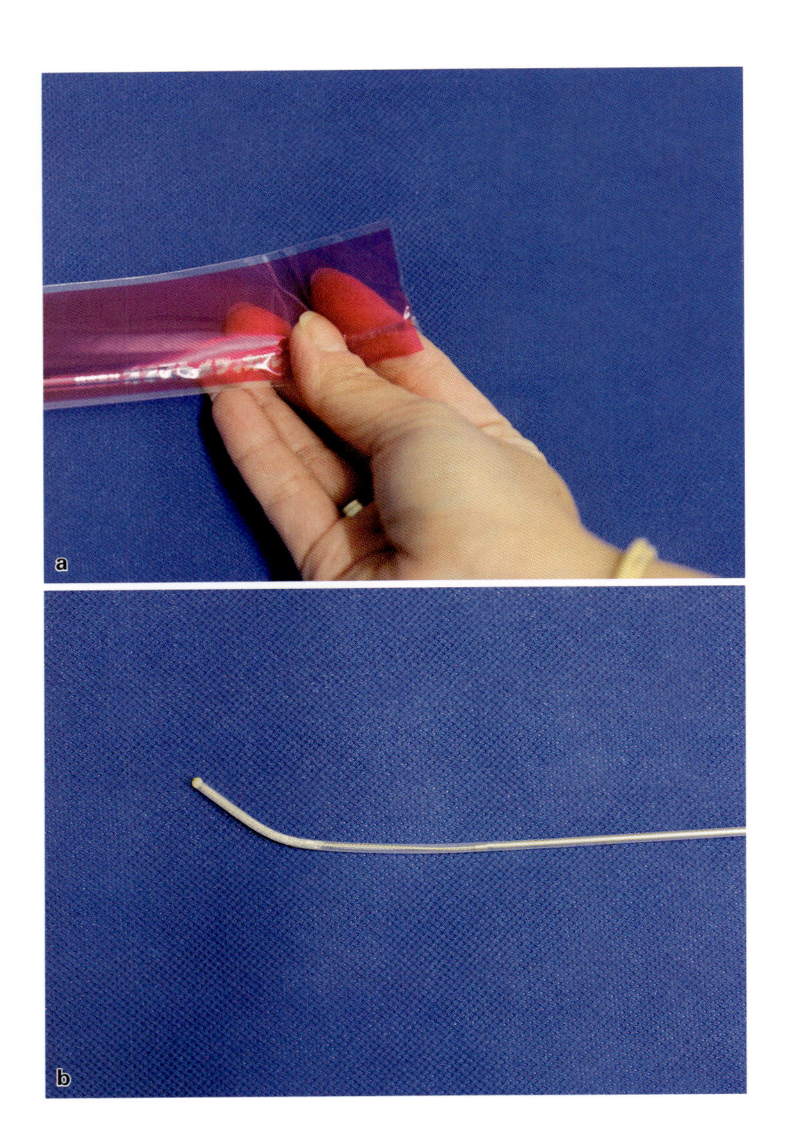

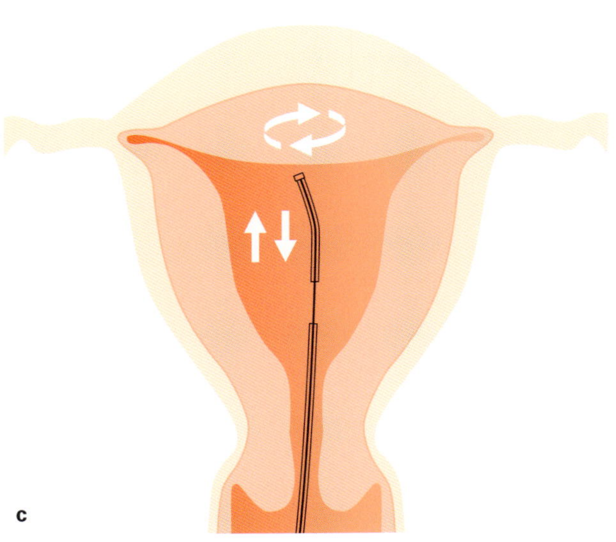

図 1　エンドブラシの使用法

a/b：子宮の傾きに合わせエンドブラシの先端を曲げる．
c：子宮内腔から細胞を採取するためにブラシを回転・前後させる．

表 1　適応

症状あり	症状なし
・直近 6 か月以内の不正子宮出血	・経腟超音波検査の異常所見
・閉経前後の不正子宮出血	・閉経後のエストロゲン単独治療
・閉経後子宮出血	・リンチ症候群
・異常月経(過多月経，月経不順など)	・肥満
・異常帯下	・2 型糖尿病
	・高血圧

3　子宮内膜細胞の固定法

固定法には**直接塗抹法**と**液状化検体細胞診**がある．多くの施設では採取した細胞をスライドガラスに直接塗抹する方法で行われているが，最近では不適切検体を減らして標準的な標本を作製するために液状化検体細胞診が導入されつつある．そして，液状化検体細胞診では細胞固定に 18 時間以上の時間が望ましいと提案されてきている(**Memo 参照**)．

4　子宮内膜細胞診の適応と禁忌と挿入困難例への対応

適応は，子宮内膜癌の症状がある患者あるいは症状はないが子宮内膜癌の高危険群の患者である[10](**表 1**)．禁忌は**妊娠中**あるいは**妊娠が疑われる患者**である．**子宮筋腫**を合併している患者，帝王切開など子宮に**手術歴がある患者**，閉経後で特に経腟分娩の経験がない患者では，採取器具の挿入が困難な場合がある．挿入困難が予測される場合は，**子宮穿孔**の危険があるため超音波ガイド下に行うことを勧める．麻酔の必要性はほとんどない．

5　子宮内膜細胞診の欠点と利点

欠点は，子宮内膜細胞はホルモン環境の影響を受けやすいので月経周期により形態が変化するため，診断が困難なことである．

利点は 3 つある．1 つ目は子宮内膜生検と比較して侵襲性が低いこと，2 つ目は子宮内腔の広範囲から細胞を採取できること，3 つ目は技術が簡単で検査時間が短いことである．

BD SurePath™/標本作製時の細胞固定時間

西川らの最近の報告[11]によると，子宮内膜細胞検体の標本作製において，BD SurePath™(SP-LBC法)を導入し，婦人科材料におけるメーカー推奨マニュアル(子宮頸部細胞診用マニュアル)に準拠し，標本作製を行った．しかし，導入から4か月間に作製した583例中541例(92.8%)において標本中の子宮内膜腺集塊の破壊(三次元構造の消失)が観察され，標本の背景には破壊された子宮内膜腺に由来する孤立散在細胞が多数認められた(**Memo 図1**).

その原因として，SP-LBC法では標本作製の効率化のため，前処理装置としてPrepMateシステムを使用する．この装置は，バイアル中の細胞固定保存液の攪拌および，それらの分離試薬への重層を自動で行うが，シリンジでの機械的攪拌による物理的衝撃が子宮内膜腺集塊へ加わる．加えて，婦人科材料用固定液のアルコール濃度は25%程度と固定力が弱く，6時間未満の細胞固定では子宮内膜腺構造が十分に保持されない．そのため，腺構造の破壊が起きていたものと推測された．上述した導入当時の標本において，子宮内膜腺集塊の破壊を免れた少数の標本は，検体提出が14時以降であり，翌日の標本作製であった．つまり細胞固定が18時間以上であったことが判明した．

それらのことから，子宮内膜検体の細胞固定を18時間以上とし，検体提出の翌日に標本作製することで，子宮内膜腺構造の保持が可能であることが明らかになった(**Memo 図2**)．それ以降，少なくとも18時間の細胞固定を実施した約2年間での952検体，すべての子宮内膜細胞診標本において，子宮内膜腺構造の破壊は認めていない．

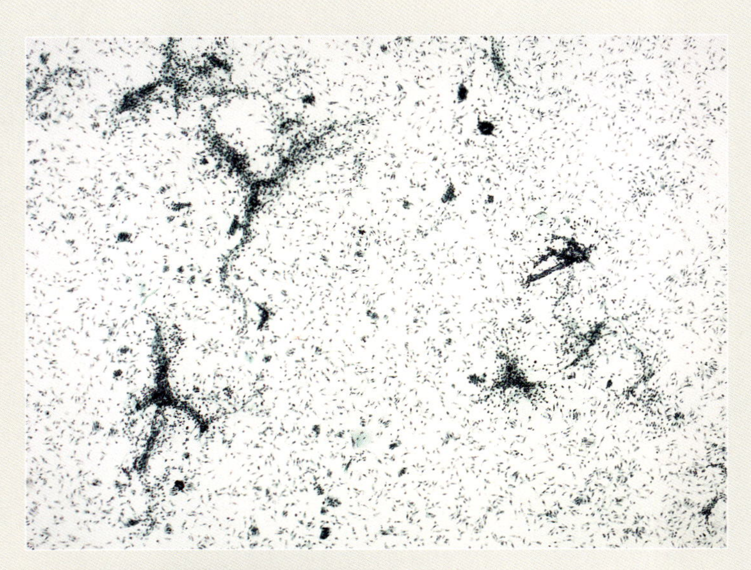

図1　固定時間6時間未満での標本

子宮内膜腺集塊はPrepMate処理中に受けた機械的衝撃により破壊され，三次元構造のほとんどが失われている．長軸200 μm以上の子宮内膜腺集塊数を計数したところ，平均9.3個，破壊された子宮内膜腺に由来する孤立散在細胞数は132.2個であった．(SP-LBC法/対物×4)[Nishikawa T, et al. Cytopathology. 2022；33：357-361. Fig.2より改変]

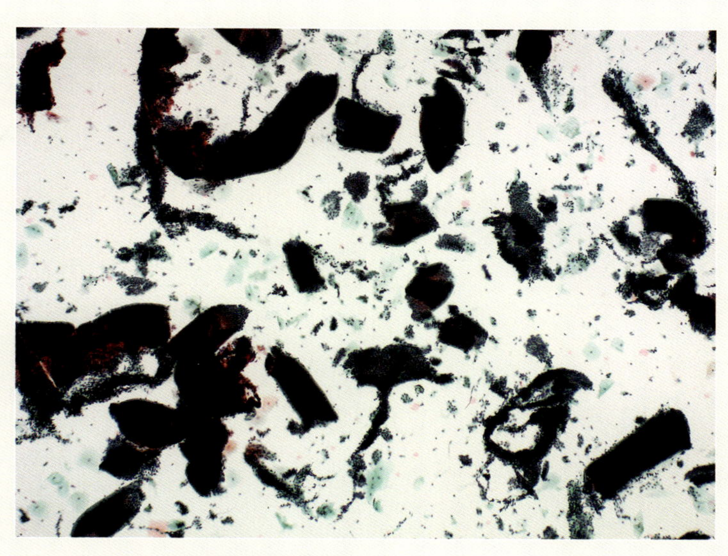

図 2　固定時間 18 時間以上での標本

図 1 と対照的に，長軸 200 μm 以上の子宮内膜腺集塊数は平均 71.3 個と多数の腺集塊を認め，孤立散在細胞数は 35.7 個と著しい減少を示した．細胞固定時間が標本作製工程による機械的衝撃から腺集塊の三次元構造を保持する上で大きな役割を担っていることが示された．
(SP-LBC 法/対物×4) [Nishikawa T, et al. Cytopathology. 2022 ; 33 : 357-361. Fig.4 より改変]

文献

1) 婦人科腫瘍委員会 第 47 回治療年報．日本産科婦人科学会．2009 ; 61 : 2105-2121.
2) 婦人科腫瘍委員会 2019 年患者年報．日本産科婦人科学会．2021 ; 73 : 824-828.
3) 婦人科腫瘍委員会．日本産科婦人科学会．2021 ; 73 : 659.
4) Berek JS. Berek & Novak's gynecology. 15th ed. Philadelphia : Wolters Kluwer ; 2012. 1254-1255.
5) Hutton JD, Morse AR, Anderson MC, et al. Endometrial assessment with Isaacs cell sampler. Br Med J. 1978 ; 1 : 947-949.
6) Veneti SZ, Kyrkou KA, Kittas CK, et al. Efficacy of the Isaacs endometrial cell sampler in the cytologic detection of endometrial abnormalities. Acta Cytol. 1984 ; 28 : 546-554.
7) 蔵本博行，上坊敏子，森沢孝行ほか．婦人科外来における子宮腔内吸引細胞診，1982 ; 21 : 520-526.
8) Cramer JH, Osborne RJ. Endometrial neoplasia--screening the high-risk patient. Am J Obstet Gynecol. 1981 ; 139 : 285-288.
9) Hirai Y, Sakamoto K, Fujiwara H, et al. Liquid-based endometrial cytology using SurePath™ is not inferior to suction endometrial tissue biopsy for detecting endometrial malignancies : Midterm report of a multicentre study advocated by Japan Association of Obstetricians and Gynecologists. Cytopathology. 2019 ; 30 : 223-228.
10) 日本産科婦人科学会/日本産婦人科医会．産婦人科診療ガイドライン 婦人科外来編．2020，54-55.
11) Nishikawa T, Suzuki H, Takeuchi M, et al. A study on preserving endometrial glandular architecture during preparation using BD SurePath™ liquid-based cytology reagents : Cellular fixation with preservative fluid requires at least 18 h. Cytopathology. 2022 ; 33 : 357-361.

（黒川哲司，大沼利通，品川明子，吉田好雄，則松良明）

III

標本の種類による判定法

子宮内膜細胞診においては，個々の細胞形態の認識だけでなく，**組織構築**を反映した**細胞集塊の形態**（**構造**）を加味して判定にあたることが重要である．

1 直接塗抹標本での判定法

A 概説

直接塗抹標本では，スライドガラス上への採取材料の塗抹の際に，過度に厚い塗抹や細胞の変形，乾燥といったアーティファクトが加わらないように，採取器具の特性に応じての塗抹法が必要である．細胞判定において，スライドガラス上への採取材料の塗抹方法による違い[1, 2]や塗抹時の細胞へのアーティファクトのため，同じ病態でも検体によって塗抹される細胞集塊の大きさ・量・種類に差異を認め一定でない．そのため，細胞診断において，**異常細胞集塊の出現頻度・出現数**（**占有率**）の把握が必須である[3-6]．

B 判定法の実際（表 1）[3-6]

1 • 顕微鏡でのスクリーニング

- 直接塗抹標本では，目的とする細胞同士の重なりや血液，炎症細胞などの目的細胞への被覆などのため，細胞所見個々の詳細な観察が困難になる場合が多く，細胞集塊の詳細な観察が細胞判定の「鍵」となる．
- 細胞集塊の構造の観察には，対物 4 倍での低倍率で全体像を観察し，1 つひとつの細胞集塊形状を対物 10 倍，20 倍，40 倍を使用して把握していくことが重要である．

2 • 細胞集塊形状の観察のポイント

- 細胞集塊形状の観察のポイントとして，「**集塊（腺管）幅の不規則性**」（図 1），「**集塊周囲での内膜間質細胞付着の有無**」（図 2），「**集塊内腺腔数**」（図 3）の 3 点に着目することが重要である．

表 1　直接塗抹法における判定票

日付＿＿＿／＿＿＿／＿＿＿

カルテ No.＿＿＿＿＿氏名＿＿＿＿＿標本 No.＿＿＿＿＿

年齢＿＿＿歳　最終月経＿＿＿年＿＿＿月＿＿＿日～＿days（順・不順）　閉経＿＿＿歳

主訴＿＿＿＿＿＿＿＿＿＿＿＿＿＿＿＿＿＿＿＿＿＿＿＿＿＿＿＿＿＿

薬剤投与（有・無）＿＿＿＿＿＿＿＿＿＿＿＿＿＿＿＿＿＿＿＿＿　内膜厚＿＿＿mm

●診断

◆**検体**　・適　・不適　・要再検　・要生検

◆**判定**　−　±　＋

◆**推定組織像**　・増殖期　・分泌期　・萎縮　・EGBD　・増殖症　・異型増殖症
・類内膜癌（・高分化　・低分化）・その他＿＿＿＿＿

コメント＿＿＿＿＿＿＿＿＿＿＿＿＿＿＿＿＿＿＿＿＿＿＿＿＿＿＿＿＿

●細胞集塊所見

異常細胞集塊占有率①　b＋c＋d　（　個）／a～d（　個）＿＿＿%

異常細胞集塊占有率②　b＋c＋d＋d*　（　個）／a～d*（　個）＿＿＿%

細胞集塊

a．管状腺管・シート状　（　）＿＿＿＿＿＿＿＿

b．拡張・分岐　（　）＿＿＿＿＿＿＿＿

c．乳頭・管状　（　）＿＿＿＿＿＿＿＿

d．不整形突出　（　）＿＿＿＿＿＿＿＿

d* 化生性不整形突出　（　）＿＿＿＿＿＿＿＿

間質細胞凝集塊　・有（type 1，2，1＋2）　・無

*最大腺腔数　（　）個

*内膜間質細胞凝集塊　・認めず　・確認可能　・著明

（　）＿＿＿＿＿＿＿＿

*断片化塊　（　）＿＿＿＿＿＿＿＿

●付随所見

e．小集塊異型細胞　・有　・無

核クロマチン増量　核形不整　核小体　核縁不均等肥厚　核大小不同　重積性　核間距離不均等
最外層核突出

f．孤立散在性上皮細胞　・著明

g．壊死性背景　・有　・無

h．化生性変化　・有（・扁平上皮　・好酸性　・線毛　・粘液　・morule　・その他）　・無

○異常細胞集塊占有率の算出方法

① 検鏡に際し，項目 a～d について標本中に出現しているそれぞれの細胞集塊数を算出し，それらを合計する.

② 次に全細胞集塊数に対する b～d の合計数の占める割合（異常細胞集塊占有率）を算出する.

③ 最大腺腔数において 200 倍視野内での腺腔数を算定し，最大腺腔数を記入する.

■正常内膜由来の細胞集塊は，多少の蛇行が加わっても**集塊の幅**がほぼ均等であり，その周囲に内膜間質細胞の付着を伴っている（図 1a）.

■細胞集塊の不規則な拡張・突出・分枝・腺腔の密集などの構造はいずれも異常細胞集塊として認識する（図 1b～d）.

■**異常細胞集塊**がある程度以上の頻度で出現している場合には，子宮内膜増殖症以上の病変の推定根拠の１つとなりうる.

■異常細胞集塊の周囲に内膜間質細胞の付着を認める場合には，集塊の内側が腔状

で，腺管が内膜間質側への芽出・分枝状発育を示唆しており，子宮内膜増殖症の推定根拠の1つとなりうる(図 2a，b).

- 異常細胞集塊の周囲に内膜間質細胞の付着を認めない場合は，内側に間質を含有し，乳頭状発育を示唆しており，子宮内膜癌の推定根拠の1つとなる(図 2c，d).
- 細胞集塊中にみられる複数の腺腔の存在は，**腺管構造の複雑性**(**不規則多分岐・癒合**)の度合いを表しており，対物20倍視野中21個以上の場合には子宮内膜癌の推定根拠の1つとなりうる(図 3b～d).

3 ● 異常細胞集塊の占有率および付随所見による判定(表 1)

- 異常細胞集塊を認めた場合には，標本中の全集塊を**正常細胞集塊**(**管状腺管・シート状集塊**[▸1])，**異常細胞集塊**(**拡張・分岐集塊**[▸2]，**乳頭・管状集塊**[▸3]，**不整形突出集塊**[▸4])に分類・計数し，異常細胞集塊の出現数，**占有率**(**異常細胞集塊数/全細胞集塊数**)[▸5]を算出する.
- **内膜間質細胞凝集塊**，**断片化塊**，さらに**付随所見4項目**(**小集塊異型細胞**，**孤立散在性上皮細胞**，**壊死性背景**，**化生性変化**)[▸6]をチェックする.
- 細胞判定は異常細胞集塊占有率および付随所見で行う.
- 直接塗抹標本を用いて判定された結果も，今後は記述式子宮内膜細胞診報告様式で報告されることが望ましい．直接塗抹標本での判定(表 1)は，陰性・疑陽性・陽性に分類され，推定組織像として，正常子宮内膜(増殖期・分泌期・萎縮)，子宮内膜

▸1　管状腺管・シート状集塊[3, 4, 6-9)]

- 増殖期内膜の組織像において，内膜腺の管腔は狭く，直線状で極性の揃ったほぼ同じ幅の内膜腺管の配列を認める．分泌期内膜では増殖期に比べ内膜腺は拡大・迂曲蛇行がみられ，腺内部に鋸歯状変化を認め，細胞質は蜂巣状を示す.
- それらを反映する細胞集塊は管状腺管集塊(図 1a，5，6，9，10)およびシート状集塊(図 7，11b，14b)であり，前者は，直線的で幅はほぼ均等，集塊周囲に内膜間質細胞の付着を認める．後者は管状腺管集塊が採取時や塗抹時のアーティファクトで開かれたもの.
- 増殖期内膜の場合，個々の腺細胞の細胞質は狭く，核細胞質比(N/C比)は高く，クロマチンは顆粒状で均等分布を示す(図 6b，7).
- 分泌期内膜の場合，細胞質は豊富で蜂巣状を示し，核細胞質比は低い．細胞境界は明瞭で，クロマチンは細顆粒状に均等分布を示す(図 10b，11b).
- 萎縮内膜の組織像において，内膜は薄く，ほぼ基底層のみとなっており，内膜間質も濃縮気味である．そのため，細胞標本において，管状腺管集塊の出現はまれで，シート状集塊が主体となる．個々の腺細胞は小型で細胞質は狭い．N/C比は高いため，増殖期に類似しているが核に厚みがない(図 14b).
- 正常内膜での内膜間質細胞集塊において，その細胞は流れるような配列を示し，核の方向性や核間距離は不均一，形は紡錘形～類円形～腎形と多彩であり，クロマチンは繊細である．細胞質は菲薄である(図 8).

▸2　拡張・分岐集塊[3, 4, 6-9)]

- 異型を伴わない子宮内膜増殖症の組織像として，① 内膜腺の嚢胞化ないし中等度の構造不整を示し，腺管には豊富な内膜間質を認める．② また，内膜間質への芽出・分枝状発育を示し，内膜腺がより複雑に増生することにより，腺管同士が密接してみられる.
- それらを反映する細胞集塊は拡張・分岐集塊(図 1b，2，3a)であり，腺管の途中や端で不規則な腺の拡張(腺管の最大幅が最小幅の2倍以上)や分岐がみられ，集塊周囲に内膜間質細胞の付着を認める．個々の腺細胞は増殖期とほぼ同様.
- 拡張分岐集塊の出現は子宮内膜増殖症に特徴的ではなく，EGBD，不調増殖期内膜(disordered proliferative phase)やポリープなどにおいても出現することを認識する必要がある[10)].

腺・間質破綻(EGBD)，子宮内膜増殖症，子宮内膜異型増殖症，類内膜癌，その他が挙げられている．

- 記述式子宮内膜細胞診報告様式に対応した場合，陰性は「陰性/悪性腫瘍および前駆病変ではない」に対応し，正常子宮内膜および子宮内膜腺・間質破綻が含まれる．陽性は「悪性腫瘍」に対応する．疑陽性は「子宮内膜増殖症」および「子宮内膜異型増殖症」に対応し，子宮内膜増殖症，子宮内膜異型増殖症/類内膜上皮内腫瘍(EAH/EIN)が含まれる．子宮内膜異型細胞(atypical endometrial cells：ATEC)に関しては，子宮内膜増殖症，子宮内膜異型増殖症/類内膜上皮内腫瘍と推定された症例以外の疑陽性例が対応される．

▶3　乳頭・管状集塊[3,4,6,8,9,11)]

- 乳頭・管状集塊(図 1d，2c，d，3b～d)は「内膜腺の不規則な乳頭状の分岐や突出がみられ，腺の周囲には内膜間質細胞の付着を認めない．乳頭状構造は複雑になり，融合したときに多数の腺腔を形成して back to back 様構造や篩状構造が認められる」と表現していたが，これは直接塗抹標本での判定時に使用していた集塊分類名であり，SP-LBC 標本を使用する TYS 子宮内膜細胞判定様式では不整形突出集塊に統合した．

▶4　不整形突出集塊[3,4,6,8,9)]

- 高分化型類内膜癌の組織像において，腺の分岐・癒合が著しく，篩状構造，著明な乳頭状構造，back to back 構造を示す．また，低分化型では充実性増殖を示す．
- それらを反映する細胞集塊は不整形突出集塊(図 1c，d，2c，d，20，21)であり，集塊辺縁より小突起状の突出や不規則な分岐を認めるもので，その細胞質辺縁を明瞭に追うことができ，集塊周囲に内膜間質細胞の付着を認めない．集塊内部に多数の腺腔(図 3b～d，22)を認める場合や，充実性の場合がある．
- 不整形突出集塊は類内膜癌のように増殖期類似細胞から構成されるもの以外に，内膜間質細胞(図 17)や化生細胞(細胞質変化)(図 18)で構成されるものとの鑑別が必要である．

▶5　異常細胞集塊占有率

- 則松ら[3,4)]は 20%以上の場合は子宮内膜増殖症以上の病変を，70%以上の場合では類内膜癌を推定するとしている．清水ら[12)]は，異常細胞集塊が 10 個以上かつ占有率 10%以上の場合には子宮内膜増殖症以上の病変を，10 個以上かつ占有率 50%以上の場合には子宮内膜異型増殖症以上の病変を，さらに占有率 70%以上の場合には類内膜癌を推定すると報告している．占有率だけではなく，出現数も加味することによって診断により客観性をもたせ，精度の向上を果たしている．
- なお，施設により採取方法や検体処理法の違いがあることから，占有率や個数に関して数値を設定する場合には，組織診断との対比によって施設独自の基準の設定が必要である．

▶6　付随所見[3,4)]

- 細胞異型および背景所見を反映した細胞像として，小集塊異型細胞・孤立散在性上皮細胞・化生性変化(図 23a)・壊死性背景(図 23b)の 4 項目を設けた．
- 小集塊異型細胞：細胞数が 50 個以下の集塊で 8 項目の細胞異型判定基準をすべて満たす細胞集塊(クロマチン増量，核小体の明瞭化，核の大小不同，核間距離の不均等，核形不整，核縁肥厚，核重積性，集塊最外層核の突出)と定義している．細胞個々の異型については，個人によって重要な項目の認識に差があるため，細胞異型所見 8 項目をすべて満たす細胞集塊を小集塊異型細胞(小集塊癌細胞)とする．
- 孤立散在性上皮細胞：背景に間質細胞よりも上皮細胞が多い場合，注意する．この指標は直接塗抹標本の場合のみ適用される．LBC 標本では標本作製時の操作により，背景における孤立散在性の内膜上皮細胞は悪性以外にも多数認める場合がある．
- 化生性変化：オレンジ G 好性やライトグリーンに濃染する扁平上皮化生細胞のチェックが重要である．それらは子宮内膜異型増殖症以上の病変推定の指標．

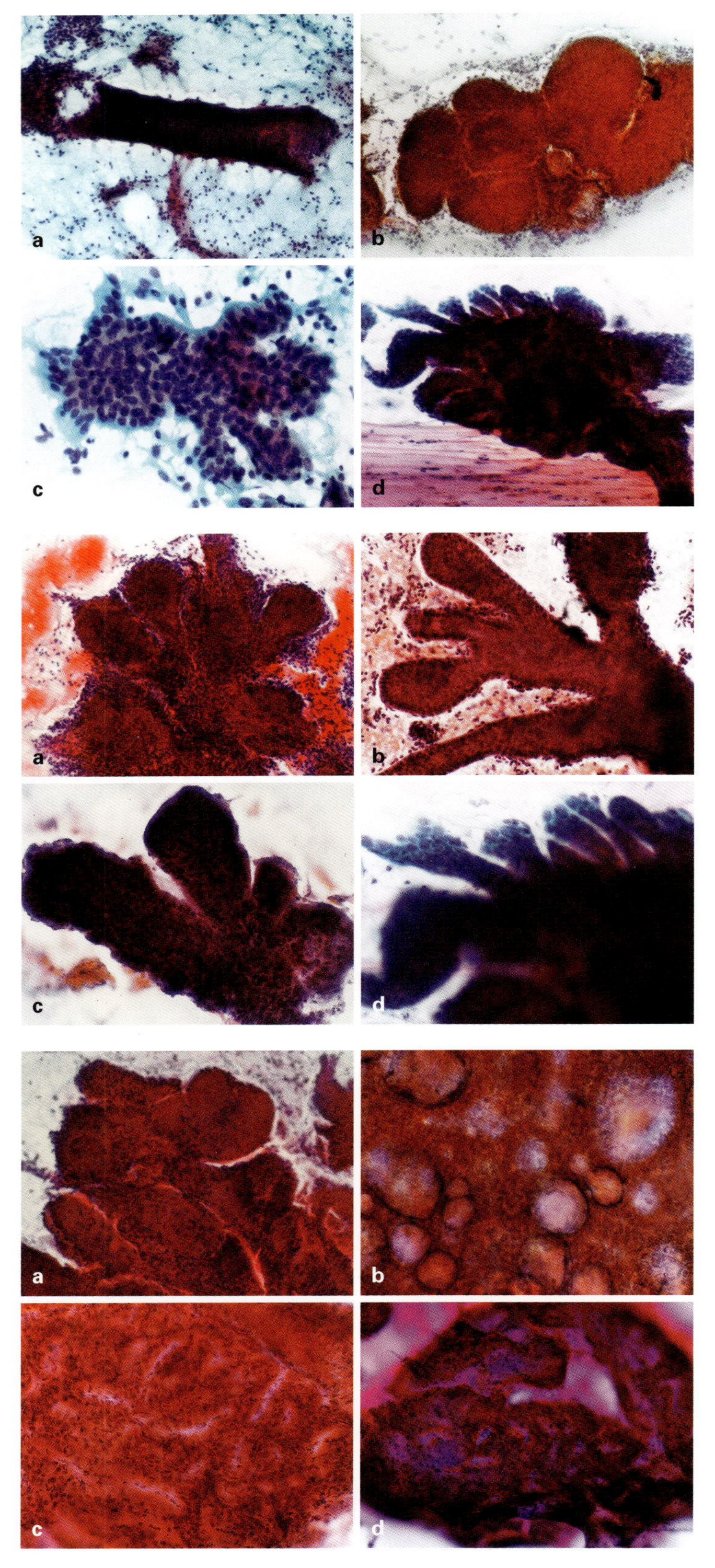

図 1　集塊幅の不規則性

a：正常内膜由来の細胞集塊は，多少の蛇行が加わっても集塊(腺管)の幅がほぼ均等であり，その周囲に内膜間質細胞の付着を伴っている．

b〜d：集塊(腺管)の不規則な拡張・突出・分枝・腺腔の密集などの構造はいずれも異常細胞集塊として認識する．

(直接塗抹法/**a, b, d**：対物×20，**c**：対物×40)

(**a**：増殖期内膜，**b**：子宮内膜増殖症，**c**：子宮内膜異型増殖症，**d**：類内膜癌 Grade 1)

図 2　集塊周囲での内膜間質細胞付着の有無

a, b：異常細胞集塊の周囲に内膜間質細胞の付着を認める場合には，集塊の内側が腔状で，腺管が内膜間質側への芽出・分枝状発育を示唆しており，子宮内膜増殖症の推定根拠の1つとなりうる．

c, d：異常細胞集塊の周囲に内膜間質細胞の付着を認めない場合は，内側に間質を含有し，乳頭状発育を示唆しており，子宮内膜癌の推定根拠の1つとなる．

(直接塗抹法/**a, b, c**：対物×20，**d**：対物×40)

(**a, b**：子宮内膜増殖症，**c, d**：類内膜癌 Grade 1)

図 3　集塊内腺腔数

上皮集塊中にみられる複数の腺腔の存在は，腺管構造の複雑性(不規則多分岐・癒合)の度合いを表しており，対物20倍視野中21個以上の場合には子宮内膜癌の推定根拠の1つとなりうる．**a**では集塊中に腺腔を認めないが，**b〜d**では多数の腺腔を認める．

(直接塗抹法/対物×20)

(**a**：子宮内膜異型増殖症，**b〜d**：類内膜癌 Grade 1)

液状化検体細胞診(LBC)標本での判定法

A 概説

液状化検体細胞診(liquid based cytology：LBC)標本では，標本作製原理が異なると細胞像に差異を認める．現在，その標本作製原理は大きく，**自然(重力)沈降法**と**転写法**に分けることができる．自然沈降法における子宮内膜腺細胞は立体的であり，転写法では平面的で，自然沈降法に比べて細胞が膨化傾向を示す[13,14]．子宮内膜細胞診では立体的構築が判定の「鍵」となるため，本項では自然沈降法である **BD SurePath™**(シュアパス：**SP**)法での **LBC**(**SP-LBC 法**)**標本**を用いた **TYS 式子宮内膜細胞判定様式**を解説する．

SP-LBC 標本において出現する細胞集塊は直接塗抹標本と比べて[7,11]，以下の特徴がある．

- 標本作製過程での操作によるアーティファクトが加わるため，出現する**細胞集塊はやや小型化**の傾向にある．
- 形状の種類や観察のポイント，弱拡大での観察の重要性は直接塗抹法と同様である．
- 細胞塗抹量が多い(密度が高い)ため，**異常細胞の占有率の把握は不要**である．
- 細胞同士の重なりや，血液成分や炎症細胞などの細胞への被覆のない**背景清明な薄層標本**であるため，目的細胞の同定が容易である．
- 前固定された細胞が塗抹されるため，細胞形態の保持が良好であり，核所見などの個々の細胞の観察が容易である．
- 立体構造が，より保たれるため集塊構造の観察も容易である．

B 判定法の実際(図 4)[8,9,15]

TYS 式子宮内膜細胞判定様式は，3 つのステップを経るシンプルな方式になっている．**第 1 ステップ**では，**細胞集塊形状が整か不整か**，かつ**核重積**[▶ **7**]が 3 層以上を示すか否かをチェックする．**第 2 ステップ**おいて，種々の病態で観察される**細胞**

▶ **7　核重積**[15]
少なくとも 2 層以上の核の重なりを細胞集塊中に認めることである．最初に観察した核(第 1 番目の核)について，顕微鏡の焦点を変えるとそれが完全に消え，もう 1 つの核(第 2 番目の核)が現れる場合，核重積は 2 層である．さらに顕微鏡の焦点を変えると第 2 番目の核が完全に消え，別の核(第 3 番目の核)が観察される場合，核重積は 3 層である(図 17，18，20)．

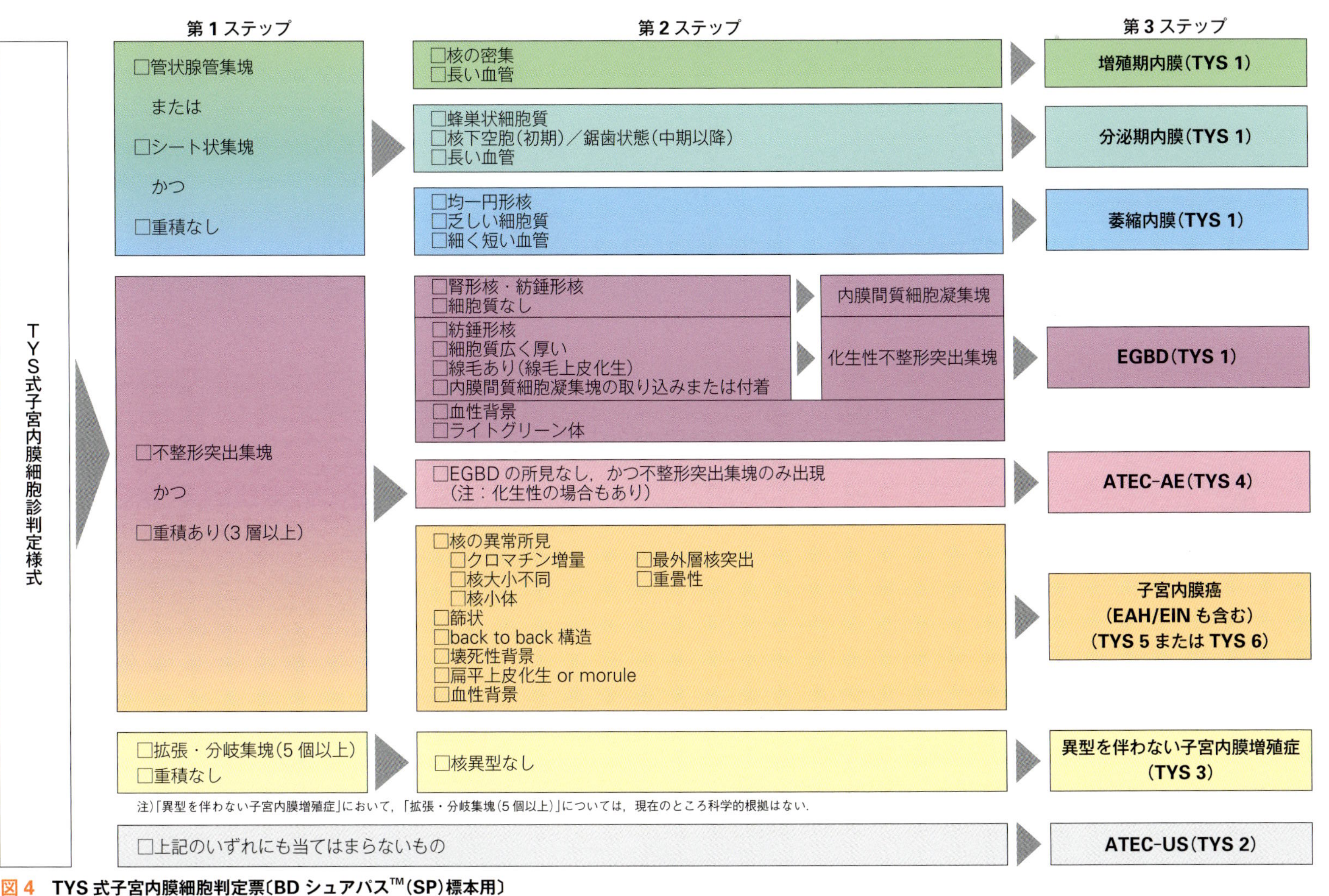

図4　TYS式子宮内膜細胞判定票〔BDシュアパス™(SP)標本用〕

注)EAH(Endometrial Atypical Hyperplasia)：子宮内膜異型増殖症，EIN(Endometrioid Intraepithelial Neoplasia)：類内膜上皮内腫瘍

形態学的特徴をチェックすると，**第 3 ステップ**で**病態**を判定することが可能となる．また，記述式内膜細胞診報告様式に対応して**子宮内膜異型細胞（ATEC）**のカテゴリーを設け，「ATEC-US」と「ATEC-AE」の 2 項目に分ける．

1 • 正常内膜（TYS 1）

■ **第 1 ステップ**において，**管状腺管集塊**または**シート状集塊**[▶ 1]を認め，**核重積**が 3 層未満の場合（図 5～12，14）．

■ **第 2 ステップ**において，

① 隣り合う核が接する**核の密集**（図 6b，7b）を示しかつ/または**長い血管**[▶ 8]を認める．

② **蜂巣状細胞質**（図 10b，11b）を有する集塊が**核下空胞（分泌期初期）**（図 11a）または**鋸歯状腺（分泌期中期以降）**（図 12）を示しかつ/または**長い血管**（図 13）を認める．

③ **核は小型均一で円形**で，**細胞質は乏しい**（図 14b）かつ/または増殖期や分泌期と比べ，**細く短い血管**を認める．

■ **第 3 ステップ**において，第 2 ステップで ① の場合は**増殖期内膜**を推定し，② の場合は**分泌期内膜**を推定し，③ の場合は**萎縮内膜**を推定する．

2 • 子宮内膜腺・間質破綻（TYS 1）
Endometrial glandular and stromal breakdown（EGBD）

■ **第 1 ステップ**において**不整形突出集塊**[▶ 4]を認め（図 15，16），**核重積が 3 層以上**（図 17，18）の場合．

■ **第 2 ステップ**において，

① 集塊の核は**腎形**や**紡錘形**で**細胞質が乏しい**場合，**内膜間質細胞凝集塊**[▶ 9]を推定する（図 17）．

② 集塊の核が**紡錘形**で**細胞質は広く厚い**かつ/または細胞質辺縁に**線毛**を有しかつ/または集塊中に**内膜間質細胞凝集塊**の内包像，付着像を認める場合，**化生性不整形突出集塊**[▶ 10]を推定する（図 18）．

▶ 8　長い血管[7, 9]
- 対物 20 倍レンズの視野の直径より長いものを「長い血管」と定義している．血管内皮細胞および/または血管周囲平滑筋細胞を含む紡錘形細胞の束の走行が観察される場合，「血管」とした（図 13）．

▶ 9　内膜間質細胞凝集塊[16-19]
- EGBD での所見の 1 つである．これらは不整形突出集塊として出現し，核の過染性，極性の乱れ，3 層以上の重積を認め，細胞質が乏しいか認めないため，悪性細胞との区別が重要である（図 17）．
- 核は腎形核の出現が特徴的であるが，紡錘形，類円形などと多彩である．

▶ 10　化生性不整形突出集塊[16-18, 20]
- EGBD での所見の 1 つである．これらは細胞質変化（化生）を起こした細胞のみからなる不整形突出集塊として出現し，核の腫大，極性の乱れ，3 層以上の重積，目立つ核小体のため，悪性細胞との区別が重要である（図 18）．
- 紡錘形核や内膜間質細胞凝集塊の内包像，付着像が特徴であり，線毛も認める．

③ かつ/または**血性背景**に**ライトグリーン体**[▶11]を認める(図 17).

- **第 3 ステップ**において，第 2 ステップの①～③を種々の割合で認める場合，**EGBD** を推定する.

3 • 子宮内膜異型細胞：子宮内膜異型増殖症/類内膜上皮内腫瘍や悪性病変を除外できない ATEC-AE(TYS 4)

- **第 1 ステップ**において**不整形突出集塊**を認め，**核重積 3 層以上**の場合.
- **第 2 ステップ**において，EGBD の所見を認めず，かつ**不整形突出集塊**(化生性の場合もあり)のみを認める.
- **第 3 ステップ**において，**ATEC-AE** を推定する.

4 • 子宮内膜癌(子宮内膜異型増殖症[▶12]/類内膜上皮内腫瘍[EAH/EIN]も含む)(TYS 5 または TYS 6)も含む)

- **第 1 ステップ**において**不整形突出集塊**を認め，**核重積 3 層以上**の場合(図 19～21).
- **第 2 ステップ**において，

① **核クロマチン**増量，**核の大小不同**，目立つ**核小体**，**核の集塊最外層核の突出**，核の**重畳性**などの異常所見を示す(図 20).

② かつ/または細胞集塊内部に多数の**腺腔**[▶3]を認める(**back to back 構造**，**篩状構造**)(図 22).

③ かつ/または**血性背景**や**壊死**，**扁平上皮化生**など[▶6]を認める(図 23).

- **第 3 ステップ**において，第 2 ステップの①～③を種々の割合で認める場合，「**子宮内膜癌(EAH/EIN も含む)**」を推定する.

▶11 ライトグリーン体[21]

- EGBD での所見の 1 つである．これらは内膜間質細胞凝集塊の内部や背景に認め，ライトグリーンに好染し，不均一な顆粒状または線維状模様を示す(図 17).

▶12 子宮内膜異型増殖症[6, 9]

- 子宮内膜異型増殖症の組織像において，内膜腺は不整で密度は高く，内腔への突出，核の多層化，さらに核異型(腫大，円形化，核小体の肥大など)がみられるが，まだ既存の内膜間質が残っている.
- それらを反映する細胞集塊として「拡張・分岐集塊」(図 3a)と「不整形突出集塊」(図 1c)の 2 つの細胞集塊パターンが観察され，強拡大では核の腫大やクロマチンの増量を示す.
- 子宮内膜異型増殖症の多くは，実際には腫瘍性病変になっていると考えられており，エストロゲン刺激に対する反応性，可逆的な過形成である細胞異型を伴わない子宮内膜増殖症とは区別して考えるべきである[22-24]．細胞異型を伴わない子宮内膜増殖症が類内膜癌に進行することは少なく，その頻度は数%とされている一方，生検や掻爬材料で子宮内膜異型増殖症と診断される症例の半数程度に類内膜癌が併存しており，30%程度が類内膜癌へと移行する[25].
- これらのことより，細胞診での判定に際し，子宮内膜異型増殖症と子宮内膜癌との区別は困難である．そのことを踏まえ，TYS 式子宮内膜細胞判定様式では，細胞診の役割が子宮内膜異型増殖症の正確な診断ではなく，子宮内膜異型増殖症と子宮内膜癌との鑑別でもないと考え，その判定項目は「子宮内膜癌(EAH/EIN も含む)」とされた[15].

5 • 異型を伴わない子宮内膜増殖症(TYS 3)

- **第 1 ステップ**において，**拡張・分岐集塊**[▶2]を 5 個以上認め，**核重積**が 3 層未満の場合.
- **第 2 ステップ**において，**核異型を認めない**.
- **第 3 ステップ**において，**異型を伴わない子宮内膜増殖症**を推定する.

6 • ATEC-US(TYS 2)

- **第 1 ステップ**において，上記のいずれにも当てはまらない場合，**ATEC-US** を推定する.

TYS アルゴリズム式子宮内膜細胞診判定様式を使用した判定成績の評価

BD SurePath™ (SP)-LBC 標本を使用した TYS 式子宮内膜細胞診判定様式による再現性を評価した．子宮内膜病変判定の再現性を確認し，観察者間および観察者内一致率をさらに検討するために，3 か月後に，3 人の細胞検査士での 2 回目の判定を行った．その結果，「陰性群」の観察者間の一致率は，「good to fair」から「excellent」へと改善し，κ 値は 1 回目 0.70 から 2 回目 0.81 に増加した．「EGBD 群」と「悪性群」について，両者ともに「good to fair」から「excellent」へと改善し，κ 値は前者が 1 回目 0.62 から 2 回目 0.84，後者が 0.63 から 0.95 に増加した．ATEC の判定一致率について，「ATEC-AE」は 2 回とも κ 値は 0.43 (「moderate」)，ATEC-US が 2 回とも 0.69 (「good to fair」)と同じ値であり，再現性は意外に良好であった．1 回目と 2 回目の判定における全体的な観察者間内一致率は「good to fair」から「excellent」であり，κ 値は 0.73 から 0.90 と有意に改善した($p<0.0001$).

また，3 人の細胞検査士の観察者内一致率は 1 回目 0.88 から 2 回目 0.96，同様に，0.80 から 0.88，0.78 から 0.91 と有意に改善した．以上のことより，TYS 式子宮内膜判定様式の適用は子宮内膜細胞診の精度(再現性)を改善するための有効な方法であることが明らかになった[26].

ごく最近の研究では，子宮内膜癌の検出のために SP-LBC 標本での TYS 式子宮内膜判定様式の判定成績が，吸引子宮内膜組織生検でのそれとほぼ同じであり，細胞診が吸引子宮内膜組織生検より劣っていないことが明らかになった．さらに，子宮内膜病変を有する 4,179 人の患者に対し，子宮内膜癌診断における子宮内膜細胞診法の評価のためのメタ分析を実施したところ，子宮内膜細胞診は効率的な診断法であると報告された[27, 28].

したがって，SP-LBC 標本を使用する TYS 式子宮内膜細胞診判定様式は，リンチ症候群などの子宮内膜癌を示唆する疑わしい兆候のある女性に対し，最初の病理学的評価と癌サーベイランスのための有望なツールである.

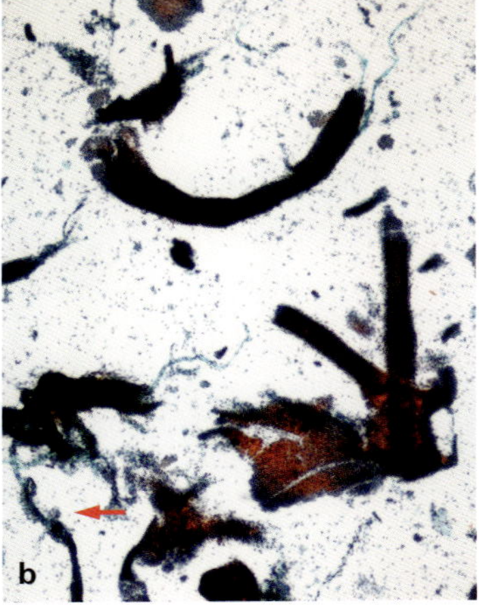

図 5　正常子宮内膜(TYS 1)

a, b：弱拡大において，管状腺管集塊またはシート状集塊，長い血管(矢印)を認める．管状腺管集塊の幅はほぼ均等である．

(SP-LBC 法/対物×4，増殖期内膜)

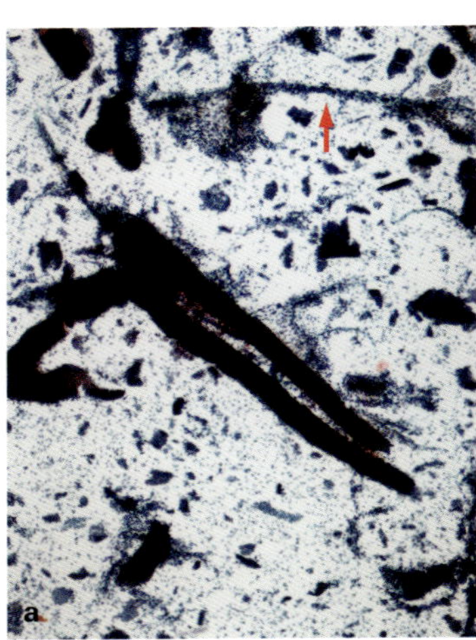

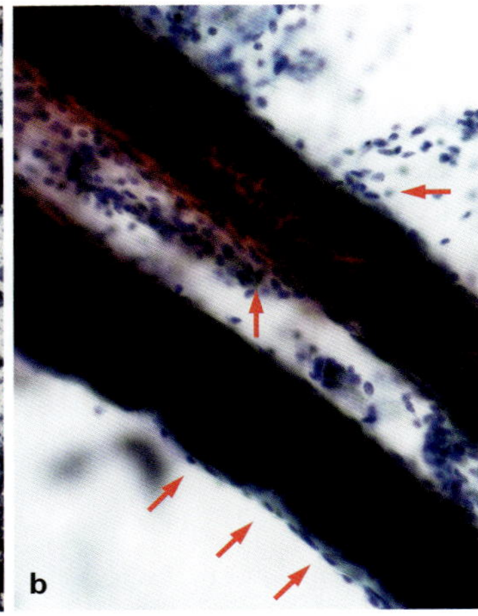

図 6　正常子宮内膜(TYS 1)

a：弱拡大において，管状腺管集塊またはシート状集塊，長い血管(矢印)を認める．

b：管状腺管集塊の幅がほぼ均等であり，その周囲に内膜間質細胞の付着(矢印)を伴っている．

(SP-LBC 法/**a**：対物×4，**b**：対物×20，増殖期内膜)

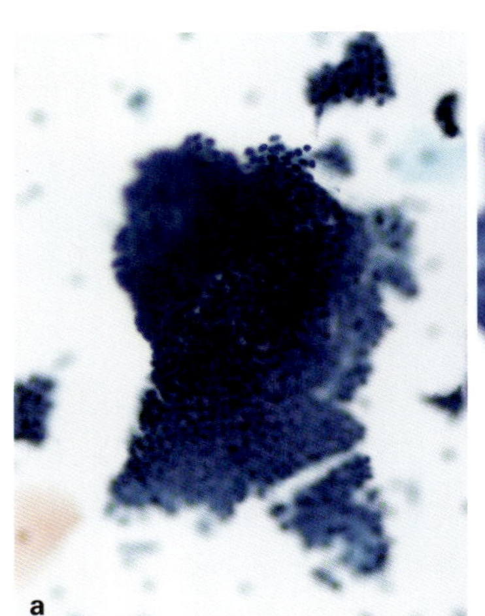

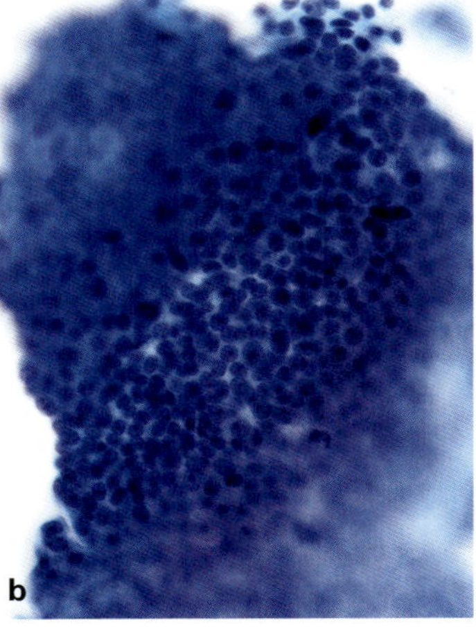

図 7　正常子宮内膜(TYS 1)

a：管状腺管集塊が壊れて開くと，シート状となる．核重積が 3 層未満である．

b：核は類円形で揃っており，細胞質は乏しく，隣り合う核が接する核密集を示す．

(SP-LBC 法/**a**：対物×20，**b**：対物×40，増殖期内膜)

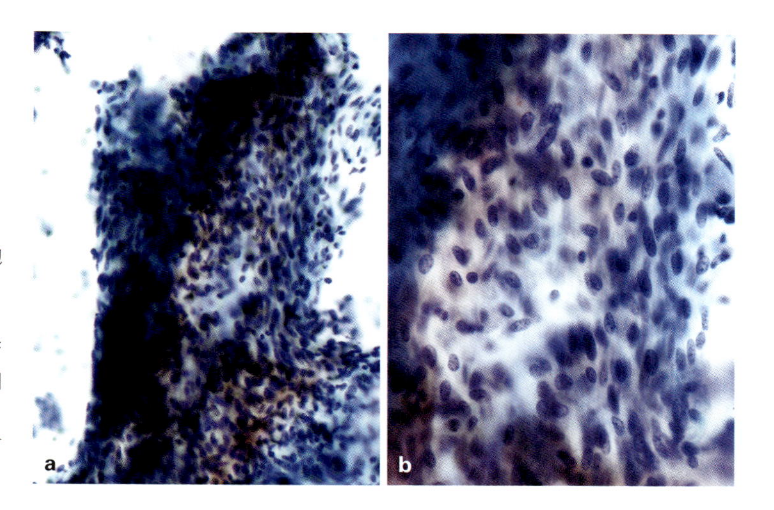

図 8　正常子宮内膜(TYS 1)

a：内膜間質細胞集塊である．細胞は流れるような配列を認める．

b：核の方向性や核間距離は不均一，形は紡錘形～類円形～腎形と多彩であり，クロマチンは繊細である．細胞質は菲薄である．

(SP-LBC 法/**a**：対物×20，**b**：対物×40，増殖期内膜)

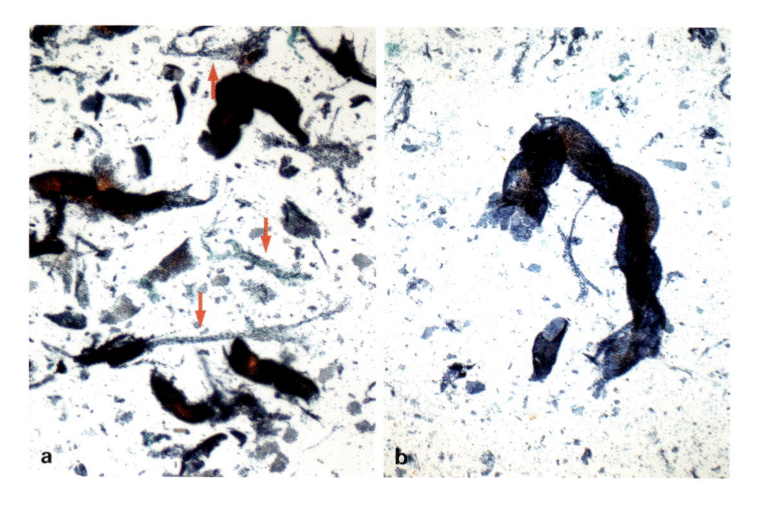

図 9　正常子宮内膜(TYS 1)

a：分泌期初期であるが，弱拡大において，迂曲蛇行する管状腺管集塊は腺管の幅がほぼ均等であり，長い血管(矢印)を認める．

b：分泌期中期では，迂曲蛇行する管状腺管集塊は分泌期初期に比べ，蜂巣状細胞質が弱拡大でも確認できる．

(SP-LBC 法/対物×4，分泌期内膜)

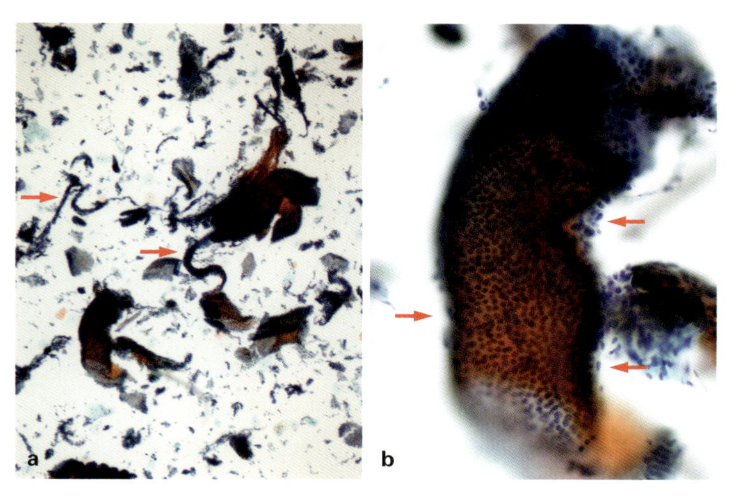

図 10　正常子宮内膜(TYS 1)

a：分泌期中期の弱拡大において，管状腺管集塊またはシート状集塊，さらに長い血管(矢印)を認める．

b：管状腺管集塊の幅がほぼ均等であり，その周囲に内膜間質細胞の付着(矢印)を伴っている．細胞質は蜂巣状細胞質を示す．

(SP-LBC 法/**a**：対物×4，**b**：対物×20，分泌期中期内膜)

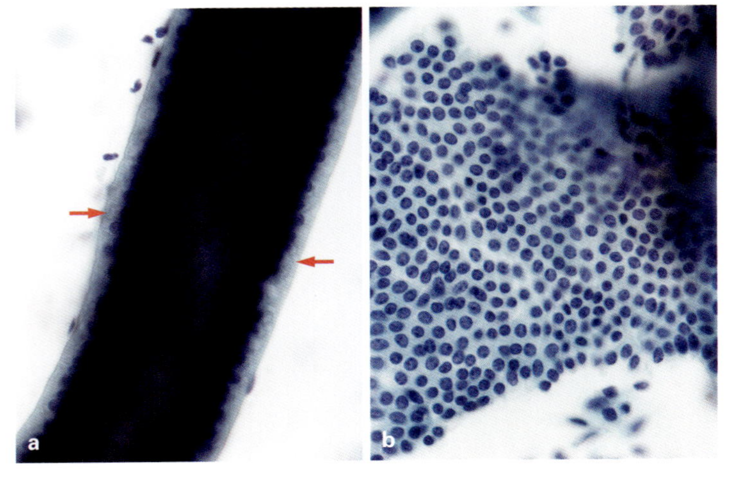

図 11　正常子宮内膜（TYS 1）

a：分泌期初期では核下空胞（矢印）を認める．

b：分泌期内膜でのシート状集塊は1層のことが多く，細胞質は豊富で，蜂巣状を示す．

（SP-LBC法/対物×40，分泌期内膜）

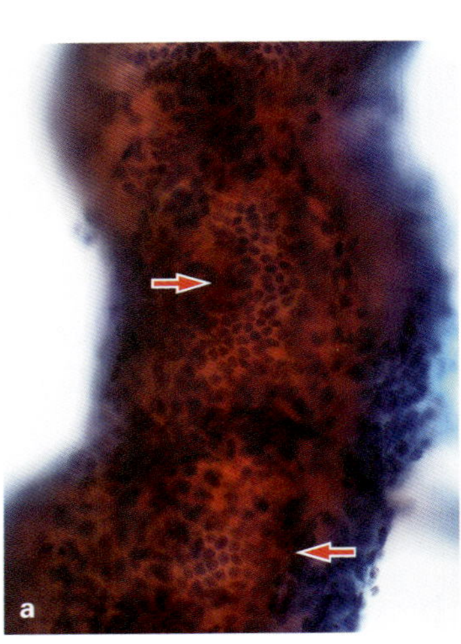

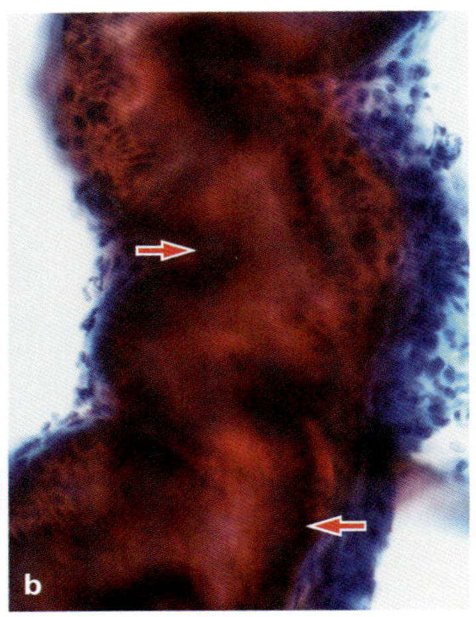

図 12　正常子宮内膜（TYS 1）

a, b：分泌期中期では蜂巣状細胞質を有す管状腺管集塊の内部において内膜腺が鋸歯状構造を示しているのがわかる（矢印）．

（SP-LBC法/対物×40，分泌期内膜）

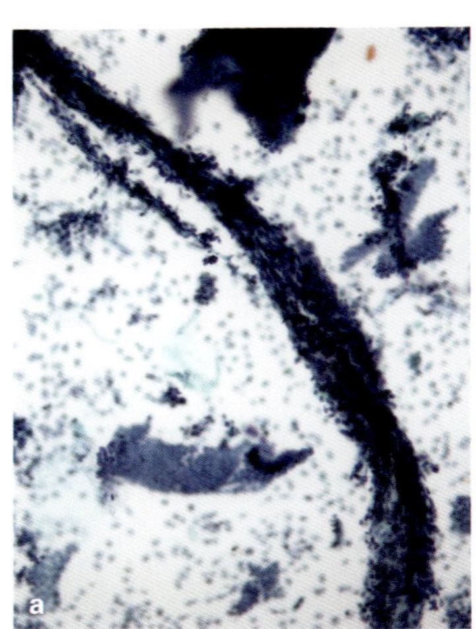

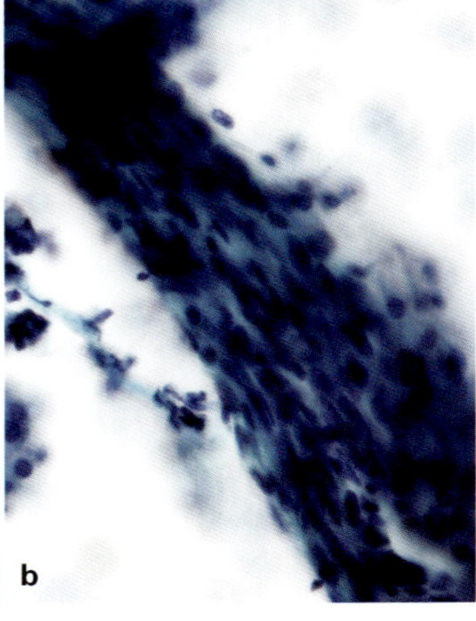

図 13　正常子宮内膜（TYS 1）

a：増殖期や分泌期内膜では，対物20倍レンズの視野の直径より長い血管が出現する．

b：血管内皮細胞や平滑筋細胞を含む紡錘形細胞の束の走行が観察される．

（SP-LBC法/**a**：対物×10，**b**：対物×40，分泌期内膜）

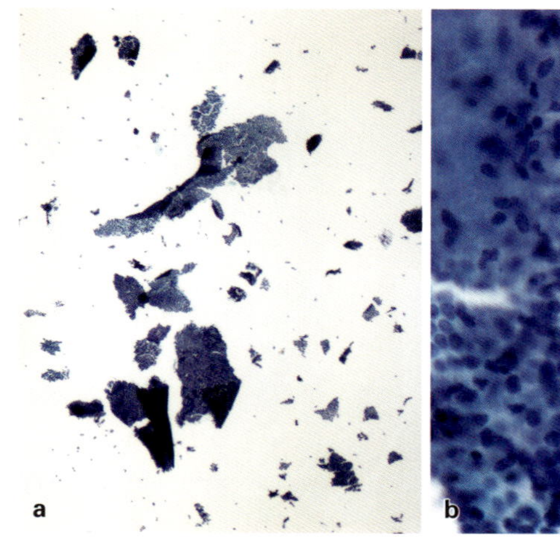
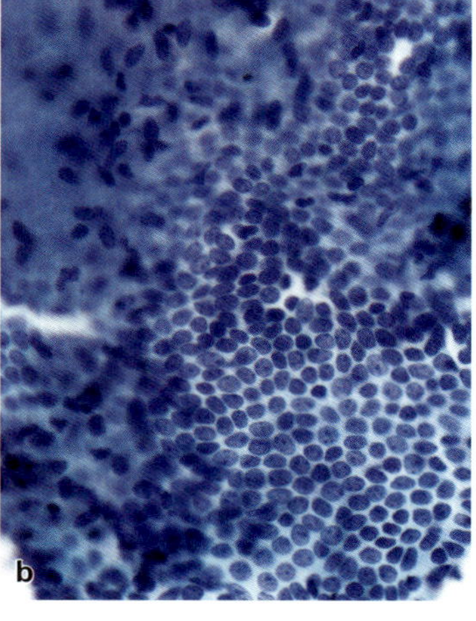

図 14　正常子宮内膜(TYS 1)

a：萎縮内膜では，管状腺管集塊の出現はまれで，シート状集塊主体となる．

b：個々の細胞は小型で細胞質は狭い．増殖期に類似しているが核に厚みがない．

(SP-LBC 法/**a**：対物×4，**b**：対物×40，萎縮内膜)

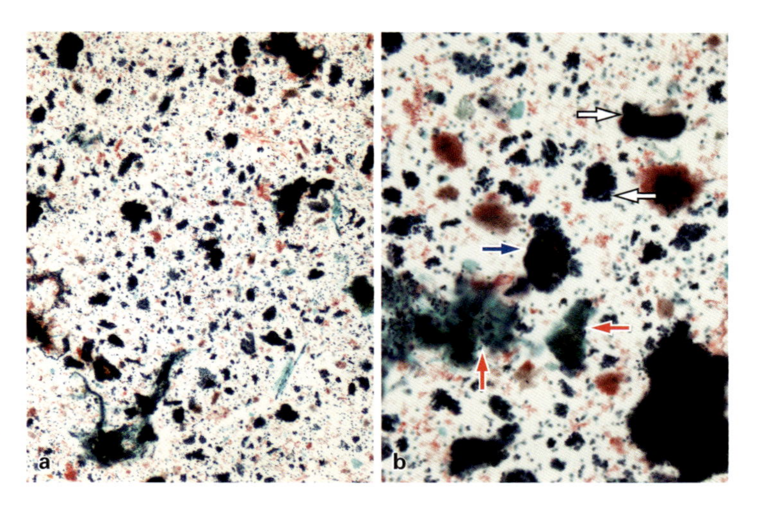

図 15　EGBD(TYS 1)

a：弱拡大において，血性の背景の中，多数の不整形突出集塊を認める．

b：内膜間質細胞凝集塊(白矢印)，化生性不整形突出集塊(青矢印)，ライトグリーン体(赤矢印)などを認める．

(SP-LBC 法/**a**：対物×4，**b**：対物×10)

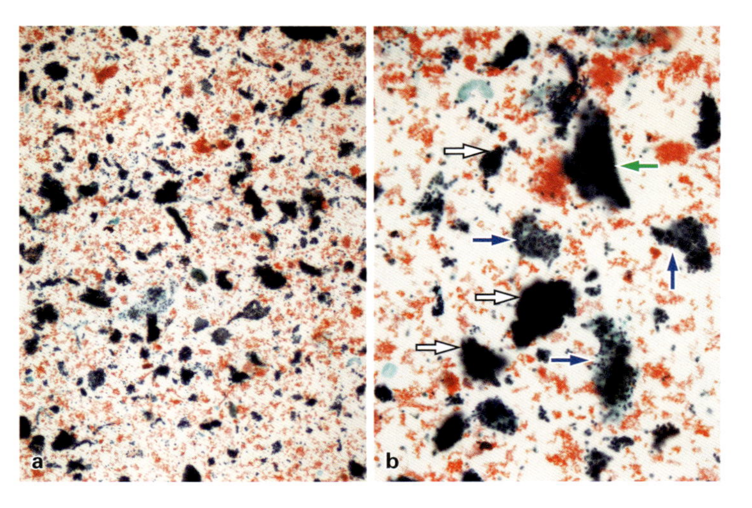

図 16　EGBD(TYS 1)

a：弱拡大において，血性の背景の中，多数の不整形突出集塊を認める．

b：内膜間質細胞凝集塊(白矢印)，化生性不整形突出集塊(青矢印)，増殖期を示す内膜上皮(緑矢印)などを認める．

(SP-LBC 法/**a**：対物×4，**b**：対物×10)

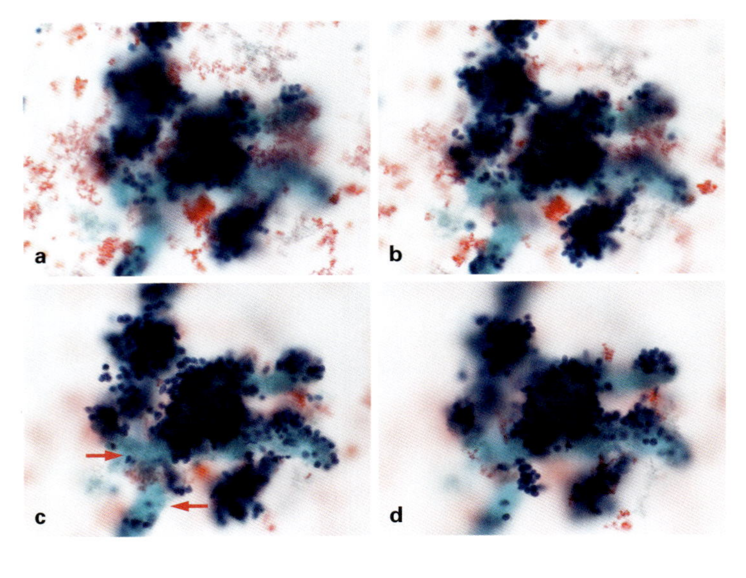

図 17　EGBD（内膜間質細胞凝集塊）（TYS 1）

a～d：細胞集塊は不整形突出を示し，核の過染性，極性の乱れ，3 層以上の核重積を認め，細胞質が乏しいため，悪性細胞との区別が必要である．核は紡錘形～類円形～腎形と多彩であるが，腎形核が特徴的である．集塊中にはライトグリーン体（矢印）を認める．
（SP-LBC 法/対物×40）

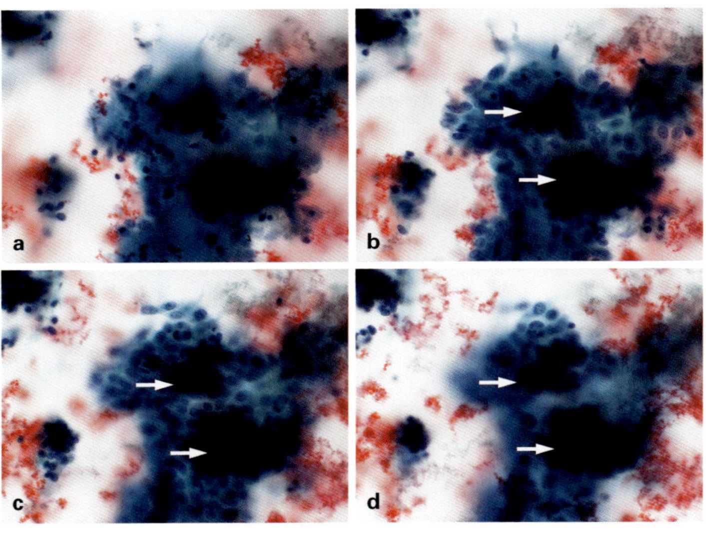

図 18　EGBD（化生性不整形突出集塊）（TYS 1）

a～d：これらは細胞質変化（化生）を起こした細胞のみからなる不整形突出集塊として出現し，核の腫大，極性の乱れ，3 層以上の核重積，目立つ核小体のため，悪性細胞との区別が重要である．紡錘形核や内膜間質細胞凝集塊の内包像（矢印）が特徴である．
（SP-LBC 法/対物×40）

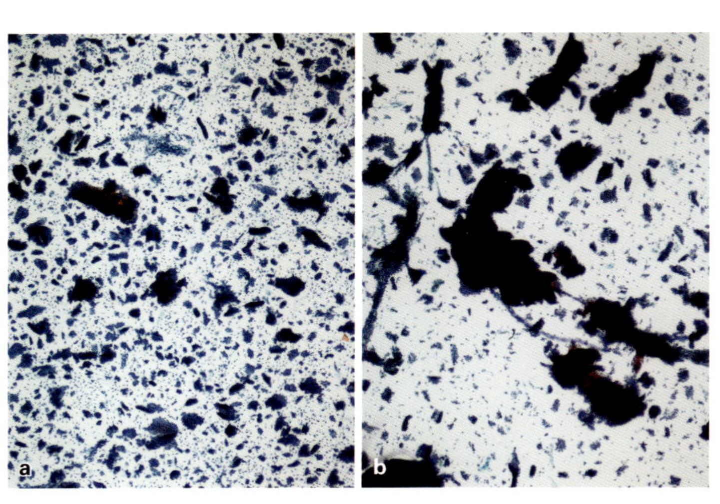

図 19　子宮内膜癌（EAH/EIN も含む）（TYS 5 または TYS 6）

a, b：弱拡大において，多数の不整形突出集塊を認める．
（SP-LBC 法/対物×4，類内膜癌 Grade 1）

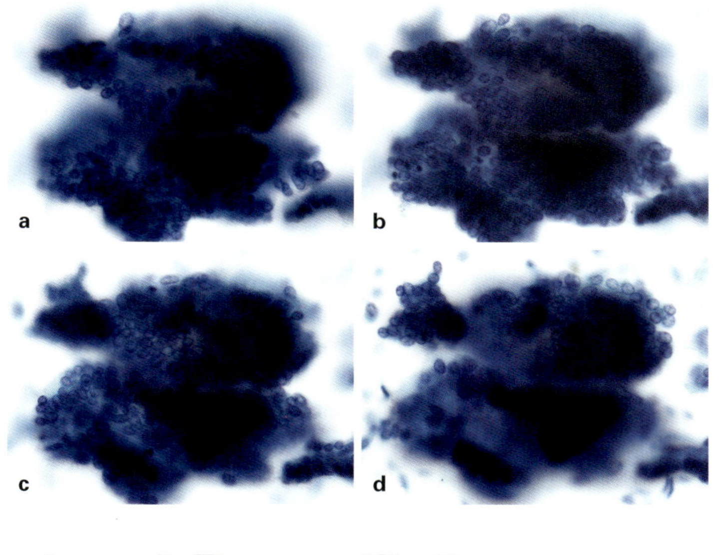

図 20　子宮内膜癌(EAH/EIN も含む)(TYS 5 または TYS 6)

a～d：集塊辺縁より小突起状の突出や不規則な分岐を認めるもので，その細胞質辺縁を明瞭に追うことができ，集塊周囲に間質細胞の付着を認めない．核は類円形主体であり，核の過染性，極性の乱れ，3 層以上の核重積などの異型を認める．
(SP-LBC 法/対物×40，類内膜癌 Grade 1)

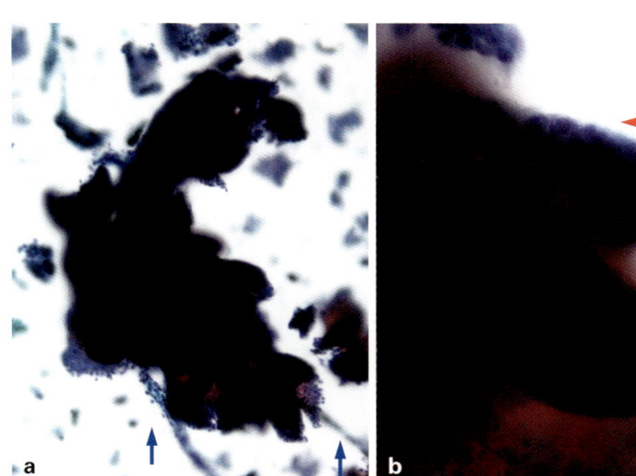

図 21　子宮内膜癌(EAH/EIN も含む)(TYS 5 または TYS 6)

a：丸みを帯びた内膜腺の不規則な分岐や突出がみられる不整形突出集塊．

b：集塊周囲において，内膜間質細胞の付着を認めない(赤矢印)．このような場合，内側に間質を含有し，乳頭状発育を示唆しており，子宮内膜癌の推定根拠の 1 つとなる．それを裏付けるように，a では集塊内部から血管の突出を認める(青矢印)．
(SP-LBC 法/**a**：対物×10，**b**：対物×40，類内膜癌 Grade 1)

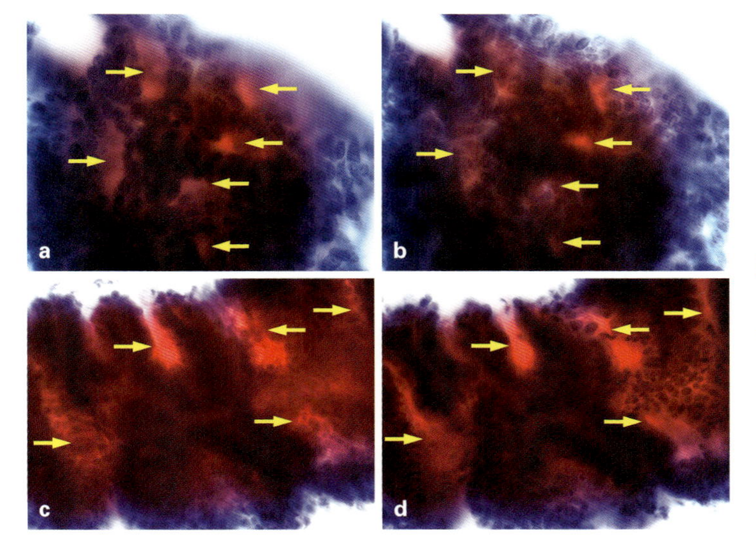

図 22　子宮内膜癌(EAH/EIN も含む)(TYS 5 または TYS 6)

a～d：不整形突出集塊の内部に認める複数の腺腔(back to back 構造，篩状構造)の存在(矢印)は，腺管構造の複雑性(不規則多分岐・癒合)の度合いを表している．
(SP-LBC 法/対物×40，類内膜癌 Grade 1)

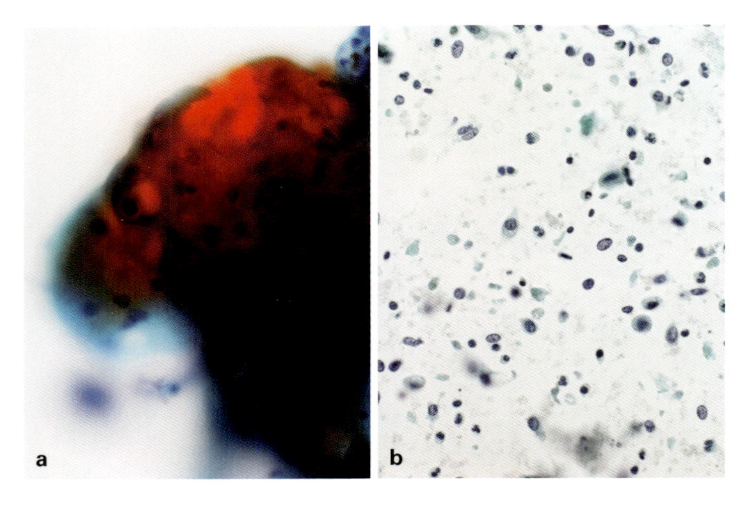

図 23　子宮内膜癌（EAH/EIN も含む）（TYS 5 または TYS 6）

a：扁平上皮化性
b：壊死性背景
（SP-LBC 法/対物×40，類内膜癌 Grade 1）

文献

1）Fujihara A，Norimatsu Y，Kobayashi TK，et al. Direct intrauterine sampling with uterobrush：Cell preparation by the "flicked" method. Diagn Cytopathol. 2006；34：486-490.
2）則松良明，藤原明美，岩成　治．ウテロブラシ ウテロブラシ "Flicked" 法による細胞標本作製法．産婦治療．2008；97：186-189.
3）則松良明，香田浩美，浜崎周次，他．子宮内膜細胞診における正常内膜，腺腫性増殖症，高分化型腺癌の細胞学的検討―細胞集塊形態の比較を中心に．日臨細胞誌．1995；34：439-448.
4）則松良明，森谷卓也，香田浩美，他．子宮内膜増殖症および類内膜腺癌 grade-1 の細胞像に関する検討―細胞集塊の形態異常を中心に．日臨細胞誌．1998；37：650-659.
5）則松良明，森谷卓也，香田浩美，他．分化型類内膜腺癌の細胞像に関する検討―腺密集増殖集塊について．日臨細胞誌．2000；39：389-395.
6）Norimatsu Y，Shimizu K，Kobayashi TK，et al. Cellular features of endometrial hyperplasia and well-differentiated adenocarcinoma using the endocyte sampler：Diagnostic criteria based on the cytoarchitecture of tissue fragments. Cancer. 2006；108：77-85.
7）Norimatsu Y，Kouda H，Kobayashi TK，et al. Utility of thin-layer preparations in the endometrial cytology：Evaluation of benign endometrial lesions. Ann Diagn Pathol. 2008；12：103-111.
8）Norimatsu Y，Yanoh K，Kobayashi TK. The role of liquid-based preparation in the evaluation of endometrial cytology. Acta Cytol. 57：423-435，2013.
9）Kobayashi TK，Norimatsu Y，Buccoliero AM：Cytology of the body of the uterus；In Gray W，Kocjan G (eds)：Diagnostic Cytopathology，ed 3. London：Churchill Livingstone；2010．689-719.
10）則松良明，森谷卓也．子宮内膜増殖症と非増殖症良性内膜にみられる細胞像の鑑別は可能か？日臨細胞誌．2002；41：313-320.
11）Norimatsu Y，Kouda H，Kobayashi TK，et al. Utility of liquid-based cytology in endometrial pathology：Diagnosis of endometrial carcinoma. Cytopathol. 2009；20：395-402.
12）清水恵子，小椋聖子，小林八郎，他．子宮内膜細胞診疑陽性例の検討―構造異型を加味した判定基準を主体に．日臨細胞誌．2002；41：89-94.
13）則松良明，坂本真吾，大崎博之，他．子宮体癌での液状化検体細胞診 3 方法における細胞像の比較．医学検査．2013；62：383-390.
14）Norimatsu Y，Sakamoto S，Ohsaki H，et al. Cytologic features of the endometrial adenocarcinoma：Comparison of ThinPrep and BD SurePath™ preparations. Diagn Cytopathol. 2013；41：673-681.
15）Yanoh K，Norimatsu Y，Munakata S，et al. Evaluation of endometrial cytology prepared with the Becton Dickinson SurePath™ Method：A pilot study by the Osaki Study Group.

Acta Cytol. 58：153-161, 2014.
16) Shimizu K, Norimatsu Y, Kobayashi TK, et al. Endometrial glandular and stromal breakdown, part 1：Cytomorphological appearance. Diagn Cytopathol 2006；34：609-613.
17) Norimatsu Y, Shigematsu Y, Sakamoto S, et al. Nuclear features in endometrial cytology：Comparison of endometrial glandular and stromal breakdown and endometrioid adenocarcinoma grade 1. Diagn Cytopathol. 2012；40：1077-1082.
18) Norimatsu Y, Shigematsu Y, Sakamoto S, et al. Nuclear characteristics of the endometrial cytology：Liquid-based versus conventional preparation. Diagn Cytopathol. 2013；41：120-125.
19) Norimatsu Y, Yuminamochi T, Shigematsu Y, et al. Endometrial glandular and stromal breakdown, part 3：Cytomorphology of 'condensed cluster of stromal cells'. Diagn Cytopathol. 2009；37：891-896.
20) Norimatsu Y, Shimizu K, Kobayashi TK, et al. Endometrial glandular and stromal breakdown, part 2：Cytomorphology of papillary metaplastic changes. Diagn Cytopathol. 2006；34：665-669.
21) Norimatsu Y, Kawai M, Kamimori A, et al. Endometrial glandular and stromal breakdown, part 4：Cytomorphology of 'condensed cluster of stromal cells including a light green body'. Diagn Cytopathol. 2012；40：204-209.
22) Mutter GL. Histopathology of genetically defined endometrial precancers. Int J Gynecol Pathol. 2000；19：301-309.
23) Mutter GL, Baak JPA, Crum CP, et al. Endometrial precancer diagnosis by histopathology, clonal analysis and computerized morphometry. J Pathol. 2000；190：462-469.
24) Hecht JL, Ince TA, Baak JP, et al. Prediction of endometrial carcinoma by subjective endometrial intraepithelial neoplasia diagnosis. Modern Pathology. 2005；18：324-330.
25) Kurman RJ, Kaminski PF, Norris HJ. The behavior of endometrial hyperplasia. A long-term study of "untreated" hyperplasia in 170 patients. Cancer. 1985；56：403-412.
26) Norimatsu Y, Yamaguchi T, Taira T, et al. Inter-observer reproducibility of endometrial cytology by the Osaki Study Group method：Utilizing the Becton Dickinson SurePath™ liquid-based cytology. Cytopathology. 2016；27：472-478.
27) Hirai Y, Sakamoto K, Fujiwara H, et al. Liquid-based endometrial cytology using SurePath™ is not inferior to suction endometrial tissue biopsy for detecting endometrial malignancies：midterm report of a multicentre study advocated by Japan Association of Obstetricians and Gynecologists. Cytopathology. 2019；30：223-228.
28) Wang Q, Wang Q, Zhao L, et al. Endometrial Cytology as a Method to Improve the Accuracy of Diagnosis of Endometrial Cancer：Case Report and Meta-Analysis. Front Oncol. 2019；9：256.

（則松良明）

標本の適否

背景

子宮内膜細胞診における，主な観察の対象は子宮内膜腺上皮細胞と間質細胞である．これらは，細胞および細胞構築のいずれもが，性ホルモンの影響を受けて，形態的な変化を示す．そのため，細胞診判定に際しては，対象が，現在どのような状態にあるのかを十分に認識しておく必要がある．投与されている薬物も，その種類によっては，子宮内膜に影響を及ぼすことが知られているため，それらの情報を把握することは重要である．

一般に，腺細胞の判定は，扁平上皮細胞と比較した場合，個々の細胞形態のみでの判定が困難であることが多い．そのため，細胞の形態に加え，細胞集塊の観察性も保持されている必要がある．細胞診標本作製に際しては，これらの条件が保たれている必要がある．そこで，細胞診判定に先立ち，一定の標本の質を担保する基準が必要と考えられた．これを受けて，2015 年に公益社団法人日本臨床細胞学会発行の『細胞診ガイドライン 1』に盛り込まれた記述式子宮内膜細胞診報告様式においては，世界で初めて細胞診標本の適否を判定するための基準が盛り込まれた（表 1）[1]．この基準は，あくまでも当時主流であった直接塗抹標本を念頭に考案されたものであったが，液状

表 1　子宮内膜細胞診検体不適正

□標本塗抹，固定，染色，保存不良のため検鏡不可能
□標本乾燥のため，検鏡不可能
□炎症所見が著しく，検鏡不可能
□出血性背景が著しく，検鏡不可能
□細胞もしくは細胞集塊の変形が著しく，検鏡不可能
□臨床情報［▶ 1］不足
□採取細胞量［▶ 2］不足

▶ 1　標本に添付されるべき臨床情報

□年齢（age）
□最終月経（last menstrual period）
□閉経前・後の区分（閉経後の場合には，閉経年齢を記載）（menopause）
□子宮出血症状の有無（abnormal genital bleeding）
□現在投与されている薬剤の有無（ホルモン剤，抗癌剤，その他細胞形態に影響すると考えられる薬剤が使用されている場合には，薬剤名称が記載されることが望ましい）（drug usage）
□ IUD（intrauterine device）使用状況

▶ 2　採取細胞量

50～100 個（以上）の内膜上皮細胞により構成されるものを「細胞集塊」と定義する．これらの「細胞集塊」が 10 以上認められるもの，もしくは組織様大型集塊が（1 個でも）出現していれば適正とする．

この規定に関しては，未だ十分な科学的根拠が得られていない．

〔日本臨床細胞学会（編）．細胞診ガイドライン 1　婦人科・泌尿器．金原出版．2015；68. より転載〕

表 2　採取細胞量に関する SurePath™ 子宮内膜細胞診標本用標本適正基準案

- 30 個以上の内膜上皮細胞で構成される細胞集塊が 10 個以上観察される標本を適正標本とする.
- 対象が 60 歳以上の場合, 細胞集塊数が 5 個以上の標本も容認される.

(Nimura A, Ishitani K, Norimatsu Y, et al. Evaluation of cellular adequacy in endometrial liquid-based cytology. Cytopathology. 2019. DOI:10. 1111/cyt.12716)

化検体細胞診標本でも用いられることは許容された. そして, その後の臨床研究によって, 直接塗抹法, 液状化検体細胞診のいずれにおいても, その科学的検証が実施されることが期待された.

直接塗抹標本に関しては, その後の学会報告において, 2015 年に出版された基準の妥当性が示されている. また, 液状化検体細胞診標本においては, SurePath™ 法で作製された子宮内膜細胞診に関して, 細胞数の新たな提案がなされた(**表 2**).

定義

ラベル剝がれやガラスの壊れなど, 鏡検に適さない場合は, 検体不合格とされる. 検体が鏡検されたが, 標本の質が不良であり, 正確な細胞評価が困難であるため, 細胞診報告に適さないと判断される場合は, 検体不適正とされる.

単に, 細胞診標本が検体不合格, もしくは検体不適正と報告されただけでは, 臨床医の理解と納得は得られにくい. そのため, これらの結果が判定された場合には, その理由が明記される必要がある.

標本の適正を十分には満たしていない場合でも, 明瞭な異型細胞, もしくは強く異常が疑われる所見が存在すれば, 非検者の利益のために, 可能な限り, 推定される病変が報告されることが望ましい. また, 出現している細胞集塊数が適正基準に満たない場合で, すべてが萎縮内膜として判定される場合にも, 標本不適正と判定のうえで, 診断者側の責任において臨床側に萎縮内膜と報告することが許容される. 最終的な総合的臨床診断は, 臨床医に委ねられる. そのため, 臨床側においては, 検体の適正に問題があるとコメントで指摘された場合には(検体不適正), 診断精度が劣ることに留意し, 状況に応じて経過観察, 再細胞診, もしくは組織診を行うことが考慮される必要がある(**表 2**, **図 1～6**).

a 細胞集塊の変形が著しく, 正確な細胞診判定が不可能(直接塗抹法)(図 1)

子宮内膜細胞診標本が**直接塗抹法**で作製される際に, 検体が厚く塗抹されることによって, 顕微鏡の光の透過性が著しく損なわれ, 細胞集塊の辺縁の一部以外では, 細胞の観察が不可能な場合がある.

これを解決する 1 つの手段として, 2 枚のスライドガラスを用いた**検体の圧挫摺合せ**が試みられる. この操作によって, 検体の塗抹は薄く均一化されるが, 加えられた圧力によって, 細胞および細胞集塊の形態が変形し, 正確な評価が不可能となる可能性がある. その他, 細胞集塊の変形は, 細胞採取器具をスライドガラスに強くこすりつけることによっても生じる可能性がある.

b 塗抹された細胞量が不足しており，正確な細胞診判定が不可能（直接塗抹標本，液状化検体細胞診）（図 2，3）

閉経後の女性においては，子宮内膜が萎縮し菲薄化しているため，直接塗抹標本の場合，検体採取方法が適切であっても，スライドガラスに塗抹される検体が少なく，細胞診判定が不可能である場合がある．一方，採取された検体が，採取器具からスライドガラスに 100％塗抹されるわけではなく，ある程度の検体は採取器具に付着したまま廃棄されている．そのため，液状化検体細胞診（LBC）によって採取された細胞検体が，より多くの割合で標本化されることが望ましい．しかしながら LBC であっても細胞採取量が少なければ，塗抹細胞量が少なくなることは避けられない．

c 炎症細胞による細胞集塊への影響が著しく，正確な細胞診判定が不可能（直接塗抹標本）（図 4）

炎症性背景が存在するため，腺管の拡張や分岐所見が疑われるが，正確な判定が不可能である．また，細胞質に**空胞性所見**や**化生性変化**が認められるが，これらがなんらかの病的状態に起因するものか，炎症によってもたらされた変化なのかを鑑別することも不可能である．

本例では悪性腫瘍が疑われたものの，細胞診での判定が不可能であった．その後の子宮内膜組織診により，子宮内膜異型増殖症と診断された．

d 標本全体の検体塗抹後の乾燥による変性が著しく，正確な細胞診判定が不可能（直接塗抹標本）（図 5）

細胞集塊には拡張した部分や 2 つに分岐しているような異常が観察され，子宮内膜増殖症，もしくは子宮内膜異型増殖症/類内膜上皮内腫瘍（EAH/EIN）が疑われるが，全体的に標本が乾燥しており個々の細胞の観察が不可能である．本例では，前医からこの借用標本を添えて紹介をされた．実際の当院での判定は，標本が全体に乾燥しているために**標本不適正**とされ，判定は **ATEC-AE** として報告された．当院での組織診断で**類内膜癌 Grade 2** と診断され，手術治療が施行された．

e 出血性背景が著しく，正確な細胞診判定が不可能（直接塗抹標本）（図 6）

標本全体に血液が覆い，細胞の観察が，ほぼ完全に不可能な状態．かろうじて観察可能な細胞集塊から子宮内膜異型増殖症/類内膜上皮内腫瘍（EAH/EIN）が疑われるものの，特定できないため実際の臨床現場では **ATEC-AE** と報告されている．子宮内膜腺・間質破綻（EGBD）や悪性腫瘍の場合などには，検体に多量の血液が混入することが多い．子宮頸部細胞診とは異なり，検体採取に血液を拭い去ることは不可能であるため，細胞採取の段階で血液の除去は困難である．一方，LBC では血液を除去してからスライドガラス上の塗抹することが可能であり，検査精度向上に寄与できると考えられている．

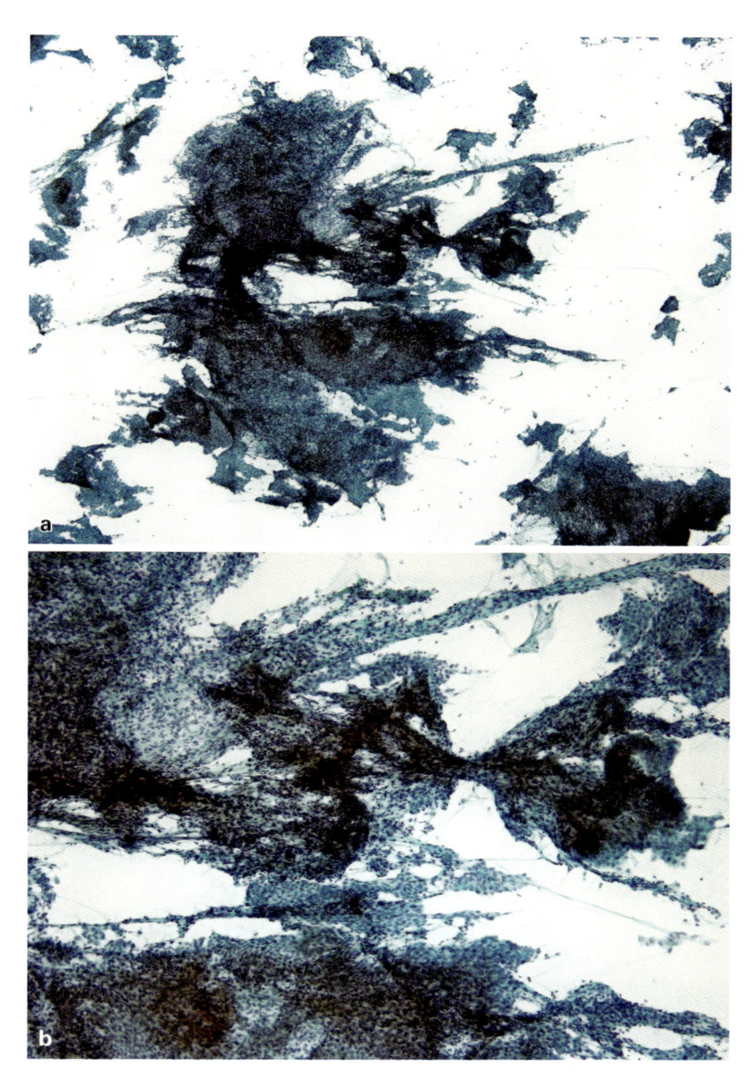

図 1　細胞集塊の変形が著しく，正確な細胞診判定が不可能

（直接塗抹法/**a**：対物×4，**b**：対物×10，いずれも類内膜癌 Grade 1）

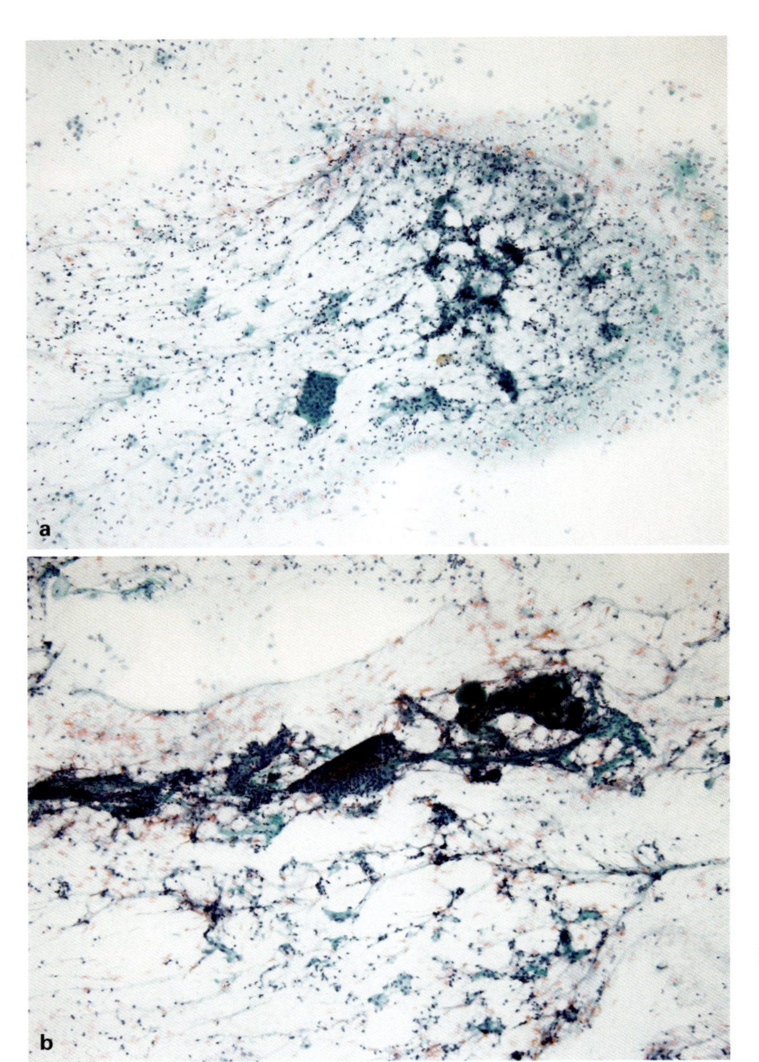

図2　塗抹された細胞量が不足しており，正確な細胞診判定が不可能

（直接塗抹法/対物×10）

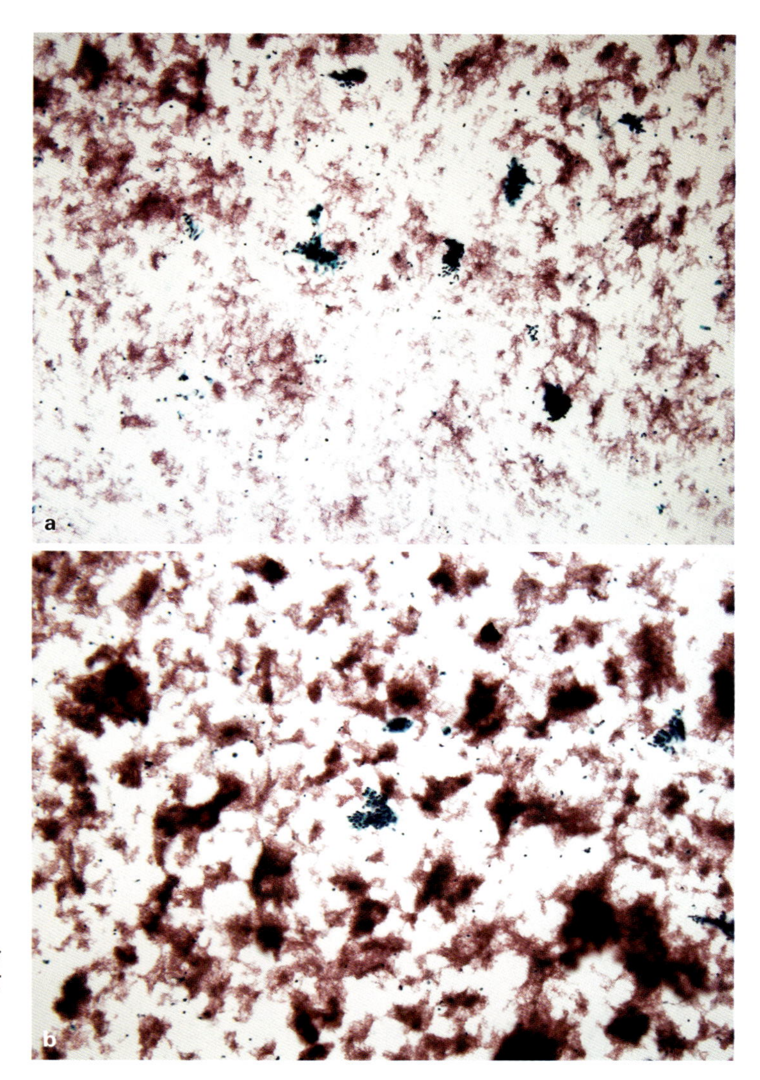

図 3　標本上の細胞量が不足しており，正確な細胞診判定が不可能

（SP-LBC™ 法/対物×10）

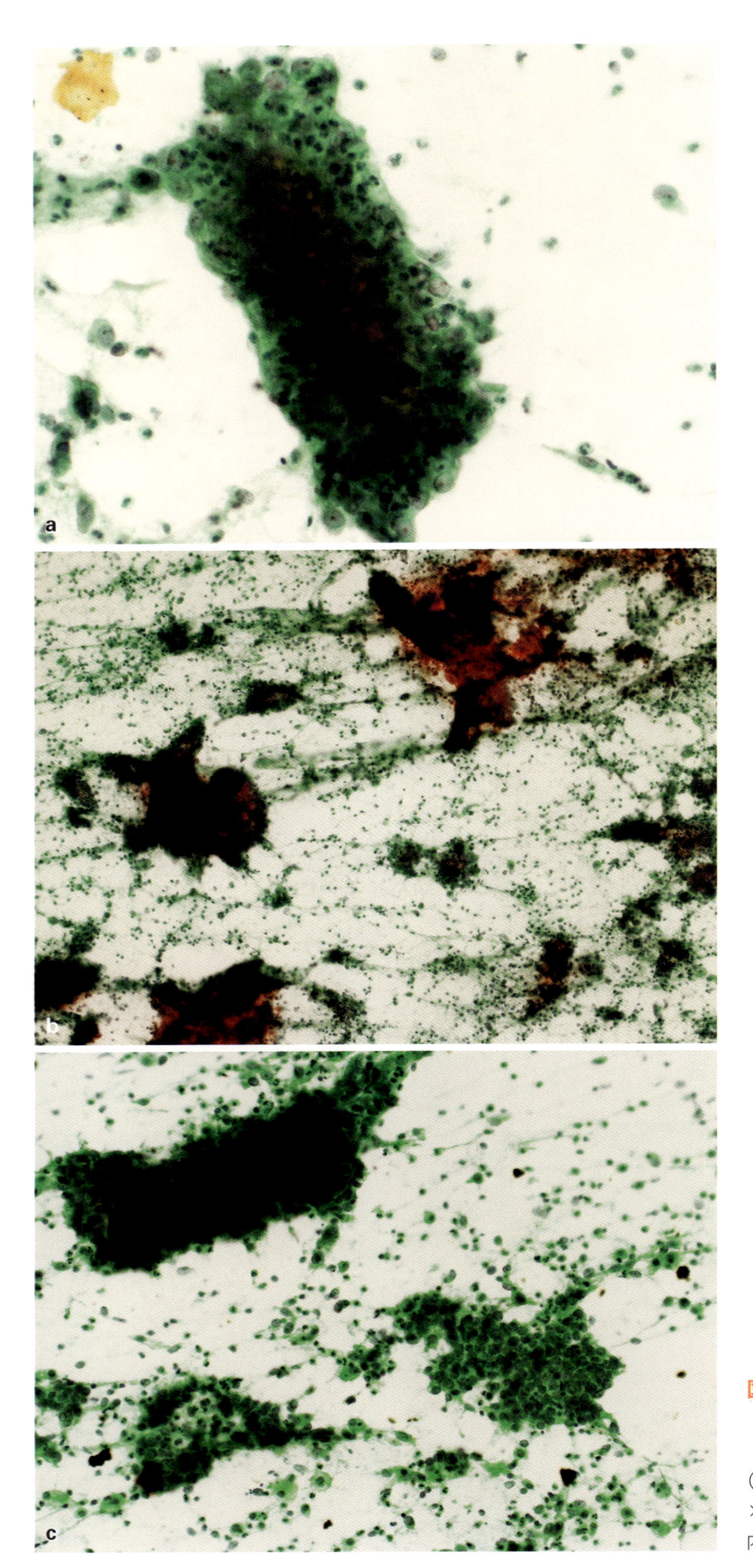

図 4　炎症細胞による細胞集塊への影響が著しく，正確な細胞診判定が不可能

（直接塗抹法/**a**：対物×40，**b**：対物×10，**c**：対物×20，いずれも子宮内膜異型増殖症）

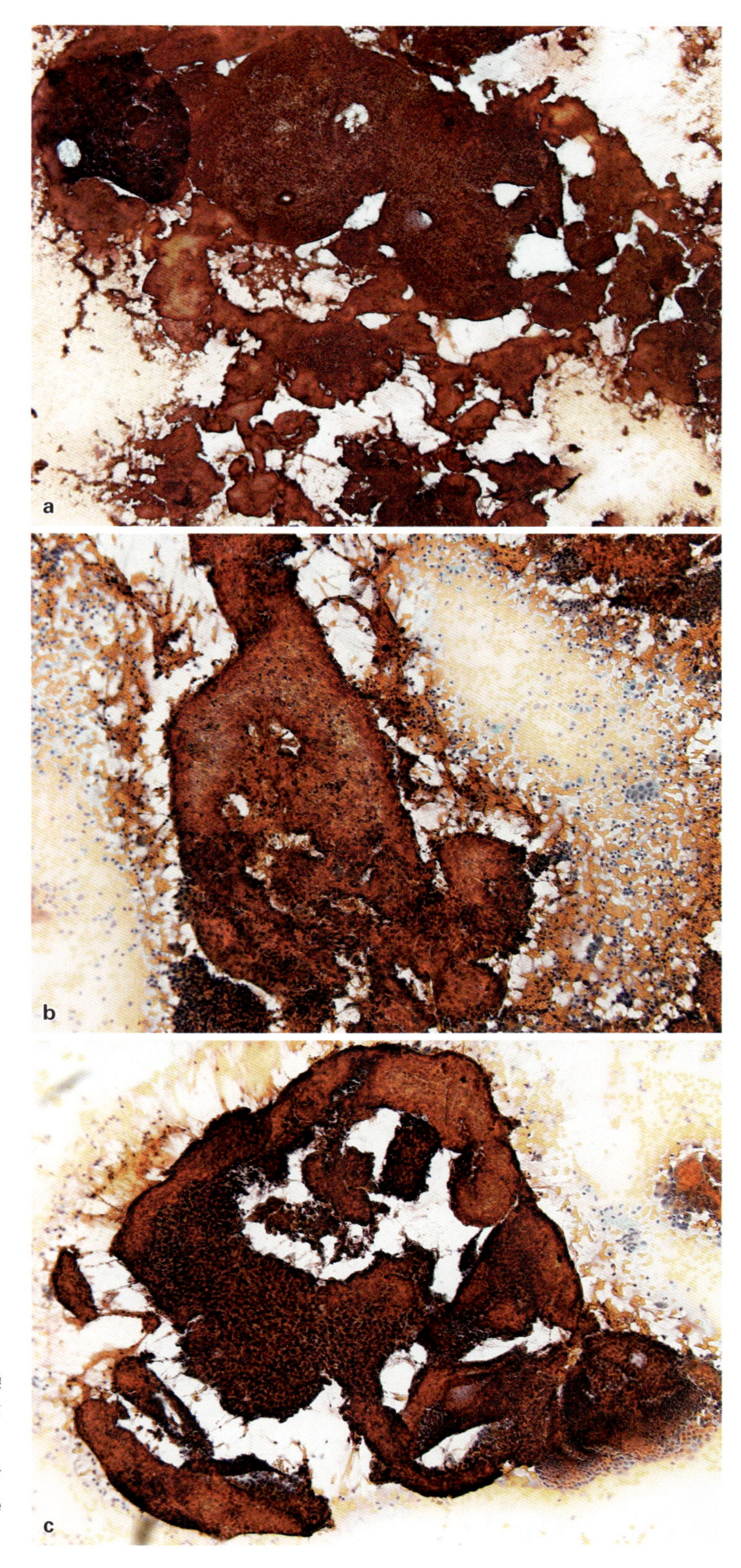

図5　標本全体の検体塗抹後の乾燥による変性が著しく，正確な細胞診判定が不可能

（直接塗抹法/**a**：対物×4，**b, c**：対物×10，いずれも類内膜癌 Grade 2）

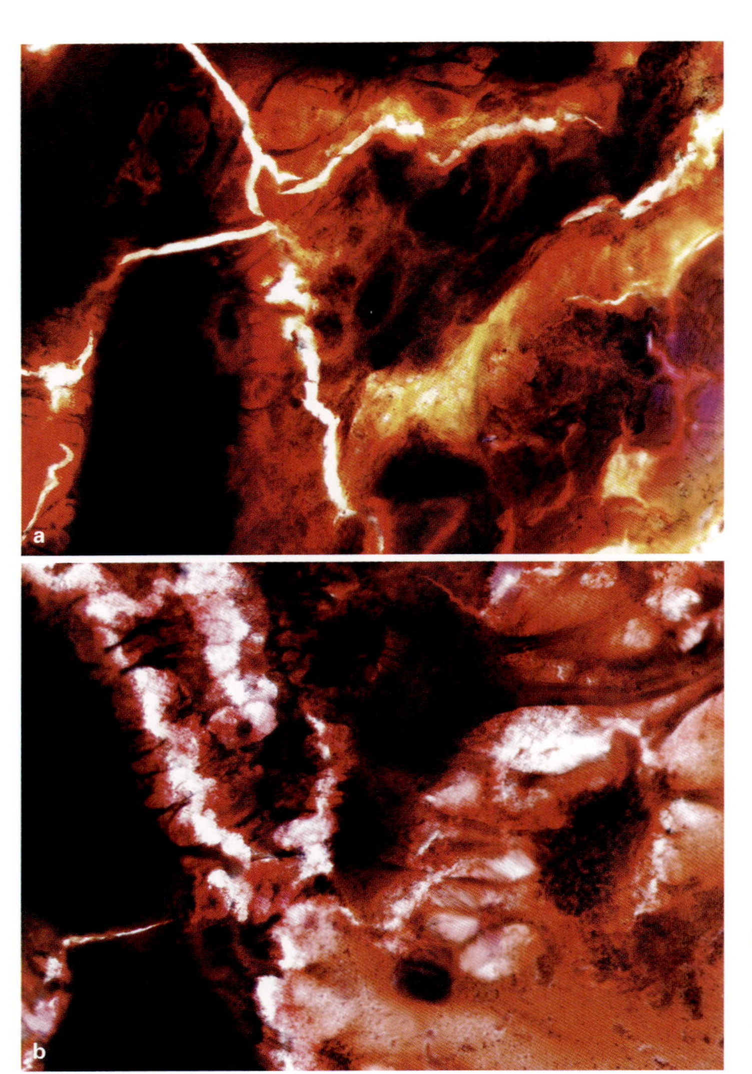

図6　出血性背景が著しく，正確な細胞診判定が不可能

（直接塗抹法/対物×4，いずれも類内膜癌 Grade 1）
〔提供：東京女子医科大学〕

文献

1）日本臨床細胞学会（編）．細胞診ガイドライン1　婦人科・泌尿器．金原出版．2015；68.

（矢納研二，平井康夫）

V

記述式細胞診結果報告

TYS 1 陰性/悪性腫瘍および前駆病変ではない

増殖期内膜
Endometrium in proliferative phase

背景

子宮内膜組織は，厚い**平滑筋層**に包まれた形で子宮内腔を覆っており，筋層側に存在する**基底層**と内腔側に存在する**機能層**からなる．**基底層**は，単層または偽重層核を伴う**腺管**と，細胞密度の高い**内膜間質**から構成されている．これらはホルモンの影響を受けないことから分泌像を示すことはなく，核分裂像も認めない．周期的な変化，つまり月経周期によって形状変化を繰り返すのが**機能層**で，内膜腺および固有間質によって構成される**緻密層**と**海綿層**に分けられる．内膜表面には一層の立方上皮が被覆し，それらに連続して**管状腺管**がほぼ均一に介在している．**内膜間質**には子宮筋層内の動脈から分岐した**基底層動脈**，機能層内の**らせん動脈**が走行している．

性成熟期女性における子宮内膜は，卵巣から分泌される**ホルモン**（**エストロゲン，プロゲステロン**）によって，月経期～増殖期（卵胞期）～（排卵）～分泌期の周期に伴って，その細胞像が変化を起こす．増殖期においては卵胞発育とともにエストロゲンが分泌される．このエストロゲンの増加により，**らせん動脈**が増生する．らせん動脈は基底層から機能層に侵入し，機能層の増殖・肥厚が起こる．このように，一概に「陰性/悪性腫瘍および前駆病変ではない Negative for Malignant Tumors and Precursors」といっても細胞形態は多彩であり，周期的な子宮内膜変化像を熟知しておくことが子宮内膜細胞診の精度向上において最も重要なことである[1-8]．

定義

増殖期内膜は月経期によって剥脱した機能層が再生する時期であり，内膜腺上皮の核は**偽重層**を示し，**核分裂像**も散見される．初期には，腺管は小型・管状を呈し，やがて間質に比して腺管が優勢に増殖を示すようになると**迂曲状**を呈するようになる．正常子宮内膜腺は通常単一腺管からなり分岐はしない．また，腺管の間には豊富な**内膜間質細胞**がみられる．性周期の時期による増殖期内膜の組織所見を示す[1]．

- **増殖期初期**：性周期の 4～7 日目に相当する．月経後，基底層内膜から再生が始まるが，内膜腺の数は少なく腺腔は狭小で内膜腺上皮細胞は低い円柱状を示す．核は小さく卵円形で，クロマチンは濃染している．核小体は不明瞭である．

■ **増殖期中期**：性周期の8～10日目に相当する．主な所見としては，エストロゲン作用増加により内膜腺上皮細胞は高円柱状を呈し，やや迂曲した腺構造を示すようになる．

核はDNA量が増加しクロマチン量が依然濃く，多数の有糸分裂の細胞もみられる．内膜間質の浮腫はこの時期が最も強い．表層上皮細胞も高円柱状になってくる．この時期の内膜の厚さは4 mm前後である．

■ **増殖期後期**：性周期11～14日目に相当する．内膜腺上皮細胞は盛んに増殖し，腺構造はさらに迂曲するため重層を呈する．核分裂像，内膜腺上皮細胞数および内膜間質細胞数はすべて多くなる．核は紡錘形になり，核小体も数個認める．内膜間質の浮腫はやや消失し，内膜の厚さは**7 mm**程度となる．

増殖期内膜においては，内膜腺上皮細胞，内膜間質細胞ともに数のみが増加する時期であり，核密度の高い細胞集塊が認められる．それら組織構築を反映する細胞集塊は，組織様大型集塊の場合，内膜間質細胞および表層被覆上皮細胞より構成される**単一腺管状の内膜腺**が突出している．これらの腺管がちぎれると**管状集塊**がみられ，さらにそれらが開いたものが**シート状集塊**として認められる(**図1～3**)．それらの内膜腺の内側が腔状であることは集塊周囲への内膜間質細胞の付着の存在で認識が可能である．また，集塊内に血管構造が観察される場合は，分泌期のように蛇行せず**直線状に配列**することが多い(**図4**)．

増殖期では，内膜間質細胞も細胞質狭小でN/C比が高いが，核形が多彩(楕円形～類円形～腎形など)で，クロマチンは内膜腺上皮細胞に比較し微細である(**図5**)．腺管が密在した部分の観察のみで内膜増殖症としないよう，構造や細胞個々の所見を確認することが重要である[1-8]．

診断基準[1-11]

子宮内膜細胞診の判定は細胞の個々の異型とともに，細胞集塊の立体構築に着目することが非常に重要である．特にSP-LBC法は核重積が強調される特徴があるため，細胞所見をTYS式子宮内膜細胞診判定様式[11]に則って診断することが大切である．その判定方法は3段階の過程を経るシンプルな方式になっている(☞32頁)．

■ **核重積がなく管状腺管集塊**または**シート状集塊**を認める(**図2，3**)(TYS式子宮内膜細胞診判定様式[11]における第1ステップ)．

■ 隣り合う核が接する**核の密集**を示し(**図2，3**)かつ/または**長い血管**を認める(**図4，5**)(同，第2ステップ)．

上記の場合，**増殖期内膜**を推定する．

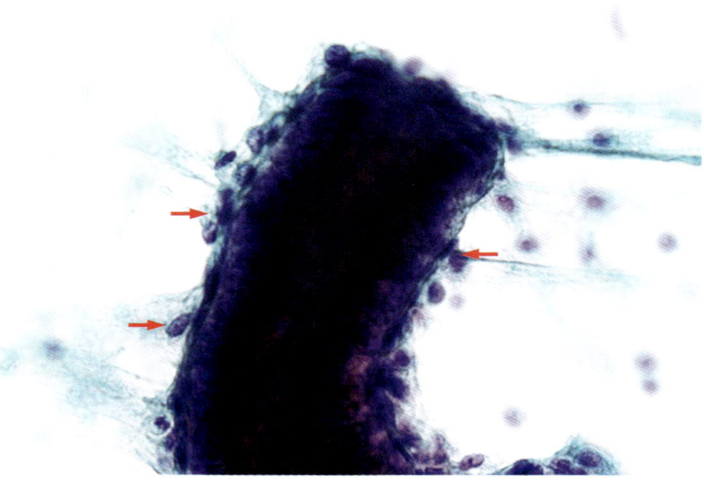

図 1　増殖期内膜

内膜腺はほぼ均一の幅の管状（チューブ状）を示し，ピントをずらすと内膜腺の辺縁に内膜間質細胞（矢印）の付着がみられる.
（直接塗抹法/対物×40）

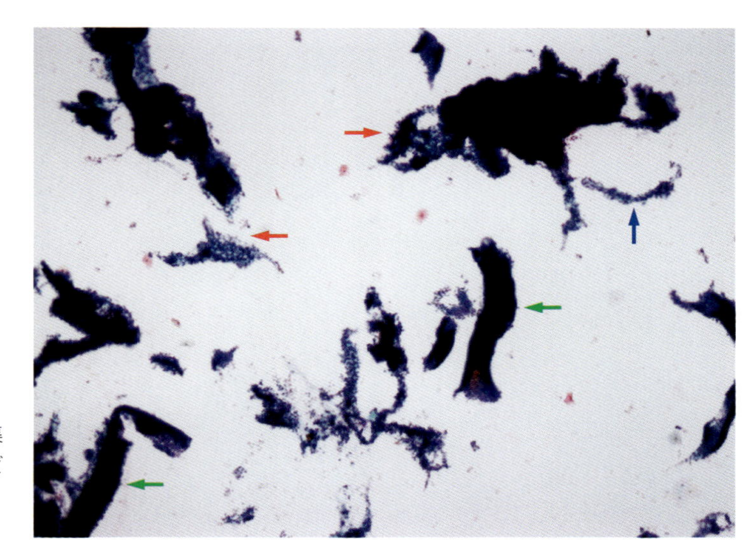

図 2　増殖期内膜

管状集塊（緑矢印），内膜間質細胞集塊（赤矢印），長い血管（青矢印）などが認められる.
（SP-LBC 法/対物×4）

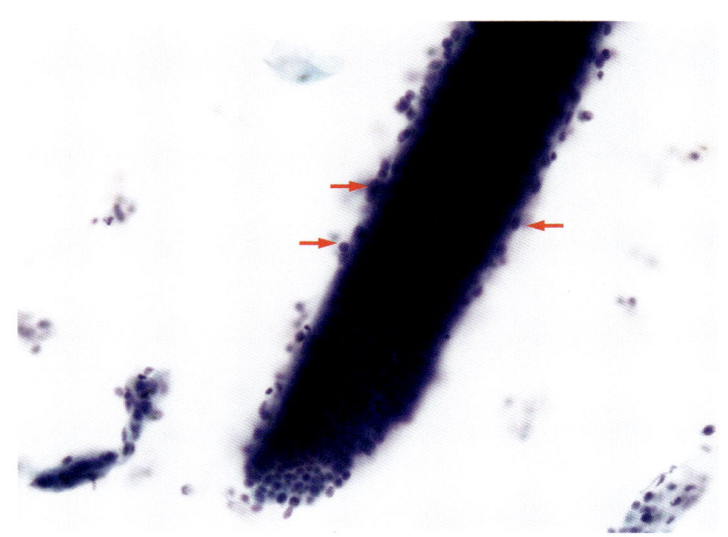

図 3　増殖期内膜

直接塗抹法と同様に，内膜腺はほぼ均一の幅の管状（チューブ状）を示し，ピントをずらすと内膜腺の辺縁に内膜間質細胞（矢印）の付着がみられる.
（SP-LBC 法/対物×20）

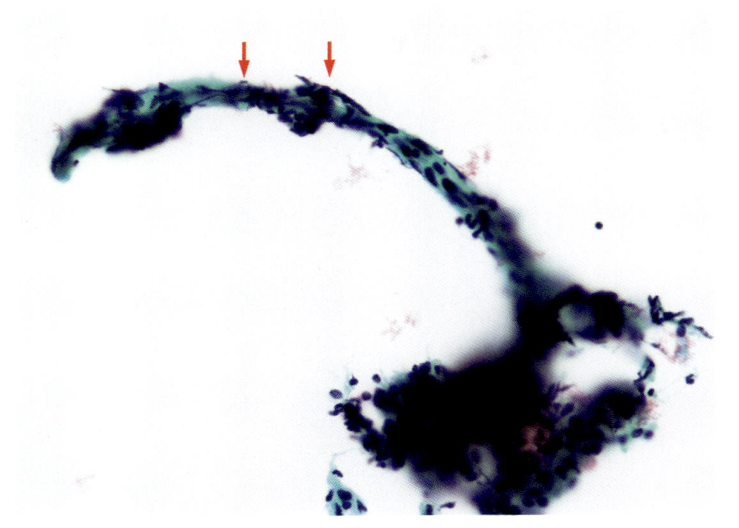

図 4　増殖期内膜

血管の走行を認める(矢印). SP-LBC 法は標本作製の過程で余分な血液成分が除去され, 個々の細胞の観察が容易となるだけでなく, 細胞保存状態が良好のため, 直接塗抹法よりも血管が観察されやすいといった特徴がある.
(SP-LBC 法/対物×20)

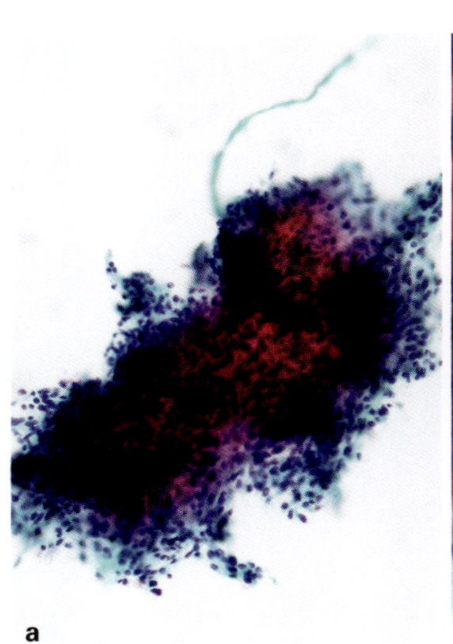

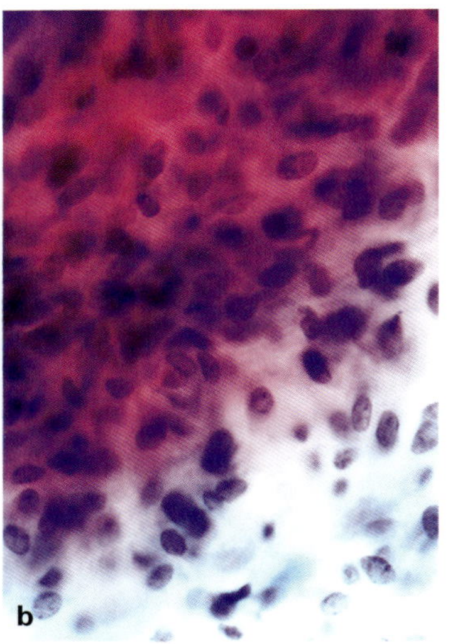

図 5　増殖期内膜

内膜間質細胞の核は楕円形～類円形～腎形で配列は不均等を示す. SP-LBC 法は前固定を行うため, 細胞保存状態が直接塗抹法に比して良好であることから, 内膜間質細胞の特徴的所見である腎形核は直接塗抹法よりも強調されるといった特徴がある.
(SP-LBC 法/**a**：対物×10, **b**：対物×40)

文献

1) 清水恵子(編). 子宮内膜細胞診の実際—臨床から報告まで. 近代出版；2012. 26-59.
2) Norimatsu Y, Yanoh K, Kobayashi TK. The role of liquid-based preparation in the evaluation of endometrial cytology. Acta Cytol. 2013；57：423-435.
3) Yanoh K, Hirai Y, Sakamoto A, et al. New terminology for intrauterine endometrial samples：A group study by the Japanese Society of Clinical Cytology. Acta Cytol. 2012；56：233-241.
4) Yanoh K, Norimatsu Y, Munakata S, et al. Evaluation of endometrial cytology prepared with the Becton Dickinson SurePath™ method：a pilot study by the Osaki Study Group. Acta Cytol. 2014；58：153-161.
5) Norimatsu Y, Kouda H, Kobayashi TK, et al. Utility of thin-layer preparations in the endometrial cytology：Evaluation of benign endometrial lesions. Ann Diagn Pathol. 2008；12：103-111.
6) Norimatsu Y, Kouda H, Kobayashi TK, et al. Utility of liquid-based cytology in endome-

trial pathology：Diagnosis of endometrial carcinoma. Cytopathology. 2009；20：395-402.
7）Norimatsu Y, Shigematsu Y, Sakamoto S, et al. Nuclear features in endometrial cytology：Comparison of endometrial glandular and stromal breakdown and endometrioid adenocarcinoma grade 1. Diagn Cytopathol 2012；40：1077-1082.
8）Norimatsu Y, Shigematsu Y, Sakamoto S, et al. Nuclear characteristics of the endometrial cytology：Liquid-based versus conventional preparation. Diagn Cytopathol. 2013；41：120-125.
9）Yanoh K, Norimatsu Y, Hirai Y, et al. New diagnostic reporting format for endometrial cytology based on cytoarchitectural criteria. Cytopathology. 2009；20：388-394.
10）Nimura A, Ishitani K, Norimatsu Y, et al. Evaluation of cellular adequacy in endometrial liquid-based cytology. Cytopathology. 2019；30：526-531.
11）Fulciniti F, Yanoh K, Karakitsos P, et al. The Yokohama system for reporting directly sampled endometrial cytology：The quest to develop a standardized terminology. Diagn Cytopathol. 2018；46：400-412.

（平井康夫，二村　梓，古田則行）

TYS 1 陰性/悪性腫瘍および前駆病変ではない

分泌期内膜

Endometrium in secretory phase

背景

分泌期(黄体期)においては，**排卵した卵胞は黄体**となり，**プロゲステロン**を分泌する部位となる．卵巣からは，増殖期に引き続いて**エストロゲン**も分泌される．**らせん動脈**はプロゲステロンとエストロゲンの作用により，増殖期に比しさらに増生する．プロゲステロンの影響により**子宮内膜腺は曲がりくねり**，**グリコーゲン**が豊富な分泌物を分泌しはじめる．また，**間質**は充血し浮腫状になり，**脱落膜様変化**を起こす．

分泌期においては，内膜腺上皮細胞，内膜間質細胞ともに個々の細胞体積が増加する．細胞診で分泌期内膜としての特徴をとらえられるのは中期～後期である．組織様大型集塊で出現する場合には，腺管が規則正しく配列している様子がみられることは増殖期と同様であるが，腺管の幅が個々の細胞の体積増加を反映して拡大する[1]．

定義

増殖期から分泌期になると，内膜腺は**菊花状**を呈する．腺上皮の核は単層となり，円柱上皮の基底側に配列する．性周期の時期による分泌期内膜の組織所見を示す[1]．

- **分泌期初期**：性周期の17～20日目ごろに相当する．きれいに並んでいた核下空胞に乱れが生じ，空胞は徐々に核上に移行し，核が基底のほうに下りてきて**核下空胞**は減少しはじめる．グリコーゲンは核内に蓄積され，さらに増加すると胞体内に分泌され，**離出分泌像(アポクリン様分泌像)**が出現する．核は長円形から卵円形になり，クロマチンは薄く，核小体は肥大する．内膜間質は軽度浮腫状を示す．
- **分泌期中期**：性周期の21～23日目に相当する．徐々に内膜間質の浮腫が目立つようになる．内膜腺は迂曲蛇行し，核はほぼ中央に位置し，細胞質は明るい．らせん動脈の肥厚は増加し，周囲の内膜間質細胞はプロゲステロンの作用で肥大し，いわゆる**前脱落膜反応**を呈する．内膜の厚さは8 mm程度となる．
- **分泌期後期**：性周期の24～28日目に相当する．腺管の迂曲蛇行はさらに増加し，著しい鋸歯状を呈し，内腔に分泌液を認める．核は一部消失し退行変性を示す．内膜間質細胞に核分裂像が多くなる．らせん動脈の周囲に前脱落膜細胞が広がり，表層の緻密層の内膜間質細胞も前脱落膜細胞および**内膜顆粒細胞**に移行する．**前脱落膜細胞**は卵円形～多角形，表層付近では紡錘形を呈し，胞体は好酸性～両染性で，細胞境界は不明瞭である．これらは組織化学的に妊娠時にみられる脱落膜細胞と同一のものと考えられている．その後，内膜間質に白血球の浸潤がみられるようになり，28日目に機能層が剥脱して月経となる．

分泌期内膜では，増殖期内膜に比べ，**内膜腺は拡大・迂曲蛇行**がみられ，**細胞質は**

蜂巣状を示す(**図 1～4**)．それら組織構築を反映する細胞集塊は，組織様大型集塊の場合，内膜間質細胞および被覆細胞より単一腺管状の内膜腺が突出している．これらの腺管がちぎれると**管状腺管集塊**がみられ(**図 3**)，さらにそれらが開いたものが**シート状集塊**であり，細胞境界は明瞭で核密度が低くなった，いわゆる**蜂巣状構造**がみられる(**図 1，4**)．それらの内膜腺の周囲に内膜間質細胞の付着がみられる．また表層被覆上皮もシート状を示す．集塊内に血管構造が観察される場合，太く蛇行してみられることが多い(**図 5**)．分泌期で単一管状にみられる腺管は時に拡張し，内部に組織診で鋸歯状変化にあたる**襞状構造**がみられることがある．

個々の内膜腺上皮細胞は，細胞境界明瞭，細胞質豊富，粘液物質を含み，N/C 比は低く，クロマチンは細顆粒状に均等分布し，核分裂像はほとんど観察されない．分泌期後期では，内膜間質細胞も細胞質豊富で時に厚みのある形態で出現することがある．内膜間質細胞の境界が不明瞭であっても，核間距離より細胞質が豊富で N/C 比が低いことがわかる．内膜間質細胞の核は増殖期に比べて円形を示すことが多いが，クロマチンは微細である[1-8]．

診断基準[1-11]

- **核重積がなく管状腺管集塊**または**シート状集塊**を認める(**図 2～4**)(TYS 式子宮内膜細胞診判定様式[11] における第 1 ステップ)．
- **蜂巣状細胞質**を有する集塊が**核下空胞**(初期)または**鋸歯状腺**(中期以降)を示す(**図 2～4**)(同，第 2 ステップ)．
- かつ/または**長い血管**を認める(**図 5**)(同，第 2 ステップ)．

上記の場合，**分泌期内膜**を推定する．

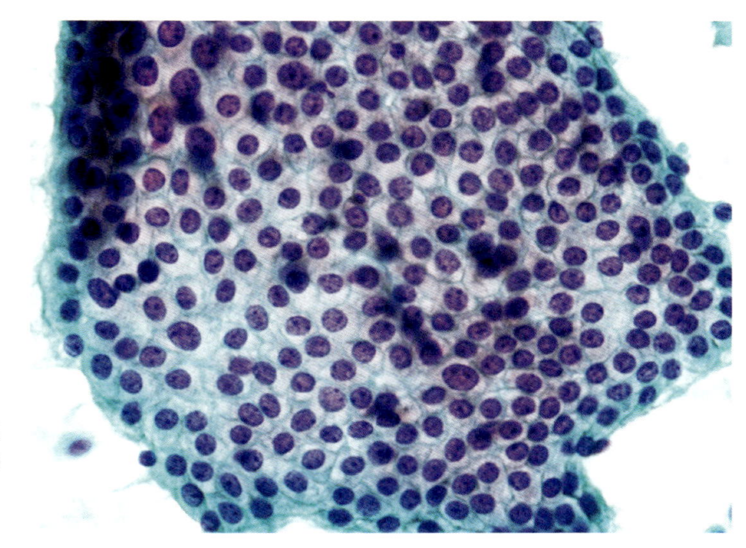

図 1　分泌期内膜
シート状集塊の核は類円形で，配列は揃っており，細胞質は広く，蜂巣状パターンを示す．
(直接塗抹法/対物×40)

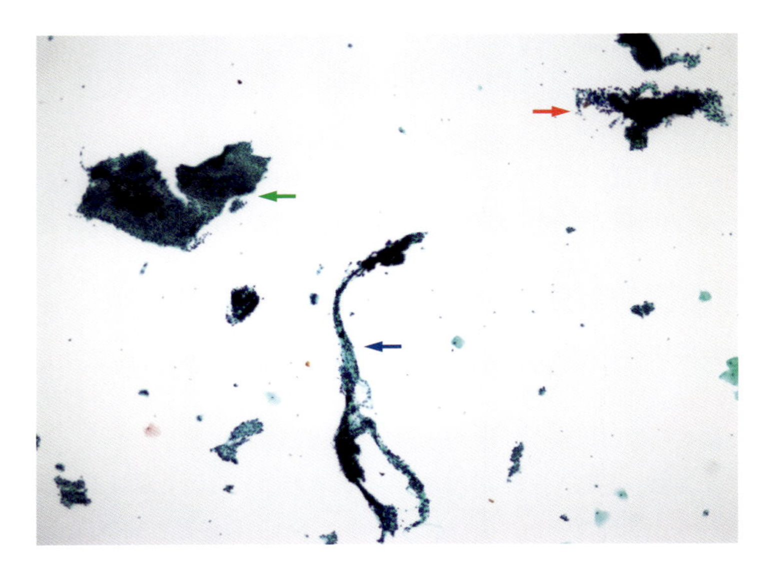

図 2　分泌期内膜

シート状集塊(緑矢印)，内膜間質細胞集塊(赤矢印)，長い血管(青矢印)などが認められる.
(SP-LBC 法/対物×4)

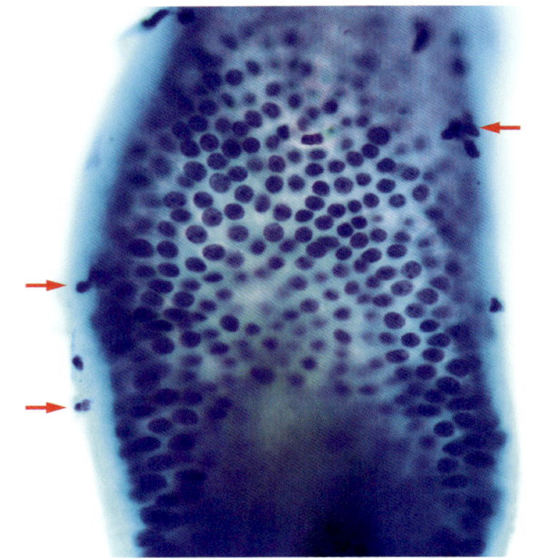

図 3　分泌期内膜(初期)

内膜腺はほぼ均一の幅の管状(チューブ状)を示し，ピントをずらすと内膜腺の辺縁に内膜間質細胞(矢印)の付着がみられる．また，核下空胞も観察できる．増殖期とは異なり，細胞分裂像は認められない.
(SP-LBC 法/対物×40)

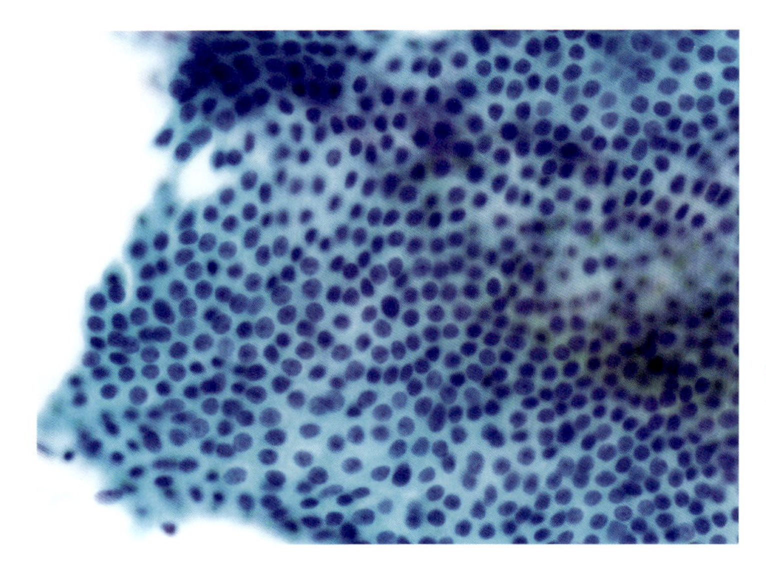

図 4　分泌期内膜

直接塗抹法と同様に，シート状集塊の核は類円形で，配列は揃っており，細胞質は広く，蜂巣状パターンを示す.
(SP-LBC 法/対物×40)

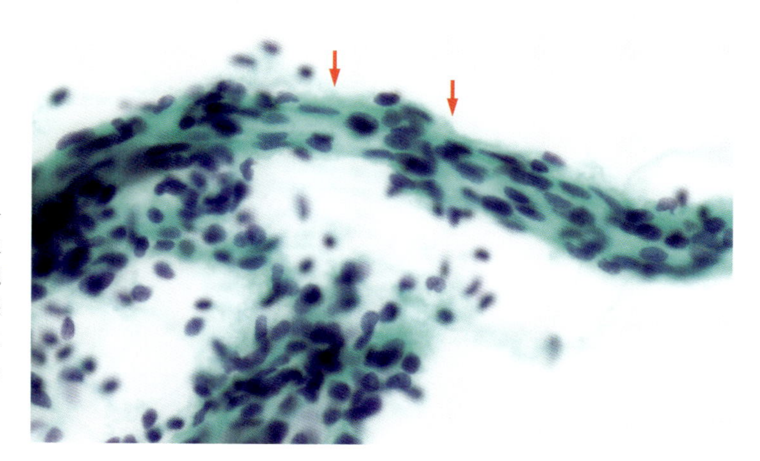

図5　分泌期内膜
血管の走行を認める(矢印)．SP-LBC法は標本作製の過程で余分な血液成分が除去され，個々の細胞の観察が容易となるだけでなく，細胞保存状態が良好のため，直接塗抹法よりも血管が観察されやすいといった特徴がある．
(SP-LBC法/対物×40)

文献

1) 清水恵子(編)．子宮内膜細胞診の実際—臨床から報告まで．近代出版；2012．26-59.
2) Norimatsu Y，Yanoh K，Kobayashi TK．The role of liquid-based preparation in the evaluation of endometrial cytology．Acta Cytol．2013；57：423-435.
3) Yanoh K，Hirai Y，Sakamoto A，et al．New terminology for intrauterine endometrial samples：A group study by the Japanese Society of Clinical Cytology．Acta Cytol．2012；56：233-241.
4) Yanoh K，Norimatsu Y，Munakata S，et al．Evaluation of endometrial cytology prepared with the Becton Dickinson SurePath™ method：a pilot study by the Osaki Study Group．Acta Cytol．2014；58：153-161.
5) Norimatsu Y，Kouda H，Kobayashi TK，et al．Utility of thin-layer preparations in the endometrial cytology：Evaluation of benign endometrial lesions．Ann Diagn Pathol．2008；12：103-111.
6) Norimatsu Y，Kouda H，Kobayashi TK，et al．Utility of liquid-based cytology in endometrial pathology：Diagnosis of endometrial carcinoma．Cytopathology．2009；20：395-402.
7) Norimatsu Y，Shigematsu Y，Sakamoto S，et al．Nuclear features in endometrial cytology：Comparison of endometrial glandular and stromal breakdown and endometrioid adenocarcinoma grade 1．Diagn Cytopathol 2012；40：1077-1082.
8) Norimatsu Y，Shigematsu Y，Sakamoto S，et al．Nuclear characteristics of the endometrial cytology：Liquid-based versus conventional preparation．Diagn Cytopathol．2013；41：120-125.
9) Yanoh K，Norimatsu Y，Hirai Y，et al．New diagnostic reporting format for endometrial cytology based on cytoarchitectural criteria．Cytopathology．2009；20：388-394.
10) Nimura A，Ishitani K，Norimatsu Y，et al．Evaluation of cellular adequacy in endometrial liquid-based cytology．Cytopathology．2019；30：526-531.
11) Fulciniti F，Yanoh K，Karakitsos P，et al．The Yokohama system for reporting directly sampled endometrial cytology：The quest to develop a standardized terminology．Diagn Cytopathol．2018；46：400-412.

(平井康夫，二村　梓)

TYS 1 陰性/悪性腫瘍および前駆病変ではない

月経期内膜
Endometrium in menstrual phase

背景

月経期(黄体〜卵胞期)においては，受精が成立しなかった場合，**黄体は退縮し白体**となる．黄体の退縮に伴いエストロゲンとプロゲステロンが急激に減少するため，らせん動脈が収縮し**虚血性変化**を起こす．その結果，変性した内膜間質細胞が凝縮してstromal blue balls 状を呈する．また，間質内には赤血球が遊出し，フィブリン血栓が血管内にみられ，分葉白血球様の多形核細胞がみられる．

この後，脱落膜様に変化した機能層は壊死に陥り，機能層と基底層の境界で内膜が剝離し(**消退出血**)，子宮外に排出される．月経期後半になると上皮の再生像がみられ，増殖前期へ移行する[1)]．

定義

月経期では好中球や，核破砕物からなる壊死物質の出現を認める．上皮は剝脱し断片状となるが，標本上ではむしろ密集してみられることがあり，**子宮内膜増殖症や癌と誤判定しないように**に注意が必要である．

血液，好中球を中心とする**炎症細胞浸潤**を背景に伴い，分泌期後期の内膜腺がみられる(図 1〜3)．内膜腺は概ね断片化し，表層被覆上皮由来の細胞集塊が不規則な形状の集塊を形成して出現することもあるが，個々の細胞異型はみられない．直接塗抹法では，多量の血液によって塗抹面が厚くなり，内膜腺の個々の観察が難しい場合がある(図 1)．一方，SP-LBC 法は標本作製の過程で余分な血液成分が除去され，個々の細胞の観察が容易となるだけでなく，前固定によって細胞保存が良好であるため内膜腺上皮細胞と内膜間質細胞の鑑別，および線毛の確認が容易となり，判定するうえで非常に優れている(図 2)．そのため，SP-LBC 法は出血を伴う月経，子宮内膜腺・間質破綻(endometrial glandular and stromal breakdown：EGBD)，癌などの判定に特に有効であるといえる[1-8)]．

月経期においては **EGBD** と同様に変性凝集して密な集団を形成した**内膜間質細胞**をしばしば認める(図 4)．内膜間質細胞の核は濃染し細胞質は乏しいため，特徴である腎形核を確認することで上皮との鑑別が可能である．**表層被覆上皮や化生上皮**において，内膜間質細胞の付着像や包み込み像が多くみられる(図 5)．月経期では内膜腺上皮は**分泌期内膜**が主体で出現するが，EGBD では**増殖期内膜**が主体であり，月経期の判定として参考になる．しかしながら，月経期内膜と EGBD は上記の細胞が種々の割合で混在するため，明確な区別は困難である．また，**内膜間質細胞凝集塊**や**化生性不整形突出集塊**は種々の程度の細胞異型を伴うため，子宮内膜増殖症や子宮内膜癌として，誤判定を引き起こす可能性が高い．そのため，月経期内膜と EGBD の特徴像を十分に理解し，細胞診判定に活かすことが重要である[1-5, 7-9]．

診断基準[1-12)]

TYS式子宮内膜細胞診判定様式[12)]には月経期内膜を判定する項目は存在しないが，月経期内膜とEGBDは非常に類似した細胞像であり，明確な鑑別は困難である．しかしながら，子宮内膜癌との鑑別は重要である．

- **3層以上の核重積**を伴う**不整形突出集塊**（**図2，4，6**）を認める（TYS式子宮内膜細胞診判定様式における第1ステップ）．
- 以下の①〜③を認める場合，**臨床所見も加味したうえで**，月経期内膜と推定できる場合もある（同，第2ステップ）．
  - ① **分泌期内膜腺上皮細胞**が主体（**図3**）で出現する．
  - ② **内膜間質細胞凝集塊**（**図4**）や**化生性不整形突出集塊**（**図6**）を認める．
  - ③ 表層被覆上皮や化生上皮において，**内膜間質細胞凝集塊の包み込み像**（**図5**）や**付着像**（**図6**）を認める．

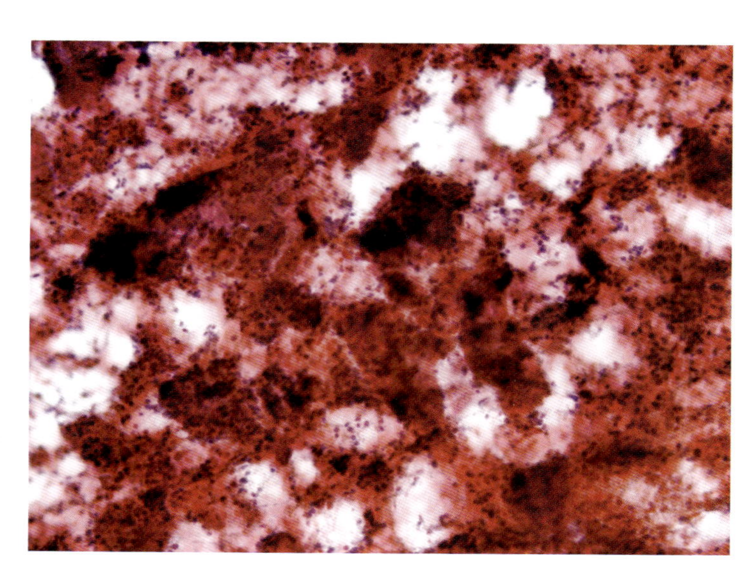

図1　月経期内膜

出血やフィブリンの析出に加えて，内膜細胞の広範な断片化がみられるが，著しい出血のため塗抹が厚くなり個々の細胞の観察が困難な場合が多い．そのため，子宮内膜癌と誤判定を引き起こす可能性がある．
（直接塗抹法/対物×10）

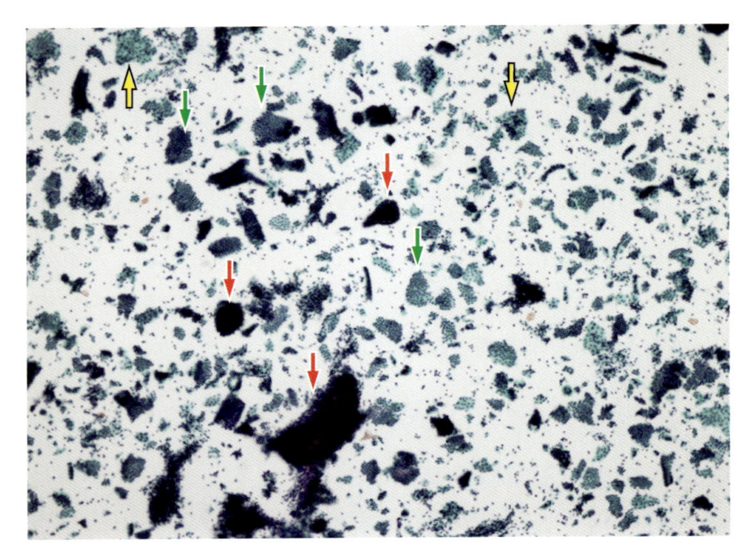

図 2　月経期内膜

分泌期内膜腺上皮細胞(緑矢印)と内膜間質細胞(赤矢印)および化生細胞(黄矢印)を多数認める．内膜間質細胞は，核形が楕円形～類円形～腎形と多彩なことが上皮細胞との鑑別になる．化生細胞も不整形突出やシート状など，さまざまな出現パターンを示し，紡錘形核が特徴的である．
(SP-LBC 法/対物×4)

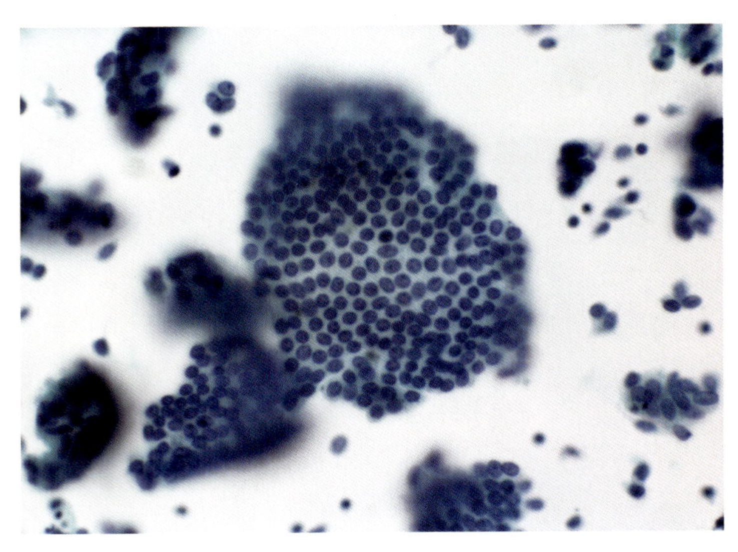

図 3　月経期内膜

EGBD では増殖期内膜腺上皮細胞が，月経期では分泌期内膜腺上皮細胞が主体で出現する．分泌期内膜腺上皮細胞の多くはシート状集塊でみられ，類円形核で配列は揃っており，細胞質は広く，蜂巣状パターンを示す．
(SP-LBC 法/対物×40)

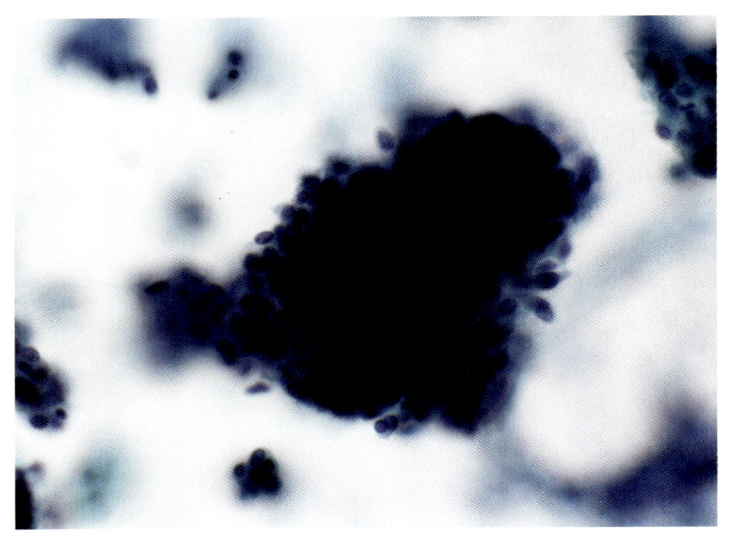

図 4　月経期内膜
(内膜間質細胞凝集塊)

内膜間質細胞は細胞質がほとんどなく，核は楕円形～類円形～腎形と多彩な像を示す．
(SP-LBC 法/対物×40)

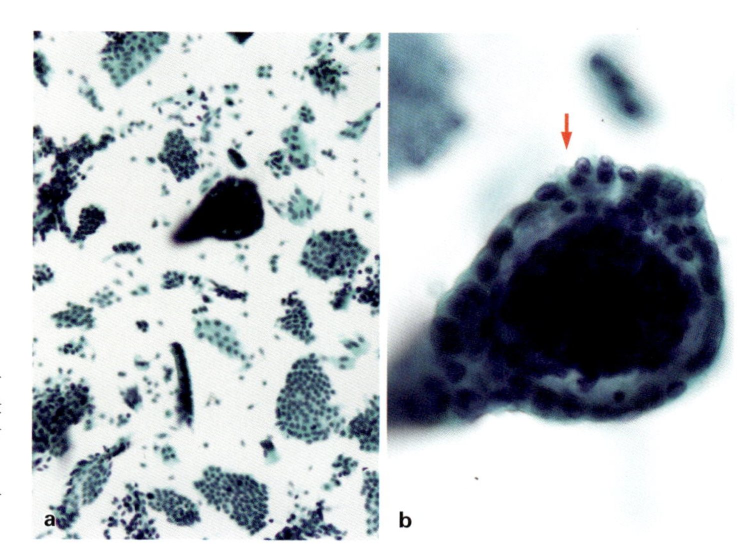

図 5　月経期内膜

表層被覆上皮が内膜間質細胞を包み込む特徴的な像が多くみられ(矢印)，月経期の判定として非常に有用となる.
(SP-LBC 法/**a**：対物×10　**b**：対物×40)

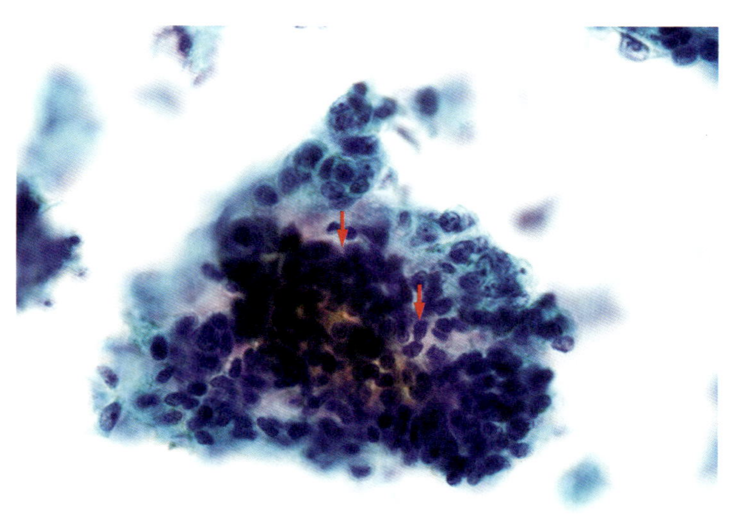

図 6　月経期内膜
(化生性不整形突出集塊)

化生細胞の細胞質は厚く，核は類円形～紡錘形で腫大している．内膜間質細胞の付着像もしくは内包像(矢印)がみられる.
(SP-LBC 法/対物×40)

文献

1) 清水恵子(編)．子宮内膜細胞診の実際—臨床から報告まで．近代出版；2012．26-59.
2) Norimatsu Y，Yanoh K，Kobayashi TK．The role of liquid-based preparation in the evaluation of endometrial cytology．Acta Cytol．2013；57：423-435.
3) Yanoh K，Hirai Y，Sakamoto A，et al．New terminology for intrauterine endometrial samples：A group study by the Japanese Society of Clinical Cytology．Acta Cytol．2012；56：233-241.
4) Yanoh K，Norimatsu Y，Munakata S，et al．Evaluation of endometrial cytology prepared with the Becton Dickinson SurePath™ method：a pilot study by the Osaki Study Group．Acta Cytol．2014；58：153-161.
5) Norimatsu Y，Kouda H，Kobayashi TK，et al．Utility of thin-layer preparations in the endometrial cytology：Evaluation of benign endometrial lesions．Ann Diagn Pathol．2008；12：103-111.
6) Norimatsu Y，Kouda H，Kobayashi TK，et al．Utility of liquid-based cytology in endometrial pathology：Diagnosis of endometrial carcinoma．Cytopathology．2009；20：395-402.

7) Norimatsu Y，Shigematsu Y，Sakamoto S，et al. Nuclear characteristics of the endometrial cytology：Liquid-based versus conventional preparation. Diagn Cytopathol. 2013；41：120-125.
8) Norimatsu Y，Ohsaki H，Yanoh K，et al. Expression of immunoreactivity of nuclear findings by p53 and cyclin in a endometrial cytology：Comparison with endometrial glandular and stromal breakdown and endometrioid adenocarcinoma grade 1. Diagn Cytopathol. 2013；41：303-307.
9) Norimatsu Y，Shigematsu Y，Sakamoto S，et al. Nuclear features in endometrial cytology：Comparison of endometrial glandular and stromal breakdown and endometrioid adenocarcinoma grade 1. Diagn Cytopathol 2012；40：1077-1082.
10) Yanoh K，Norimatsu Y，Hirai Y，et al. New diagnostic reporting format for endometrial cytology based on cytoarchitectural criteria. Cytopathology. 2009；20：388-394.
11) Nimura A，Ishitani K，Norimatsu Y，et al. Evaluation of cellular adequacy in endometrial liquid-based cytology. Cytopathology. 2019；30：526-531.
12) Fulciniti F，Yanoh K，Karakitsos P，et al. The Yokohama system for reporting directly sampled endometrial cytology：The quest to develop a standardized terminology. Diagn Cytopathol. 2018；46：400-412.

（平井康夫，二村　梓）

TYS 1 陰性/悪性腫瘍および前駆病変ではない

萎縮内膜

Atrophic endometrium

背景

閉経に近づくと卵巣から分泌されるホルモンは低下し，**萎縮内膜**へと変化する．萎縮内膜への変化には個人差があり，すぐに萎縮像を認める場合もあるが，多くは**無排卵周期**による内膜変化像を経て萎縮像となる．そのため，萎縮内膜の細胞像は多彩となり，時に子宮内膜増殖症に類似した像を呈する場合がある．**ホルモン環境異常による変化像**(EGBD：☞ 90 頁)を含めた**子宮内膜変化像**を熟知して診断することが重要である[1-9]．

閉経後は頸管の狭小化や内膜の菲薄化によって，十分量の内膜細胞を採取する手技が難化するため不適正な検体の割合が増加する．そのため，はじめに細胞量に関して適正な検体であるかについて特に注意を払って診断する必要がある[4,9]．

定義

機能層は，閉経を迎えると萎縮内膜となり内膜組織自体が菲薄化していく．内膜腺上皮も萎縮し，多くが小型となるが，逆に嚢胞状拡張を示すことがある．内膜間質細胞の胞体も乏しくなり，一見細胞密度が増したようにみえるため，**子宮内膜増殖症との鑑別**に注意する必要がある．

萎縮内膜は厚みのない**シート状細胞集塊**の出現のみがみられることが多い(図 1～3)．これは，薄くほぼ**基底層**のみとなった内膜の表層から採取されるためと思われる．腺細胞は結合が強く，核は小型で，細胞質狭小，N/C 比は高く，核クロマチンは粗顆粒状に均等分布し，増殖期内膜に類似した所見がみられるが核に厚みはなく，核分裂像もみられない．また，内膜間質細胞がほとんど採取されないことも萎縮内膜の特徴である．

萎縮内膜においては，背景に**無構造物質**の出現を認めることがある(図 4)．この無構造物質は分泌物が固形化したものと考えられ，ライトグリーン好染性もしくは2層性に染色されることが多い．また炎症細胞としては大食細胞の出現が多くみられ，多核巨細胞もまれに出現する．

萎縮内膜において，特に出血時には，化生性変化を示す細胞が比較的高頻度に観察されることを知っておく必要がある．構成細胞は萎縮内膜腺上皮と比較して大型で，細胞質には**ライトグリーン好染性**の**好酸性変化**(**化生**)がみられ，核の大型化，核小体の肥大を伴う**不整形突出集塊**を形成して出現することが多く(図 5)，**異常細胞集塊**と誤認されやすい．もし判定者が，萎縮に伴う化生性変化として陰性を判定できない場合は，無理に陰性として判定するよりも，ATEC-US として判定するほうが望ましい[1-9]．

1-11)

■ **核重積がなく管状腺管集塊**または**シート状集塊**を認める(**図 1～3**)(TYS 式子宮内膜細胞診判定様式[11] における第 1 ステップ).

■ **核は均一で円形**で，**細胞質は乏しい**，かつ/または**血管**は増殖期内膜や分泌期内膜と比べ，**細く短いもの**を認める(**図 5**)(同，第 2 ステップ).

上記の場合，**萎縮内膜**を推定する.

萎縮内膜においては，**細胞質変化**(**化生**)を示す細胞が比較的高頻度に観察される．この化生細胞は不整形突出集塊を形成して出現することが多く，異常細胞集塊と誤認されやすいため，次の ①～③ に注意し判定することが重要である.

① **化生性不整形突出集塊**に内膜間質細胞の付着や内包像の有無を確認する.

② 化生性不整形突出集塊は重積を伴うことがあっても**核異型がなく**，**細胞質は厚い**，**N/C 比は小さい**，**結合が強い**ことが特徴である.

③ 化生性変化を示す集塊は良性の場合も悪性の場合にも出現するため，化生性不整形突出集塊のみで判定するのではなく，必ず他の上皮集塊を観察し総合的に判断する.

以上の注意事項を踏まえたうえで，「萎縮による良性反応性変化のため，腫瘍性病変が除外できない」場合には **ATEC-US**(**TYS 2**)と判定する.

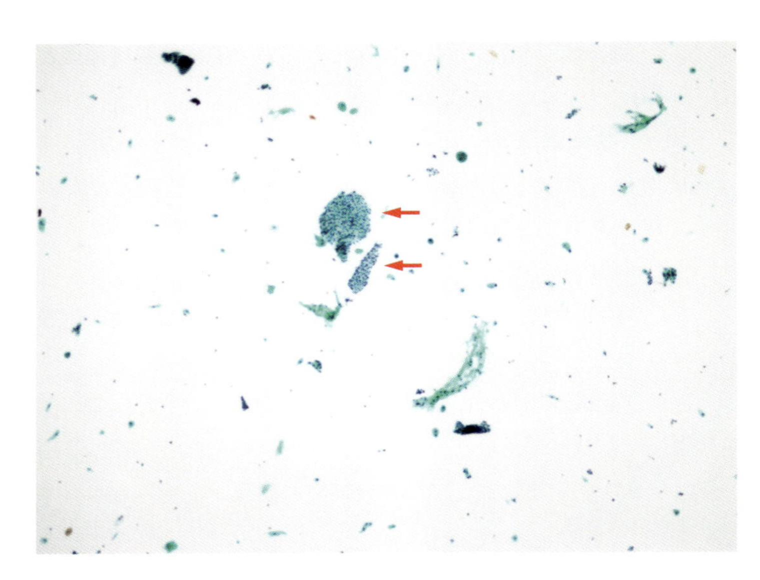

図 1　萎縮内膜
増殖期内膜や分泌期内膜と比較して，管状腺管集塊，内膜間質細胞凝集塊や長い血管をほとんど認めず，シート状集塊(矢印)が主体で出現する.
(SP-LBC 法/対物×4)

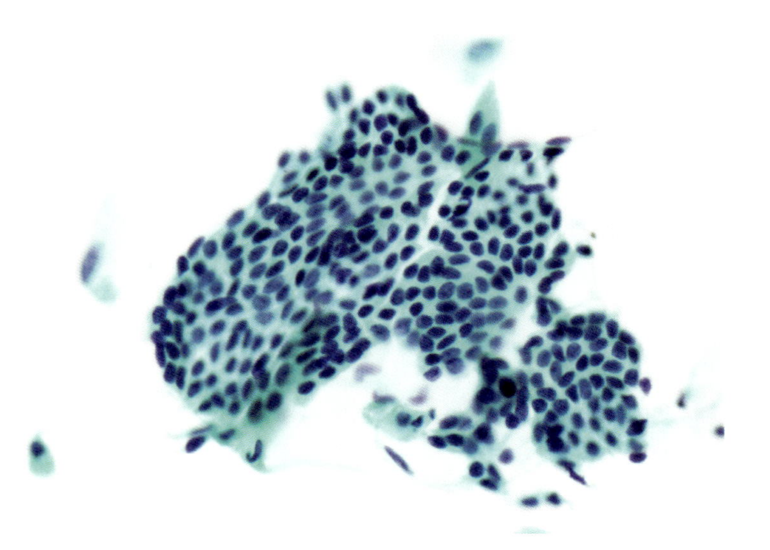

図 2　萎縮内膜
直接塗抹法(図 4)と同様に，配列の揃った類円形核は，増殖期内膜のように密集せず，多くがシート状に出現する．
(SP-LBC 法/対物×40)

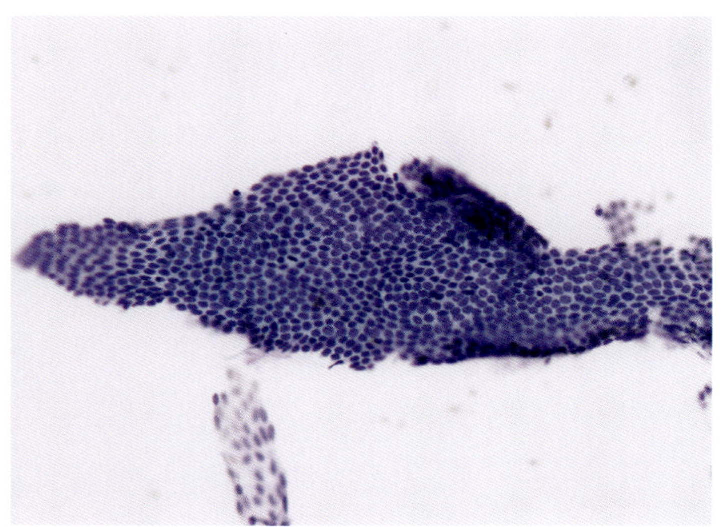

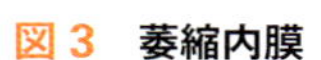

図 3　萎縮内膜
直接塗抹法(図 4)と同様に，配列の揃った類円形核は，増殖期内膜のように密集せず，多くがシート状に出現する．個々の細胞は小型で，核に厚みはなく，細胞質はわずかである．
(SP-LBC 法/対物×20)

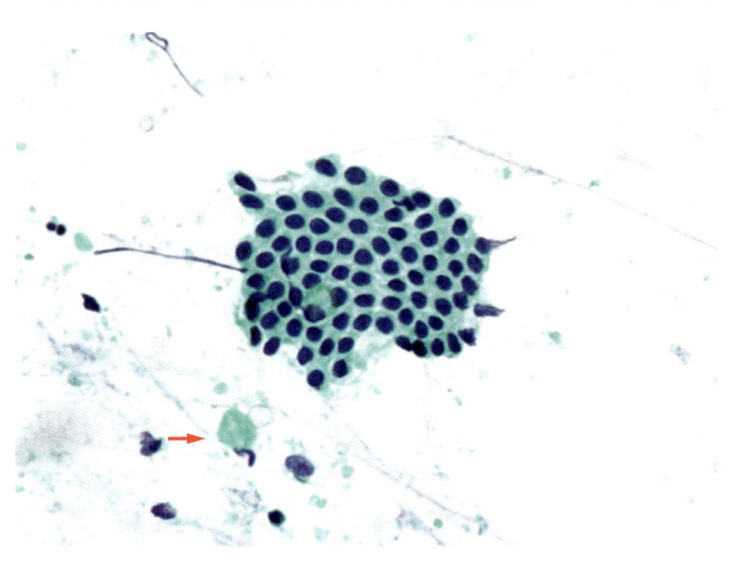

図 4　萎縮内膜
配列の揃った類円形核は，増殖期内膜のように密集せず，多くが単層のシート状に出現する．背景に分泌物が固形化した無構造物質(矢印)の出現をしばしば認める．
(直接塗抹法/対物×40)

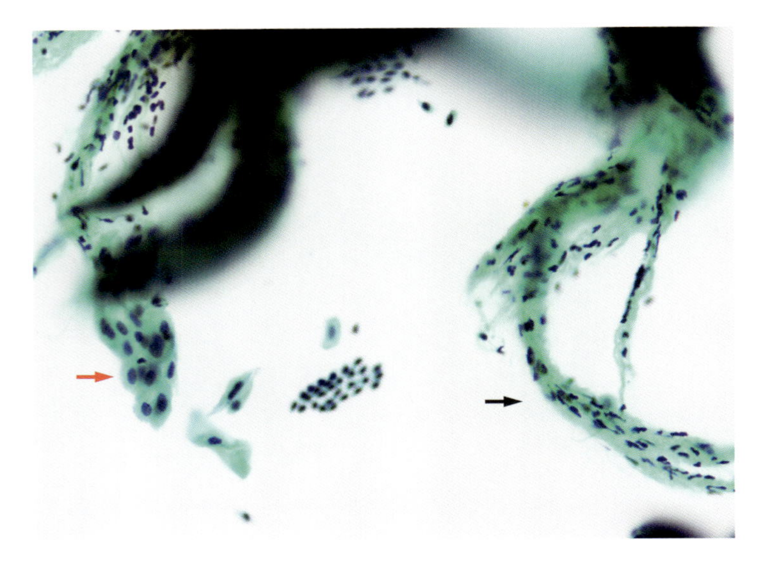

図5　萎縮内膜
化生細胞（赤矢印）と血管（黒矢印）を認める．萎縮内膜では血管は細く，短く，挫滅したように出現する．（SP-LBC法/対物×20）

文献

1）清水恵子（編）．子宮内膜細胞診の実際―臨床から報告まで．近代出版；2012．26-59，82-88．
2）Norimatsu Y，Yanoh K，Kobayashi TK．The role of liquid-based preparation in the evaluation of endometrial cytology．Acta Cytol．2013；57：423-435．
3）Yanoh K，Hirai Y，Sakamoto A，et al．New terminology for intrauterine endometrial samples：A group study by the Japanese Society of Clinical Cytology．Acta Cytol 2012；56：233-241．
4）Yanoh K，Norimatsu Y，Munakata S，et al．Evaluation of endometrial cytology prepared with the Becton Dickinson SurePath™ method：a pilot study by the Osaki Study Group．Acta Cytol．2014；58：153-161．
5）Norimatsu Y，Kouda H，Kobayashi TK，et al．Utility of thin-layer preparations in the endometrial cytology：Evaluation of benign endometrial lesions．Ann Diagn Pathol．2008；12：103-111．
6）Norimatsu Y，Kouda H，Kobayashi TK，et al．Utility of liquid-based cytology in endometrial pathology：Diagnosis of endometrial carcinoma．Cytopathology．2009；20：395-402．
7）Norimatsu Y，Shigematsu Y，Sakamoto S，et al．Nuclear features in endometrial cytology：Comparison of endometrial glandular and stromal breakdown and endometrioid adenocarcinoma grade 1．Diagn Cytopathol．2012；40：1077-1082．
8）Norimatsu Y，Shigematsu Y，Sakamoto S，et al．Nuclear characteristics of the endometrial cytology：Liquid-based versus conventional preparation．Diagn Cytopathol．2013；41：120-125．
9）Yanoh K，Norimatsu Y，Hirai Y，et al．New diagnostic reporting format for endometrial cytology based on cytoarchitectural criteria．Cytopathology．2009；20：388-394．
10）Nimura A，Ishitani K，Norimatsu Y，et al．Evaluation of cellular adequacy in endometrial liquid-based cytology．Cytopathology．2019；30：526-531．
11）Fulciniti F，Yanoh K，Karakitsos P，et al．The Yokohama system for reporting directly sampled endometrial cytology：The quest to develop a standardized terminology．Diagn Cytopathol．2018；46：400-412．

（平井康夫，二村　梓）

TYS 1 陰性/悪性腫瘍および前駆病変ではない

炎症に伴う変化
Inflammatory change

背景

非特異性の炎症では，正常月経内膜や流産・分娩後に排泄される**脱落膜**に好中球浸潤の間質浸潤が認められる．**急性炎症**では，子宮内操作後や卵管炎の波及などに起因する**細菌**，**クラミジア感染**によって好中球の局所的集中像や微小膿瘍の形成，腺管内に好中球が充満して腺管を破壊する像がみられる．また，**慢性炎症**では**細菌**，**結核**，**真菌**，**寄生虫**などによる感染の他に，**サルコイドーシス**，**卵管水腫**や**子宮内膜症**の波及，**IUD** などによる異物反応による炎症が知られている．車軸状で偏在した核と胞体には核周囲明庭を伴う形質細胞の存在が重要である．

急性炎症の場合は，**不正子宮出血**あるいは**黄褐色性帯下**があり，子宮が腫大し圧痛が著明となり，**子宮留膿症**を併発することがある．閉経後の子宮留膿症では，狭小化した頸管によって感染を惹起することも多いが，悪性腫瘍の存在が感染の原因となりうることに注意する．慢性炎症に移行した場合には，黄褐色性帯下や過多月経，不妊などの症状が出現する[1)]．

定義

組織所見は，内膜間質にびまん性の炎症細胞浸潤がみられ筋層内へも浸潤する．内膜腺は核の多層化と染色性の増加がある．**結核性内膜炎**の場合はラングハンス型巨細胞を伴う類上皮細胞の増生と，その周囲のリンパ球からなる特異性肉芽腫が典型的である．乾酪壊死はまれである．

細胞診では，背景に好中球を主体とする炎症細胞浸潤を伴って，**不整形突出集塊**が出現している(図 1～6)．集塊辺縁の細胞には**好酸性変化**(**化生**)がみられる．それらは，細胞質は厚く，N/C 比は小さく，細胞間の結合が強い．小集塊で出現する細胞にも，細胞の大型化，細胞質の好酸性変化がみられる．このような像は内膜炎や IUD 挿入の場合に多くみられる．また，大型の不整形突出集塊が出現している場合，血液や好中球に覆われてしまい細胞個々の観察が難しく判定に苦慮する場合がある．

IUD の挿入は，反応性変化として内膜に炎症が生じる．好中球と大食細胞を主体とする炎症細胞浸潤が観察され，大食細胞は多核化する．**放線菌様菌塊**がみられることがあり，これを壊死物質と誤認しないよう注意が必要である(☞ 76 頁)．

化生性変化は子宮内膜異型増殖症/類内膜上皮内腫瘍(EAH/EIN)以上の悪性病変に出現する頻度が高いが，内膜炎や子宮留膿症，出血などの刺激性変化においても観察されることに留意し，臨床症状も含め総合的に判定することが誤判定を防ぐうえで非常に重要となる[1-8)]．

2-11)
診断基準

- 炎症に伴う変化は「**陰性/悪性腫瘍および前駆病変ではない（TYS 1）**」に判定される．炎症細胞などが重なり内膜細胞の観察が著しく困難になり，「炎症により，腫瘍性病変が除外できない」場合には **ATEC-US（TYS 2）に判定**する．
- ただし，できる限り「陰性/悪性腫瘍および前駆病変ではない（TYS 1）」の判定ができるように正確な判定を心がける．
- SP-LBC 法では，標本作製の過程で好中球などが大幅に取り除かれるため，直接塗抹法よりは個々の細胞観察が容易である．
- SP-LBC 法では，「炎症により，腫瘍性病変が除外できない」との理由で ATEC-US（TYS 2）とされる症例は，直接塗抹法に比べて少ないと思われる．

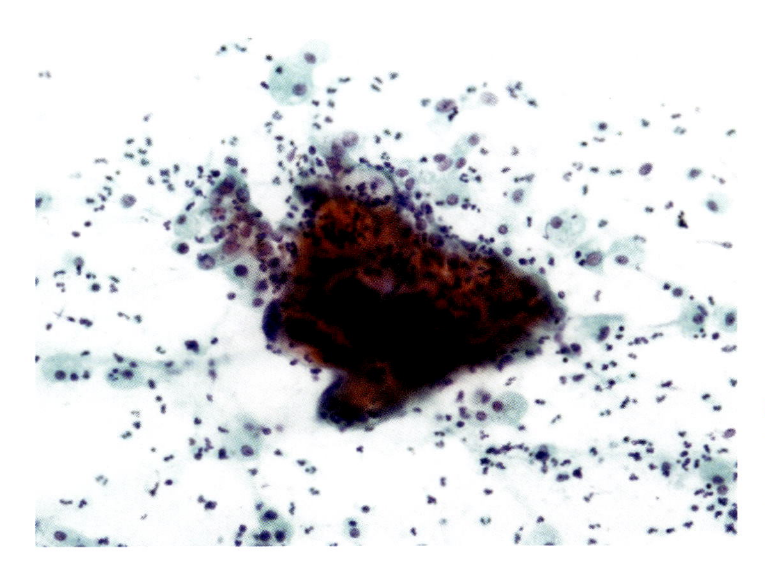

図 1　炎症に伴う変化
好中球を主体とする強い炎症性背景を示し，核重積を伴う不整形突出集塊がみられる．
（直接塗抹法/対物×20）

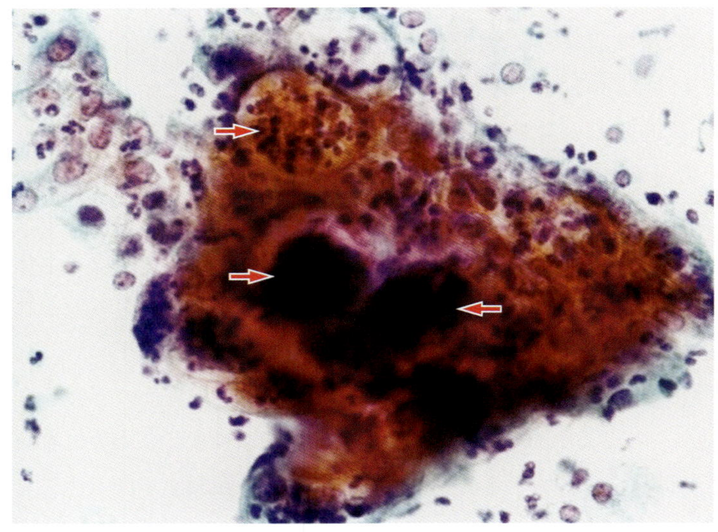

図 2　炎症に伴う変化
細胞質が厚く，細胞間の結合がやや強い化生を伴う集塊に核腫大や著明な核小体がみられる．好中球の侵入像もみられる（矢印）．
（直接塗抹法/対物×40）

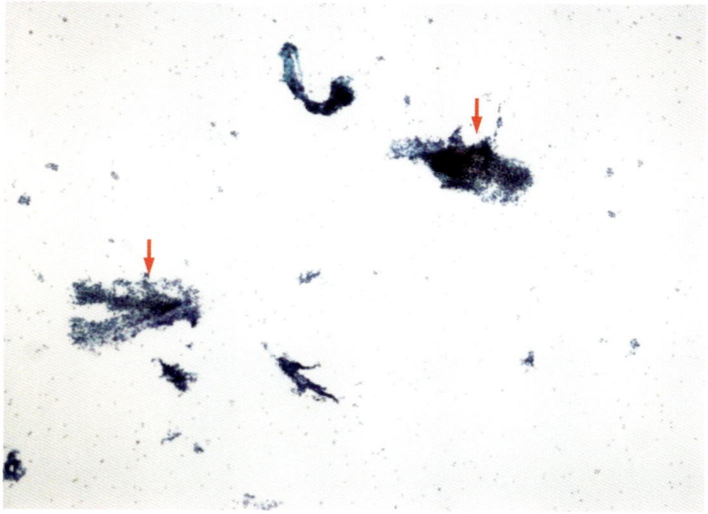

図 3　炎症に伴う変化

SP-LBC 法は標本作製の過程において好中球や血液が大幅に取り除かれるため，直接塗抹法と比較して，すっきりとした背景を示す．そのため，個々の細胞は観察しやすくなり，悪性細胞との鑑別に非常に有用と考えられる．好中球は凝集して出現することが多い(矢印)．
(SP-LBC 法/対物×4)

図 4　炎症に伴う変化

SP-LBC 法では，好中球は凝集して出現することが多い．
(SP-LBC 法/対物×20)

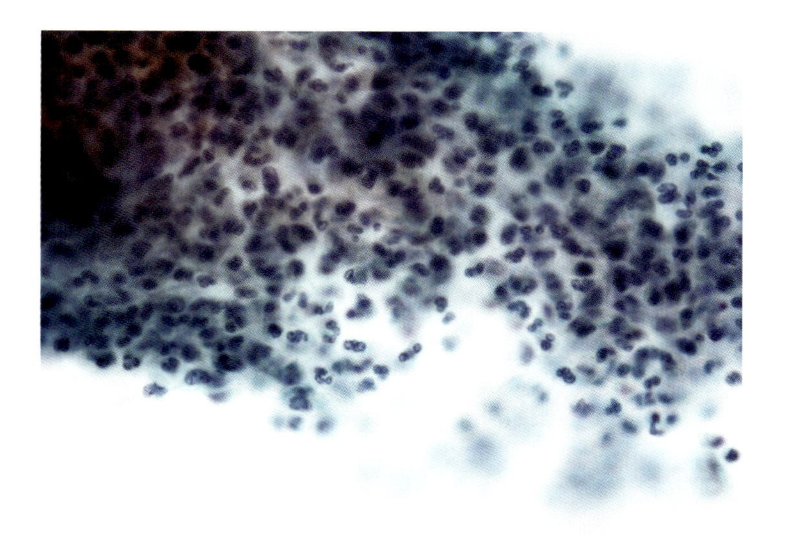

図 5　炎症に伴う変化

好中球の凝集像がみられる．
(SP-LBC 法/対物×40)

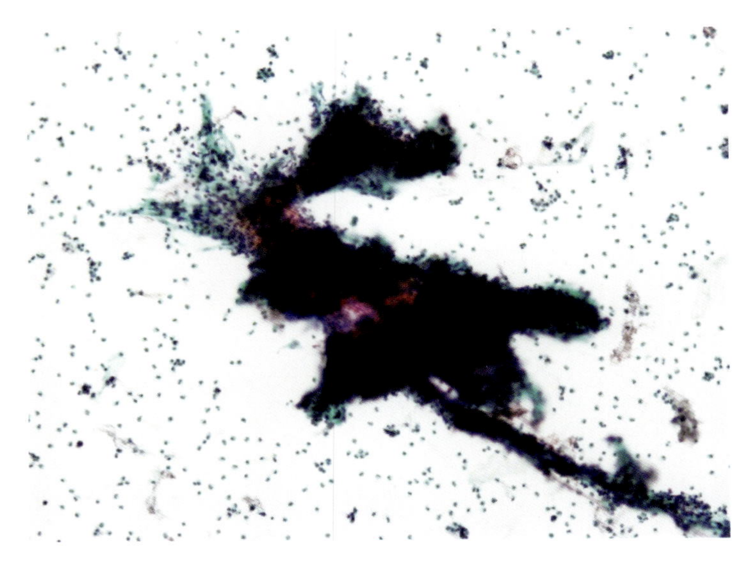

図 6　炎症に伴う変化
好中球を主体とする強い炎症性背景を示し，大型の核重積を伴う不整形突出集塊がみられる．集塊を形成している細胞に化生性変化がみられ，細胞間の結合性も強いため悪性を示唆する所見は少ないと考える．個々の細胞が十分に観察できないことから，ATEC-US「炎症により腫瘍性病変を否定できない」とした症例．（SP-LBC 法/対物×20）

文献

1）清水恵子（編）．子宮内膜細胞診の実際―臨床から報告まで．近代出版；2012．26-59，89-96．
2）Norimatsu Y，Yanoh K，Kobayashi TK．The role of liquid-based preparation in the evaluation of endometrial cytology．Acta Cytol．2013；57：423-435．
3）Yanoh K，Hirai Y，Sakamoto A，et al．New terminology for intrauterine endometrial samples：A group study by the Japanese Society of Clinical Cytology．Acta Cytol 2012；56：233-241．
4）Yanoh K，Norimatsu Y，Munakata S，et al．Evaluation of endometrial cytology prepared with the Becton Dickinson SurePath™ method：a pilot study by the Osaki Study Group．Acta Cytol．2014；58：153-161．
5）Norimatsu Y，Kouda H，Kobayashi TK，et al．Utility of thin-layer preparations in the endometrial cytology：Evaluation of benign endometrial lesions．Ann Diagn Pathol．2008；12：103-111．
6）Norimatsu Y，Kouda H，Kobayashi TK，et al．Utility of liquid-based cytology in endometrial pathology：Diagnosis of endometrial carcinoma．Cytopathology．2009；20：395-402．
7）Norimatsu Y，Shigematsu Y，Sakamoto S，et al．Nuclear features in endometrial cytology：Comparison of endometrial glandular and stromal breakdown and endometrioid adenocarcinoma grade 1．Diagn Cytopathol．2012；40：1077-1082．
8）Norimatsu Y，Shigematsu Y，Sakamoto S，et al．Nuclear characteristics of the endometrial cytology：Liquid-based versus conventional preparation．Diagn Cytopathol．2013；41：120-125．
9）Yanoh K，Norimatsu Y，Hirai Y，et al．New diagnostic reporting format for endometrial cytology based on cytoarchitectural criteria．Cytopathology．2009；20：388-394．
10）Nimura A，Ishitani K．Norimatsu Y，et al．Evaluation of cellular adequacy in endometrial liquid-based cytology．Cytopathology．2019；30：526-531．
11）Fulciniti F，Yanoh K，Karakitsos P，et al．The Yokohama system for reporting directly sampled endometrial cytology：The quest to develop a standardized terminology．Diagn Cytopathol．2018；46：400-412．

（平井康夫，二村　梓）

TYS 1 陰性/悪性腫瘍および前駆病変ではない

医原性変化(IUD, TAM, MPA による)

Iatrogenic change

IUD(子宮内避妊具)使用による医原性変化

背景

IUD(**intrauterine contraceptive devices**)は子宮内避妊具として知られており，世界で最も使用されている家族計画法の1つである．避妊法には可逆的な方法と不可逆的な方法が存在し，IUD は可逆的避妊法の1つである．世界的に IUD 使用者は生殖可能な女性の14.3%と言われている．しかしながら，IUD 使用者の分布は著しく不均等であり，IUD 使用者の割合が2%未満である国もあれば，40%を超えている国もある[1]．

避妊具は化学的に不活性化な**銅タイプ**(**銅付加 IUD**)と黄体ホルモンを放出する**ホルモンタイプ**(**黄体ホルモン付加 IUD**)の2種類があり，ホルモンによる避妊具は**IUS**(**intrauterine system**)と呼ばれている[2]．

通常の IUD は異物反応により炎症細胞の増加や子宮内膜細胞の代謝に影響を与え，IUS は子宮内膜に対して高濃度の**レボノルゲストレル**により子宮内膜腺の萎縮や子宮内膜間質の脱落膜様変化をきたし，子宮内膜を薄くする．

定義

1 • 反応性としての細胞変化

IUD は子宮内膜粘膜に局所炎症反応を誘発する．避妊におけるこれらの影響は完全にわかっていないが，器具の種類に大きく依存しているようである．IUD によって誘発される最初の変化は機械的なものであり，基本的に IUD の形状，特にサイズに応じて，子宮内膜は平坦化，びらん，破砕および萎縮を呈する．

IUD から放出されるレボノルゲストレルは非特異的な炎症反応(異物反応に類似する)を引き起こす．この反応は，好中球，リンパ球，形質細胞や異物巨細胞を含む局所的な**炎症細胞浸潤**(図 1)のほかに，脱落膜変化や多彩な**反応性修復変化**(図 2)を起こす[3]．

2 • 反応性細胞(reparative changes)

IUD 使用者の子宮頸部直接塗抹標本では，核腫大を伴う**反応性異型子宮内膜細胞**が認められ，腺癌細胞と誤判定する可能性がある[4]．子宮頸部直接塗抹標本にみられるものと同様の異型子宮内膜細胞が子宮吸引液中にみられる可能性もある[5]．これらの異型細胞のDNAを調査した研究では，2倍体から8倍体のDNAをもっていることが示されている[6]．異型多核細胞は子宮頸部直接塗抹標本由来の組織球または頸管腺細胞のように考えられていたが，現在それらは子宮内膜由来であるとみなされている．

3 ● 放線菌感染

放線菌（グラム陽性の嫌気性菌）感染はIUD使用に関連することが知られている．IUD使用者の放線菌様菌塊を調べた結果，約10％のIUD使用者にこの菌体が認められたが[7]，IUD非使用者の頸部スメアに放線菌様菌塊はみられていない．なお，放線菌による感染はIUD使用の期間（使用の長さ）と相関が認められている．

診断基準

IUD使用による細胞の変化は，以下のような細胞がみられることがある．

- 組織球は単核・多核巨細胞としてみられ，**多核巨細胞（異物型巨細胞）**は核の数や大きさは一定していない．しばしば**石灰化小体**を認めることがある．
- **反応性修復細胞**は平面的な細胞配列を示し，核の大小不同や明瞭な核小体を認める．
- **異型上皮細胞**は核腫大し，不規則に分布したクロマチンと明瞭な核小体を有している．もし異型腺細胞を「**陰性/悪性腫瘍および前駆病変ではない（TYS 1）**」と判定ができない場合は**ATEC-US（TYS 2）**とし，臨床側へ注意を促すことも重要である．

2 TAM（タモキシフェン）による医原性変化

背景

タモキシフェン（**tamoxifen：TAM**）は，ホルモン受容体陽性の乳癌患者の治療薬として使用される非ステロイド系の**抗エストロゲン剤**で，乳癌細胞の増殖を抑制する薬剤として知られている．TAMは乳癌術後の再発予防の補助療法として広く使用されているが，長期服用により子宮体癌や子宮内膜増殖症の発生が増すことが指摘されている．閉経女性にTAMを投与した際にみられる最も一般的な所見は内膜の萎縮であるが，増殖期変化，子宮内膜ポリープ，子宮内膜増殖症や子宮内膜癌が起こることもある[8]．

抗エストロゲン剤は組織特異的にエストロゲン・抗エストロゲン作用の両方を示すことが明らかとなり[9]，このような薬剤を**選択的エストロゲン受容体モジュレーター**（selective estrogen receptor modulator：SERM）として取り扱われるようになった．SERMは骨や脂質代謝ではエストロゲン様作用により骨折防止効果を示し，子宮や乳房では抗エストロゲン作用を示し乳癌の発症リスクを抑える．しかしながら，TAMは乳腺組織において抗エストロゲン作用を示すが，子宮に対してはエストロゲン作用を示すことが知られている．

TAM による乳癌予防の効果試験において，TAM 長期内服による子宮内膜癌のリスクは 3.28（95%CI 1.87〜6.03）と上昇する[10]．また，年齢別では 49 歳以下では子宮内膜癌のリスク増加は認めず，50 歳以上では相対リスクは 5.33（95%CI 2.47〜13.17）とリスク増加を認めている．一方，TAM 長期内服による子宮内膜癌のリスク増加は認めないという報告もある[11]．

定義

閉経女性に TAM を投与した際にみられる最も一般的な所見は内膜の萎縮であるため，その細胞は，組織球を背景に均一なシート状細胞集塊，分泌期類似の細胞集塊や小型集塊がみられ，異型のない細胞から構成される．

症例によっては，エストロゲン作用により増殖期類似の細胞集塊あるいは子宮内膜増殖症にみられるような大型集塊，管状腺管集塊や核腫大を伴う細胞集塊など，多彩な細胞所見を示す．したがって，TAM を投与された患者の子宮内膜細胞像は，萎縮内膜から増殖期変化まで幅広い細胞像を示すことになる．

診断基準

TAM 内服中の子宮内膜細胞像は，エストロゲン作用により以下の細胞像を示す．

1 ● 萎縮内膜細胞像（図 3, 4）

- 組織球を伴い，さまざまな大きさの**シート状集塊**としてみられる．
- 内膜上皮細胞あるいは背景に，類円形または楕円形を示す**小型裸核状の内膜間質細胞**を認める．
- 内膜上皮細胞の**核重積は 3 層未満**で，核は**類円形**で均一な所見を示す．

2 ● 子宮内膜増殖症を含めた増殖期変化（図 5, 6）

- 内膜上皮細胞が**大型細胞集塊**で出現し，集塊辺縁は比較的平滑である．
- 内膜上皮細胞の**核重積は 3 層未満**で，核は**類円形**で均一な所見を示す．
- **小型裸核状の内膜間質細胞**が内膜上皮集塊に付着あるいは背景にみられる．

3 ● 核腫大細胞を伴う内膜上皮細胞（図 7）

- 核腫大および大小不同を伴う．
- 内膜上皮細胞からなる集塊は **3 層未満でシート状**を示す．
- もし「**陰性/悪性腫瘍および前駆病変ではない**（**TYS 1**）」と判定ができない場合は，**ATEC-US**（**TYS 2**）とする．

4 ● 内膜間質細胞の付着がない不整形突出集塊（図 8）

- 細胞集塊辺縁は不整形で，小突起状の突出がみられる．
- 集塊の一部に厚みのある細胞質（**化生性変化**）を示す場合もある．

表 1　妊孕性温存療法の適応基準について

1. 病理組織学的に類内膜癌(Grade 1)または EAH/EIN と診断
2. 臨床的に IA 期相当であること
3. 画像的など MRI で筋層浸潤がないこと
4. 患者は妊娠が可能な年齢で血栓塞栓症の既往がないこと

- **3 層以上の核重積**を伴い，核は**類円形**から**楕円形**を示す．
- 悪性を否定できないため **ATEC-AE (TYS 4)**，さらに核の異常所見が確認された場合は**子宮内膜異型増殖症/類内膜上皮内腫瘍(EAH/EIN)(TYS 5)**もしくは**子宮内膜癌(TYS 6)**と判定し，組織診での精査を勧める．

3 MPA(酢酸メドロキシプロゲステロン)による医原性変化

背景

子宮体癌は閉経後女性の代表的な癌であるが，約 4～5%の頻度で 40 歳以下の若い女性に発生する．子宮体癌を伴う若年性女性の特徴は，臨床的に early-stage (85%)で組織学的に low grade (67.5%)の類内膜癌(97.5%)である[12]．また，EAH/EIN は，類内膜癌への進展あるいは併存のリスクが高いことが知られている[13]．子宮体癌の標準的な治療は外科的な子宮摘出術であるが，**妊孕性温存**を希望する若い女性患者においては深刻な問題である(表 1)[14]．子宮体癌は**エストロゲン依存性 I 型**と**エストロゲン非依存性 II 型**に分類されている．若い女性患者は I 型の**高分化型類内膜癌(Grade 1)**を発症することが多いため，治療には**黄体ホルモン**が用いられる機会がある．

MPA 療法の奏効率はさまざまであり，子宮内膜癌では 57～76%，EAH/EIN では 83～92%と報告されている[14]．病理学的な CR 率は，子宮内膜癌で 48.2%であるのに対し，EAH/EIN では 65.8%と EAH/EIN のほうがいずれも良好な成績を示している[14, 15]．

定義

MPA 療法は，黄体ホルモンを高用量で投与しエストロゲン依存性の類内膜癌あるいは EAH/EIN の増殖を抑制する(図 9)．MPA 療法で治療効果を認める症例の子宮内膜組織所見は，内膜腺の減少，腺細胞のクロマチン量減少，間質の浮腫，萎縮変化状あるいは間質の脱落膜変化などを生じる(図 10)．また，化生性の扁平上皮細胞を認めることもある．MPA 療法直後，平面的な内膜上皮細胞集塊が出現した場合には治療効果があると判断する．しかし，3 層以上の核重積を伴う不整形突出集塊が出現した場合には治療効果がない，あるいは再発が疑われるため，組織学的精査が望まれる．

診断基準

1 • 類内膜癌あるいはEAH/EINの子宮内膜組織像あるいはMPA療法後の再発が疑われる場合の細胞像(図11)

- **3層以上の核重積**を伴い，核形は**類円形**で核クロマチンの増量を認める．
- 細胞集塊は不整形で**腺腔構造**を認める．
- 悪性も否定できないため**ATEC-AE**(**TYS 4**)，さらに核の異常所見が確認された場合は類内膜癌と判定し，**組織学的精査**をすすめる．

2 • MPA療法直後あるいは治療効果がみられる細胞像(図12)

- 比較的平面的な細胞集塊で出現し，集塊の辺縁は平滑である．
- 細胞質は厚く**好酸性変化**を示し，核は**類円形**でクロマチンは均一な分布を示す．
- **陰性/悪性腫瘍および前駆病変ではない**(**TYS 1**)と判定．

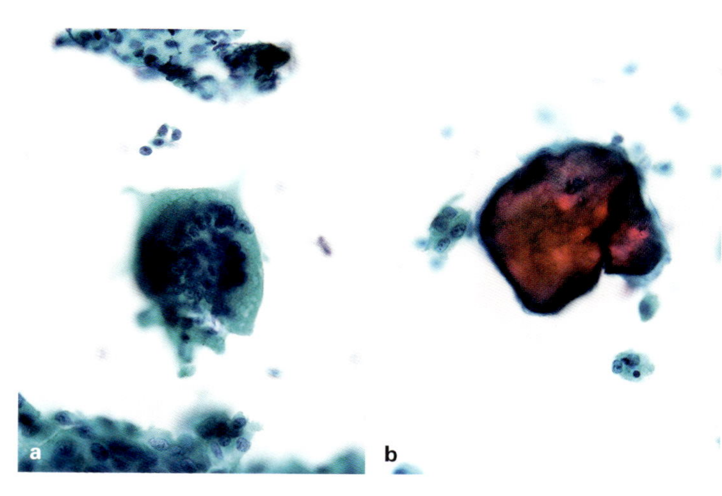

図1 IUD使用者から取得した子宮内膜細胞像

多核巨細胞(異物型巨細胞)がみられるとともに(**a**)，大きな石灰化小体が内膜スメアにみられることがある(**b**)．
(SP-LBC法/**a**, **b**：対物×40)

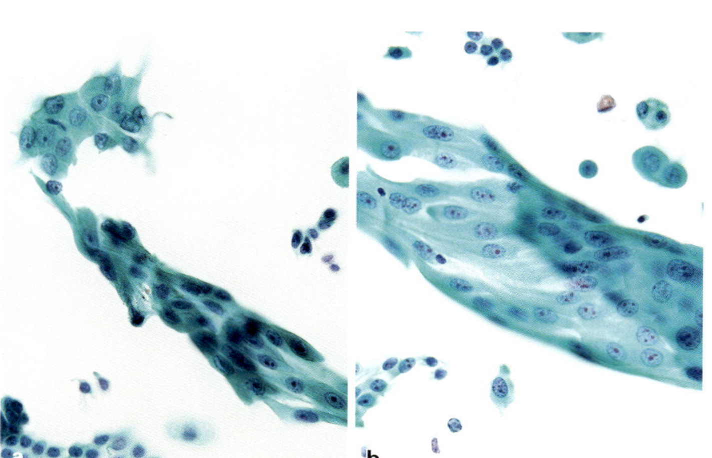

図2 IUD使用による細胞の変化

清浄な背景に反応性修復細胞がシート状集塊でみられる(**a**)．反応性修復細胞は，すべての核に明瞭な核小体を認めるが，クロマチン分布は均一で核不整はみられない(**b**)．
(SP-LBC法/**a**：対物20，**b**：対物×40)

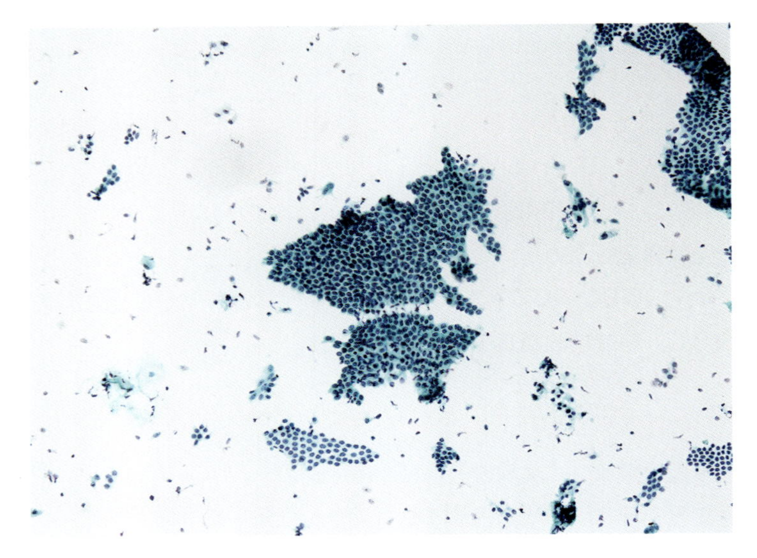

図 3　TAM 内服中(50 歳閉経後)の子宮内膜細胞像

内膜上皮細胞が大型のシート状集塊でみられる．背景にみられる内膜間質細胞は少数である．
(SP-LBC 法/対物×10)

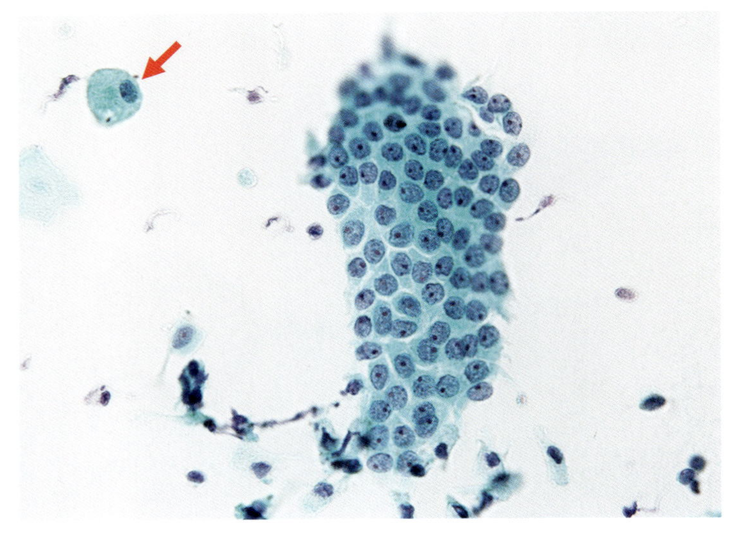

図 4　TAM 内服中(50 歳閉経後)の子宮内膜細胞像

組織球(矢印)を背景に，萎縮性の内膜上皮細胞がシート状集塊で出現している．核重積は 3 層未満である．「陰性/悪性腫瘍および前駆病変ではない」と判定した．
(SP-LBC 法/対物×40)

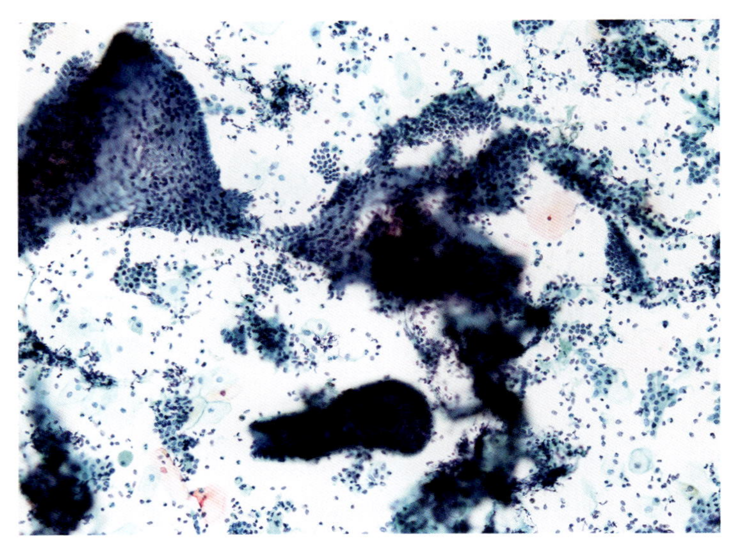

図 5　TAM 内服中(50 歳閉経後)の子宮内膜細胞像

増殖性変化を示す内膜細胞集塊が，大型集塊で出現している．背景に内膜間質細胞が多数みられる．
(SP-LBC 法/対物×10)

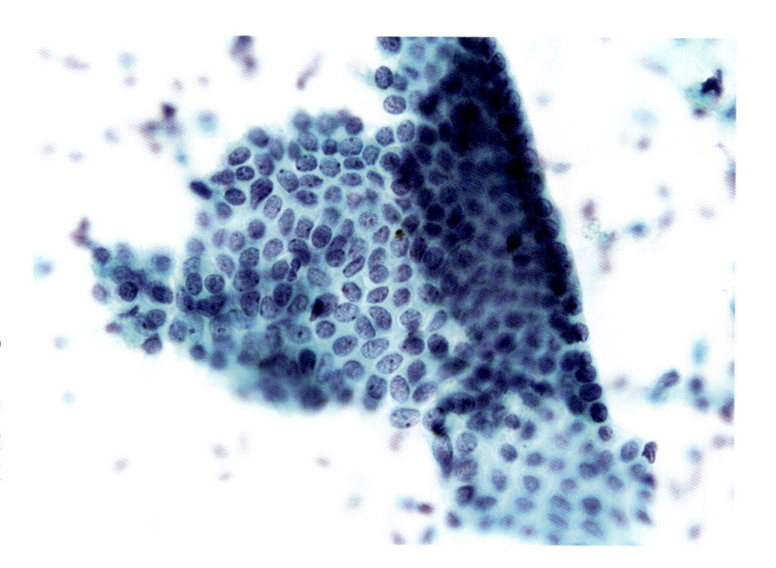

図 6　TAM 内服中(50 歳閉経後)の子宮内膜細胞像

内膜上皮細胞の核重積は 3 層未満で細胞異型は伴わない．「陰性/悪性腫瘍および前駆病変ではない」と判定した．
(SP-LBC 法/対物×40)

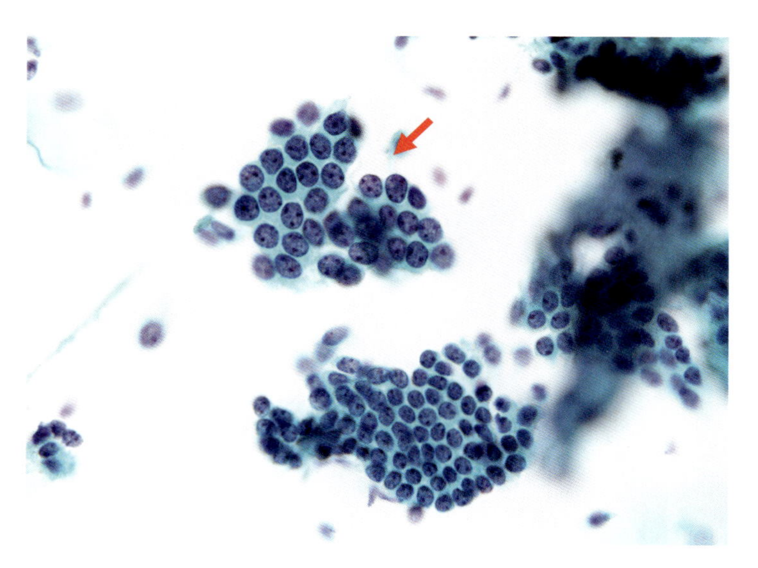

図 7　TAM 内服中(40 歳代閉経前)の子宮内膜細胞像

核腫大細胞(矢印)の出現を認めるが，クロマチンの分布は均一で，核重積は 3 層未満である．「陰性/悪性腫瘍および前駆病変ではない」と判定した．もし「陰性/悪性腫瘍および前駆病変ではない」と判定ができない場合は，「ATEC-US」と判定してもよい．
(SP-LBC 法/対物×40)

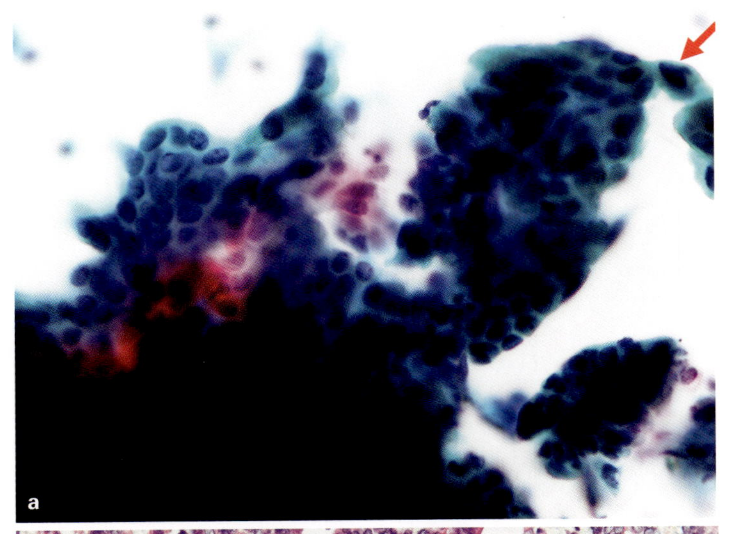

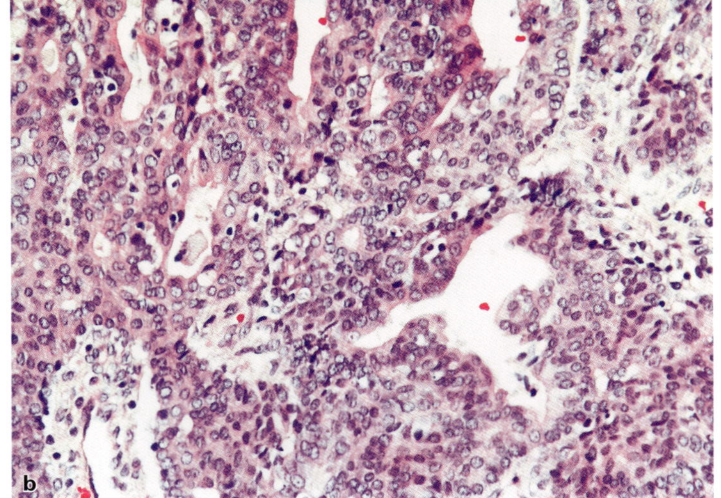

図 8　TAM 内服中の子宮内膜細胞像と組織像

a：3 層以上の核重積を伴う内膜間質細胞の付着がない不整形突出集塊がみられ，さらに核の大小不同，クロマチンの増量など核の異常所見を認めたため，EAH/EIN を含む子宮内膜癌と判断し，組織診による精査を実施した．細胞集塊の一部には化生性変化がみられる(矢印)．
(SP-LBC 法/対物×40)

b：病理組織診断の結果，充実性胞巣を伴う類内膜癌 Grade 2 であった．

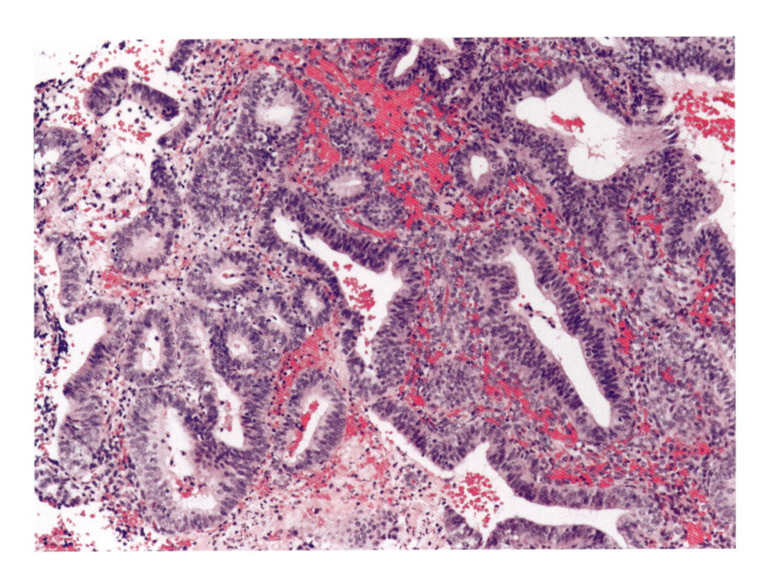

図 9　MPA 療法前後の子宮内膜組織像

病理組織診断で EAH/EIN と診断された症例．

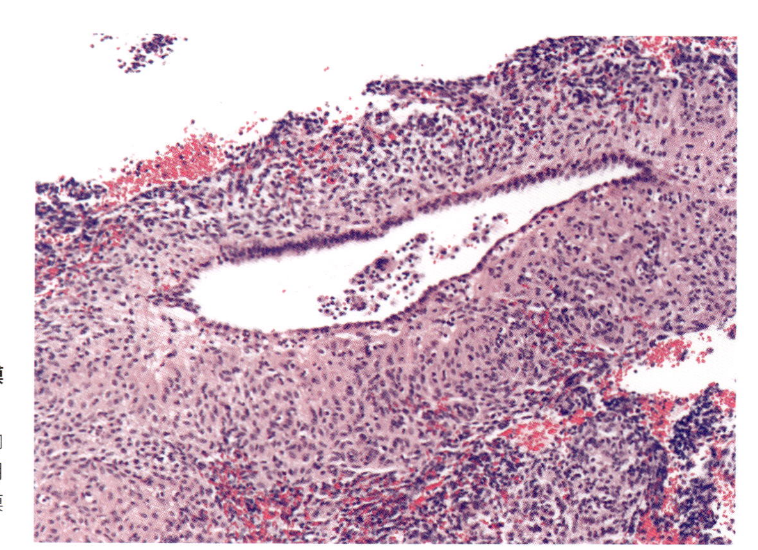

図 10　MPA 療法前後の子宮内膜組織像

MPA 療法の著効した症例の子宮内膜組織所見は，黄体ホルモンの作用により内膜腺の減少や間質の脱落膜変化を起こす．

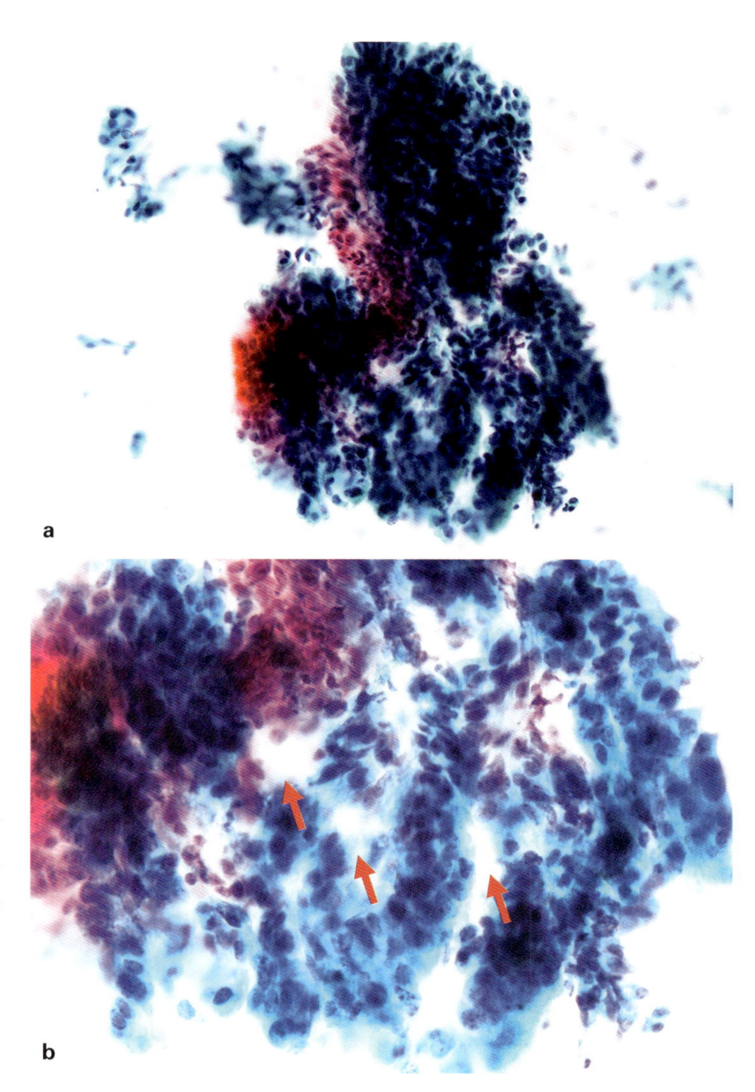

図 11　MPA 療法前の細胞像

核重積が 3 層以上の不整形突出集塊がみられ，部分的に腺腔構造がみられる(**a**)．腺腔構造(矢印)の融合がみられる(**b**)．核は類円形で軽度核の大小不同を伴っているが，著明な核異型はみられない．組織診による精査が必要である．
(SP-LBC 法/**a**：対物 20，**b**：対物×40)

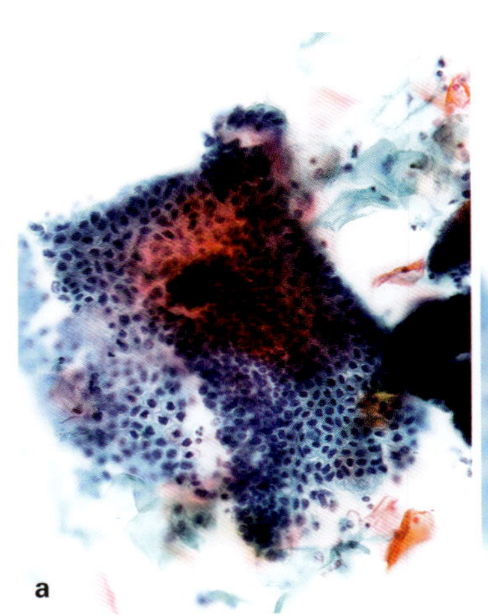
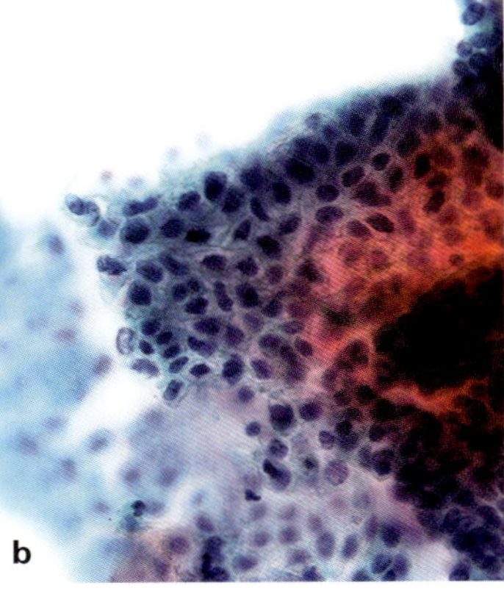

図 12　MPA 療法後の細胞像
内膜細胞がシート状集塊でみられ，核重積は 3 層未満である(**a**)．内膜細胞は比較的均一に配列しており，核腫大はみられない(**b**)．「陰性/悪性腫瘍および前駆病変ではない」と判定した．
(SP-LBC 法/**a**：対物 20，**b**：対物×40)

文献

1) Buhling KJ, Zite NB, Lotke P, et al. Worldwide use of intrauterine contraception：a review. Contraception. 2014；89：162-73.
2) Smith-McCune K, Thomas R, Averbach S, et al. Differential effects of the hormonal and copper intrauterine device on the endometrial transcriptome. Sci Rep. 2020；10：6888.
3) Ortiz ME, Croxatto HB. Copper-T intrauterine device and levonorgestrel intrauterine system：biological bases of their mechanism of action. Ortiz ME, Croxatto HB. Contraception. 2007；75(6 Suppl)：S30.
4) Fornari ML. Cellular changes in the glandular epithelium of patients using IUCD--a source of cytologic error. Acta Cytol. 1974；18：341-3.
5) Kobayashi TK, Casslén B, Stormby N, et al. Cytologic atypia in the uterine fluid of intrauterine contraceptive device users. Acta Cytol. 1983；27：138-41.
6) Kobayashi TK, Ueno T, Tanaka N, et al. Nuclear DNA content of atypical glandular cells in the uterine fluid of IUD users. Acta Cytol. 1984；28：192-4.
7) Kobayashi TK. Iatrogenic changes. In Coleman DV, Chapman PA(eds). Clinical Cytotechnology. London：Butterworths：1989. 425-440.
8) Deligdisch L, Kalir T, Cohen CJ, et al. Endometrial histopathology in 700 patients treated with tamoxifen for breast cancer. Gynecol Oncol. 2000；78：181-6.
9) Shiau AK, Barstad D, Loria PM, et al. The structural basis of estrogen receptor/coactivator recognition and the antagonism of this interaction by tamoxifen. Cell. 1998；95：927-37.
10) Fisher B, Costantino JP, Wickerham DL, et al. Tamoxifen for the prevention of breast cancer：current status of the National Surgical Adjuvant Breast and Bowel Project P-1 study. J Natl Cancer Inst. 2005；97：1652-62.
11) Cuzick J, Sestak I, Cawthorn S, et al. Tamoxifen for prevention of breast cancer：extended long-term follow-up of the IBIS-I breast cancer prevention trial. Lancet Oncol. 2015；16：67-75.
12) Biler A, Solmaz U, Erkilinc S, et al. Analysis of endometrial carcinoma in young women at a high-volume cancer center. Int J Surg. 2017；44：185-190.
13) Trimble CL, Kauderer J, Zaino R, et al. Concurrent endometrial carcinoma in women with a biopsy diagnosis of atypical endometrial hyperplasia：a Gynecologic Oncology Group study. Cancer. 2006；106：812-9.
14) Ushijima K, Yahata H, Yoshikawa H, et al. Multicenter phase II study of fertility-sparing treatment with medroxyprogesterone acetate for endometrial carcinoma and atypical hyperplasia in young women. J Clin Oncol. 2007；25：2798~803.
15) Gunderson CC, Fader AN, Carson KA, Bristow RE. Oncologic and reproductive outcomes with progestin therapy in women with endometrial hyperplasia and grade 1 adenocarcinoma：a systematic review. Gynecol Oncol 2012；125：477-82.

（河原明彦，秋葉　純）

TYS 1 陰性/悪性腫瘍および前駆病変ではない

アリアス-ステラ反応

Arias-Stella reaction

背景

アリアス-ステラ反応(Arias-Stella reaction：ASR)とは，1954年にArias-Stellaが"Atypical endometrial changes associated with the presence of chorionic tissue"として**異型子宮内膜変化**(atypical endometrial change)について報告したことに始まり[1]，妊娠に関連して内膜ときには卵管にもみられる**ヒト絨毛性ゴナドトロピン**(hCG)による腺上皮の異型性変化である．このアリアス-ステラ反応は絨毛の栄養膜細胞が分泌するhCGに対する反応で，正常妊娠，子宮外妊娠，正常分娩あるいは流産後，胞状奇胎やその他の絨毛性腫瘍などでみられることが知られている[2]．当初Arias-Stellaが考えたような子宮外妊娠に特異というものでないが，早期に子宮外妊娠の可能性を示す点で有用である[3-5]．患者の妊娠やホルモン摂取の履歴を認識していない場合，この異型子宮内膜変化は悪性腫瘍と間違われる可能性があるため，留意が必要である[6]．

定義

アリアス-ステラ反応は組織学的に，核の腫大を特徴とする異型子宮内膜変化を基にさまざまな増殖性変化を伴っており，その形態所見は軽度異型から高度異型まで非常に幅広い．

淡明細胞やホブネイル(hobnail)細胞，腺内乳頭状変化が混在し明細胞癌を模倣するような**過分泌型**(hypersecretory type)(図**1**，**2**)と明細胞変化を伴わない**非分泌型**(**再生増殖型**：regenerative type)(図**3**)が記載されている[7,8]．

前者は子宮内膜腺細胞の豊富な泡沫化と極性を失った重積性を特徴とし，正常妊娠，流産，子宮外妊娠にみられる．腺細胞は著しい核多形性と濃染性を呈し，細胞質は空胞化や淡明化を示す．

後者は部分的な核異型を示す最小異型(minimal atypia)から核内封入体を伴う大型で奇怪な核異型を示す巨大細胞(monstrous cell)まで幅広い所見を呈し，巨核を特徴とした非分泌型(再生増殖型)は胞状奇胎や絨毛癌にみられる．

しかしながら，実際には明細胞と非明細胞は混在しており，組織学的にアリアス-ステラ反応を上述するような特定の型に分類するのは困難な症例もある[7]．

診断基準

- パパニコロウ染色におけるアリアス-ステラ反応の典型的な細胞像は，大型で多形性を示す細胞が**重積性集塊**で出現し，**核腫大**，**クロマチン増量**や**明瞭な核小体**を有している[9]．複数の核小体がしばしば観察される．
- 細胞質は豊富な細胞から狭小な細胞までさまざまであり，しばしば**空胞変化**を呈する(**図 4, 5**).

- 細胞質染色性は，淡いライトグリーンから濃いライトグリーンまで多彩な染色性を示す.
- 核クロマチンは，顆粒状から粗いクロマチンパターンを示し，しばしば**すりガラス状**を呈することもある(**図 6**).
- もう1つの細胞像として，**巨大不整核**を有する奇怪な上皮細胞がみられ，**核分裂像**，**核内封入体**や**核溝**がしばしば観察される.
- 悪性細胞(低分化腺癌，子宮ないし卵巣明細胞癌など)と鑑別を要する異型細胞の出現形態を示すため，診断の際には，臨床所見にも注意を払う必要がある.
- 明細胞癌のマーカーとされている**HNF-1β**や**Napsin A**は，アリアス-ステラ反応にも陽性となり，エストロゲンおよびプロゲステロンレセプターも発現が減弱ないし消失すると報告されている[7]. 鑑別診断に際し，免疫細胞化学的な所見も十分なものでないということに留意する必要がある.
- アリアス-ステラ反応に伴う変化は「**陰性/悪性腫瘍および前駆病変ではない(TYS 1)**」に判定される. もし細胞異型の程度により，腫瘍性病変が除外できず「陰性/悪性腫瘍および前駆病変ではない」と判定できない場合は，**ATEC-US**(**TYS 2**)とし，臨床側へ注意を促すことも重要である.
- ただし，できる限り「陰性/悪性腫瘍および前駆病変ではない(TYS 1)」の判定ができるように正確な判定を心がける必要がある.

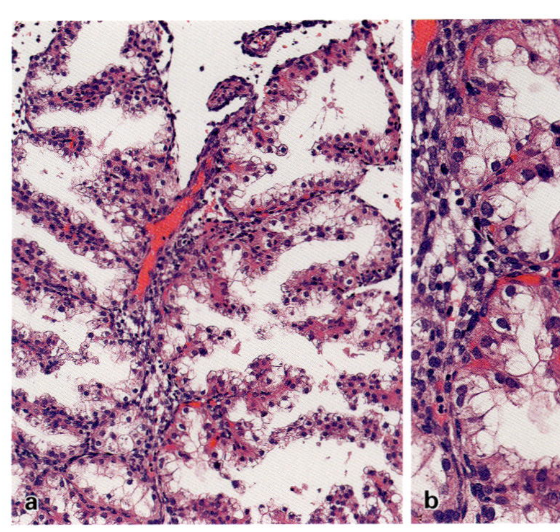

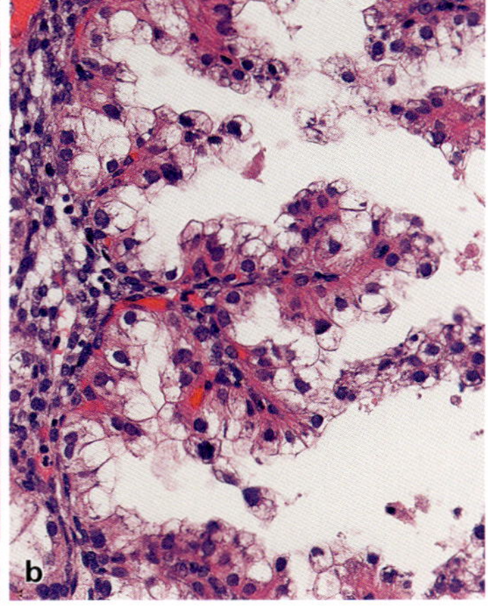

図 1　アリアス-ステラ反応組織像

淡明細胞やホブネイル細胞，腺内乳頭状変化が混在し明細胞癌を模倣するような内膜細胞の増生を認める(**a**). 子宮内膜腺細胞は豊富な泡沫化と核濃染所見を呈している(**b**).

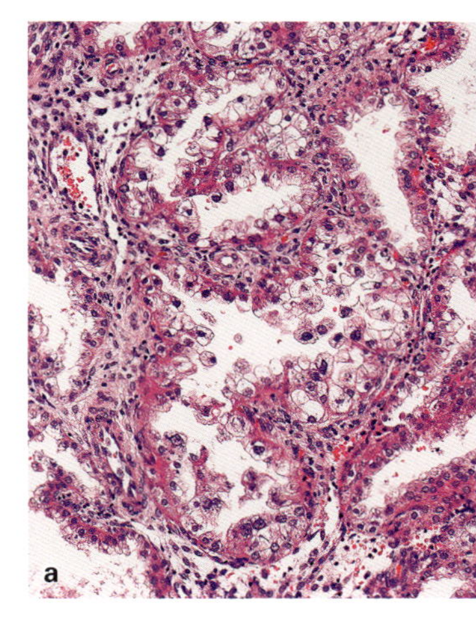
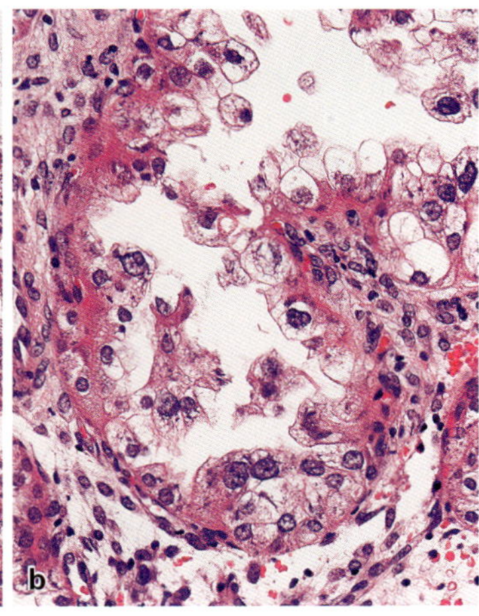

図 2　アリアス-ステラ反応 組織像

淡明細胞や腺内乳頭状変化が混在し明細胞癌を模倣するような内膜細胞の増生を認める(**a**). 子宮内膜腺細胞は大小不同を呈し，細胞質は空胞化や淡明化を示している(**b**).

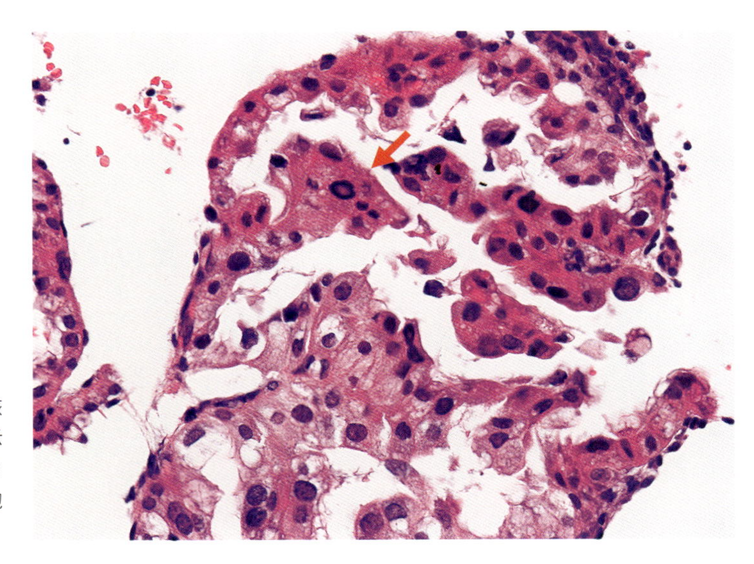

図 3　アリアス-ステラ反応 組織像

腺細胞は分泌の少ない細胞所見と核濃染性を呈し，部分的な核異型を示している. 核内封入体(矢印)を伴う大型で奇怪な核異型を示す巨大細胞が混在している.

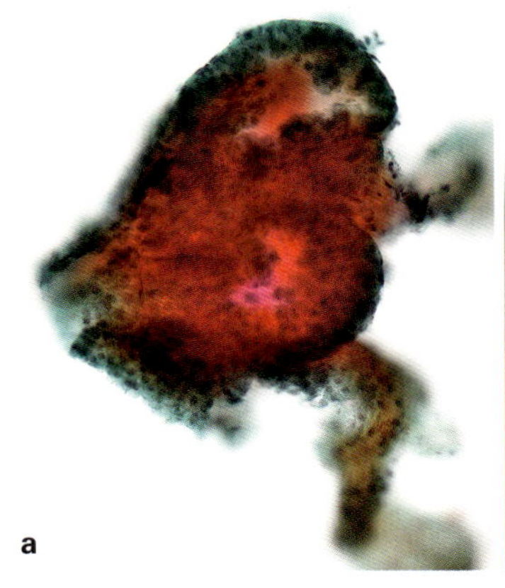
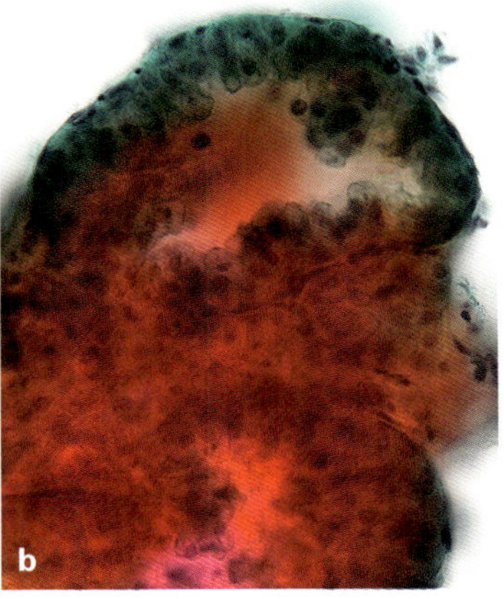

図 4　アリアス-ステラ反応

腺細胞の異常重積がみられ，部分的に腺腔構造がみられる(**a**).
腺細胞は淡明な細胞質を有しており，クロマチン増量は乏しい(**b**).
もし「陰性/悪性腫瘍および前駆病変ではない」と判定ができない場合は，「ATEC-US」と判定してもよい.
(SP-LBC 法/**a**：対物 20，**b**：対物×40)

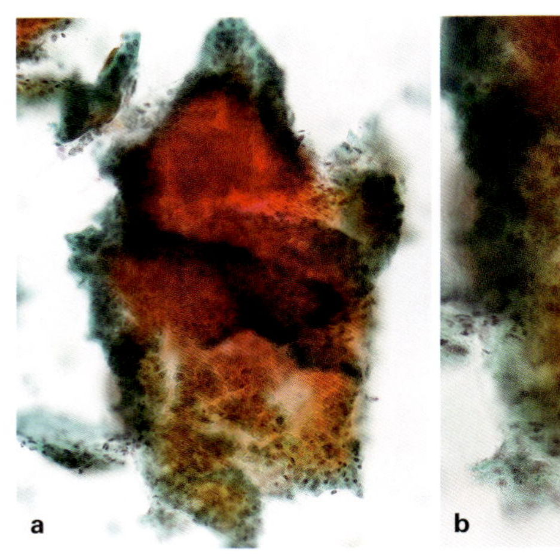

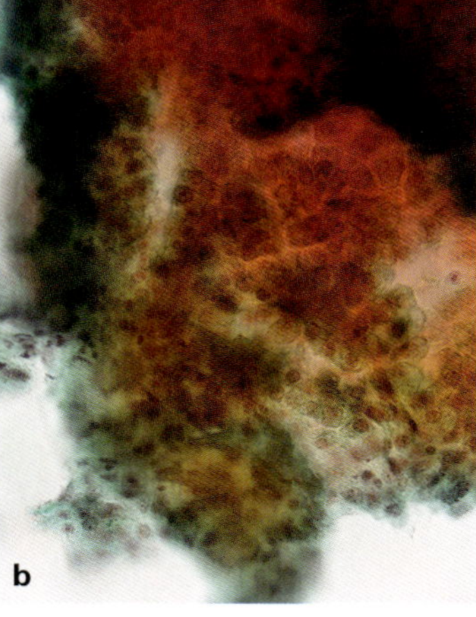

図 5　アリアス-ステラ反応
腺細胞の異常重積がみられ，部分的に低乳頭状構造がみられる(**a**)．腺細胞は小型核小体を有しており，クロマチン増量は乏しい(**b**)．もし「陰性/悪性腫瘍および前駆病変ではない」と判定ができない場合は，「ATEC-US」と判定してもよい．
(SP-LBC 法/**a**：対物 20，**b**：対物×40)

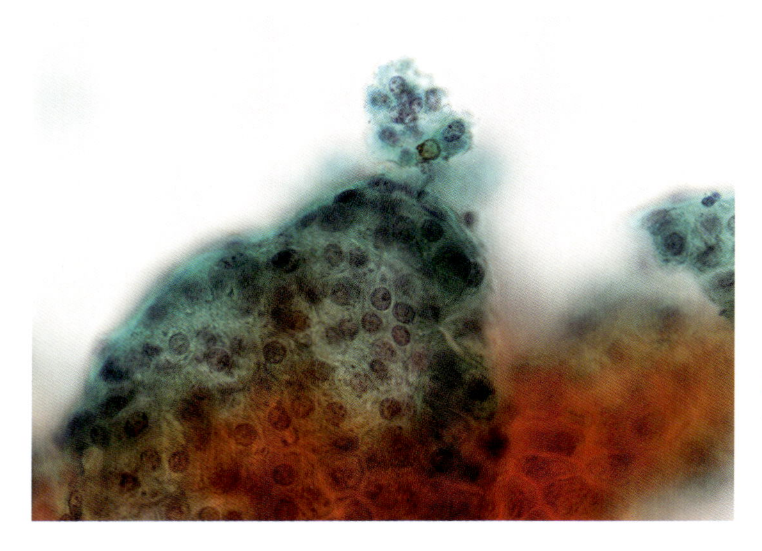

図 6　アリアス-ステラ反応
細胞質染色性は比較的淡いライトグリーンを示し，核クロマチンは顆粒状である．
(SP-LBC 法/対物×60)

文献

1) Arias-Stella J. Atypical endometrial changes associated with the presence of chorionic tissue. AMA Arch Pathol. 1954；58：112-28.
2) Kobayashi TK, Yuasa M, Fujimoto T, et al. Cytologic findings in postpartum and postabortal smears Acta Cytol. 1980；24：328-34.
3) Pildes RB, Wheeler JD. Atypical cellular changes in endometrial glands associated with ectopic pregnancy. Am J Obstet Gynecol. 1957；73：79-88
4) Kobayashi TK, Fujimoto T, Okamoto H, et al. Cytologic evaluation of atypical cells in cervicovaginal smears from women with tubal pregnancies. Acta Cytol. 1983；27：28-32.
5) 鈴木　博，井浦　宏，野本千穂，ほか．異常妊娠(流産・子宮外妊娠)の早期診断における捺印細胞診の有用性についての検討．日臨細胞誌．1997；36：608-612.
6) Dhingra N, Punia RS, Radotra A, et al. Arias-Stella reaction in upper genital tract in pregnant and non-pregnant women：a study of 120 randomly selected cases. Arch Gynecol Obstet. 2007；276：47-52.
7) Ip PPC, Wang SY, Wong OGW, et al. Napsin A, hepatocyte nuclear factor-1-beta (HNF-1beta), estrogen and progesterone receptors expression in Arias-Stella reaction. Am J Surg Pathol. 2019；43：325-333.

8) 寺本勝寛，原　仁，髙見毅司，ほか．Arias-Stella reactionの細胞学的検討．日臨細胞誌．1991；30：21-27．
9) Lui M, Boerner S. Arias-Stella reaction in a cervicovaginal smear of a woman undergoing infertility treatment：a case report. Diagn Cytopathol. 2005；32：94-6.

（河原明彦，秋葉　純，前田宜延）

TYS 1 陰性/悪性腫瘍および前駆病変ではない

子宮内膜腺・間質破綻

Endometrial glandular and stromal breakdown（EGBD）

背景

月経時以外にみられる子宮出血を**不正子宮出血**といい，それらの原因には**器質的なもの**と**機能的なもの**がある．器質的病変を原因とする不正子宮出血には**子宮内膜癌**，**子宮内膜増殖症**，**子宮粘膜下筋腫**，**子宮内膜ポリープ**（☞130頁）などがある．一方，機能的病変を原因とする不正子宮出血には，**排卵に関与するさまざまなホルモンの分泌異常**によるものがあり，卵巣の働きが不安定な初潮前後や閉経前後，また間脳や下垂体に機能異常をきたす過度のストレスやダイエットなどでもたらされることが多い．これらは，排卵が起こらず**エストロゲン**の刺激が遷延したあとに起こるもの（**無排卵性**）と排卵後の**プロゲステロン**の異常に関連したもの（**排卵性**）に大別される[1]．

無排卵性出血は，性周期を伴う女性や更年期[2,3]の女性［▶1］において，最も高頻度に認められる**機能性子宮出血**である[4-6]．それらは日常の診療においてよく遭遇する臨床症状［▶2］であるため，その細胞像の特徴の把握と十分な理解は必須である．特に，不正子宮出血を示す**腫瘍性病変との鑑別**は適切な治療方法の選択のためにもきわめて重要であり，子宮内膜細胞診は重要な役割を果たすことができる．

定義

無排卵性出血では，排卵障害により成熟卵胞が存続するため**黄体**が形成されず，増殖期内膜は分泌期に移行しない．その後，**エストロゲンの消退出血**またはエストロゲン刺激の**長期持続後の破綻出血**[1,7,8]（図1〜4）［▶3］を起こすが，内膜は成熟せずに断片化をきたす．このような状態を**子宮内膜腺・間質破綻**（**endometrial glandular and stromal breakdown：EGBD**）という．また，不規則に拡張した腺管が部分的に存在する場合には**不調増殖期内膜**（**disordered proliferative phase endometrium：DPP**）とされる（☞130頁）．

▶1　更年期には生理的にホルモンの分泌機能低下が起こり，子宮内膜は萎縮内膜へと変化する．しかし，単純に萎縮内膜に移行するケースは少なく，多くの場合，無排卵周期症による子宮内膜の不規則な増殖を経て萎縮していく[2,3]．

▶2　機能性子宮出血の74％は更年期であり，そのうちの78％が無排卵周期症であった[4]．また，無排卵周期症に伴う機能性出血で，EGBDおよびDPPの平均年齢は約50歳であり，不正子宮出血はEGBDで最も多く約8割の症例に，DPPでは約6割の症例に認められた[5]．さらに，自施設の1年間の子宮内膜細胞診疑陽性213例の成績で，約90％にあたる192例が良性であり，その大部分が機能性子宮出血であった[6]と報告されている．

▶3　無排卵周期症に伴う機能性子宮出血における破綻出血は，血管外に遊出した赤血球のうっ血，毛細血管でのフィブリン血栓，内膜間質の崩壊などに由来する[7]．また，子宮内膜での血管形成の不安定さ（血管内皮の保持の消失，脆弱性血管の増加）により起こる血管崩壊からの子宮内膜上皮と子宮内膜間質の支持構造の消失に由来している[8]とも報告されている（図1〜4）．したがって，無排卵周期症の機能性子宮出血での破綻出血は構造異常を伴う微小血管の断裂または崩壊によって始まることが示唆されている．

EGBDでの組織像[1, 9, 10]は，出血やフィブリンの析出に加えて，内膜の広範な断片化と，分泌像を欠く内膜腺と内膜間質の小断片である(図1)．**内膜間質基質**が崩壊するため，**内膜間質細胞**は**変性凝集**して密な集団を形成し，それらの核は濃染し細胞質は乏しい(図2)．そして，子宮内膜腺の間に間質が介在せず，子宮内膜腺は不規則にちぎれたように配列する(図3)．これらの断片化した内膜腺の密集した像は子宮内膜増殖症や子宮内膜癌との鑑別を要することもある．また，拡張した毛細血管内では血栓を認める(図4)．内膜表層では**表層合胞状/乳頭状化生**[1, 11-13] [▸4]を示し，個々の細胞には好酸性細胞質，不明瞭な細胞境界，核腫大，線毛などの特徴を認める(図5，6)．

DPPは**エストロゲン刺激の遷延**によって，増殖期内膜の腺管の一部が嚢胞状から不規則に拡張(芽出や分岐)している．そのため，単純型子宮内膜増殖症に類似するが，あくまで局所的な変化であることが鑑別点となる．したがって，腺管が密在した部分の観察のみで**子宮内膜増殖症としないように注意**すべきである．

診断基準

EGBDとDPPは一連の変化であり，下記の細胞が種々の割合で混在するため，明確な区別は困難である．また，**内膜間質細胞凝集塊**や**化生性不整形突出集塊**は種々の程度の細胞異型を伴うため，**子宮内膜増殖症や子宮内膜癌との鑑別が困難**な場合があり，誤判定を引き起こす可能性が高い．そのため，それらの特徴像を十分に理解し，細胞診判定に活かすことが重要である[5, 19-29]．以下のⓐ～ⓔの所見が複数個みられる場合には，腫瘍性病変よりもホルモン環境異常による変化に十分留意して判定を進めることが重要である．

ⓐ 内膜間質細胞凝集塊(図7～11) [▸5～7]

- 過染性核を有し，細胞質の乏しい内膜間質細胞が凝集・圧縮されて緻密な塊(集簇)を形成したもので，**不整形突出集塊**として出現する．
- 核に，形の不整，大小不同，クロマチン濃染，極性の乱れ，重積などを認める．
- 核形が類円～紡錘～腎形と多彩である．
- SP-LBC標本では**3層以上の核重積**を示し，**腎形核**が特徴である．

▸**4** EGBDの病理組織学的な所見である乳頭状増殖(表層合胞状/乳頭状化生)は，子宮内膜表層被覆上皮において認められ，それらは血管結合組織をもたない小乳頭状の房をしばしば形成し，多層化した好酸性細胞や線毛が特徴で，核の腫大や多形性の程度は比較的軽度であると報告されている[11-14] (図5)．したがって，EGBD例での細胞診断の際に，表層合胞状/乳頭状化生は構造異型として認識され(図12，13)，子宮内膜増殖症や子宮内膜癌との鑑別が問題となることが考えられる[15-18]．

▸**5** 直接塗抹法でのEGBD症例において，内膜間質細胞凝集塊20個以上の出現頻度は84.4%であり，DPP(7.9%)や子宮内膜増殖症(単純型：2.9%，複雑型6.9%)と比較して有意に高値であり特徴的な所見であった[5, 23]．

b ▸化生性不整形突出集塊(図 12～21)[▸6, 8～11]

- 化生細胞(細胞質変化)のみで構成されている細胞集塊で，細胞集塊辺縁より小突起状の突出がみられるもので，**小突起の細胞質辺縁**が明瞭で，不整形突出集塊として出現する．
- 厚みのある細胞質と軽度～中等度(場合によっては高度)の**核の腫大**，**核小体の腫大**を認める場合もある．
- 細胞質辺縁での**線毛**を認める．
- SP-LBC 標本では **3 層以上の核重積**を示し，**紡錘形核**が特徴である．
- 集塊に内膜間質細胞凝集塊が内包されたものや付着したものを認める．

▸6 細胞核の重積スコア(なし：スコア 0，2 層：スコア 1，3 層：スコア 2)について，SP-LBC 法では，内膜間質細胞凝集塊の核重積スコア〔3.3〕と化生性不整形突出集塊〔2.6〕は，子宮内膜癌細胞(類内膜癌 Grade 1)集塊〔2.2〕と比べてそれぞれ有意に高値であった(〔 〕内はいずれも平均値)．対照的に，直接塗抹法はすべての群において重積度がスコア 1 以下であった．

核の形状(類円～卵円形・紡錘形・腎形)について，SP-LBC 法での腎形核の頻度では，内膜間質細胞凝集塊(20.6%)(図 9)が，子宮内膜癌細胞集塊(0.8%)や化生性不整形突出集塊(0%)と比べ有意に高値であった．紡錘形核では，化生性不整形突出集塊(17.1%)(図 14)が，子宮内膜癌細胞集塊(3.3%)や内膜間質細胞凝集塊(8.9%)と比べて有意に高値であった．類円～卵円形核では，子宮内膜癌細胞集塊(95.9%)が，内膜間質細胞凝集塊(70.5%)や化生性不整形突出集塊(82.9%)と比べ有意に高値であった．また直接塗抹法との比較では，内膜間質細胞凝集塊の腎形核について，SP-LBC 法(20.6%)が直接塗抹法(11.8%)よりも有意に高値であり，化生性不整形突出集塊での紡錘形核も SP-LBC 法(17.1%)が直接塗抹法(6.2%)よりも有意に高値であった．

SP-LBC 法での核面積について，内膜間質細胞凝集塊(24.8 μm^2)は，化生性不整形突出集塊(43.2 μm^2)および子宮内膜癌細胞集塊(37.3 μm^2)に比して有意に小型であり，化生性不整形突出集塊は他に比し有意に大型であった[21-24]．

▸7 免疫細胞化学染色による内膜間質細胞凝集塊と子宮内膜癌との鑑別[25]：CD10，Wilms tumor 1 protein(WT-1)および Cytokeratin CAM 5.2(CAM 5.2)を使用し，LBC 標本における免疫細胞化学染色での評価を試みた．その結果，EGBD での内膜間質細胞凝集塊が CD10 および WT-1 に陽性を示し，CAM5.2 が陰性であった．一方，類内膜癌 Grade 1 の子宮内膜癌細胞集塊では CAM5.2 に陽性を示し，CD10 および WT-1 は陰性であった．したがって，CD10，WT-1，CAM5.2(図 10，11)の組み合わせは，EGBD での内膜間質細胞凝集塊と子宮内膜癌との鑑別に有用である．

▸8 直接塗抹法での EGBD 症例において，好酸性化生または線毛性化生(図 15)の出現頻度は 93.8%であり，DPP(50.0%)や子宮内膜増殖症(単純型 50.0%，複雑型 21.0%)と比較して有意に高値であり特徴的な所見であった[14, 23]．

▸9 直接塗抹法での EGBD 症例において，内膜間質細胞凝集塊を含む化生性不整形突出集塊の出現頻度(93.1%)は DPP(46.2%)や子宮内膜増殖症(単純型 16.7%，複雑型 14.3%)と比較して有意に高値であり特徴的な所見であった[14, 23]．EGBD の病理組織学的所見においても，表層合胞状/乳頭状化生の細胞が内膜間質細胞凝集塊を囲むように内膜表層にみられ(図 6)，これらの変化そのものは病的でなく EGBD に続く組織反応であると報告されている[1, 12, 13]．したがって，内膜間質細胞凝集塊を含む化生性不整形突出集塊(図 16)は，子宮内膜表層被覆上皮の表層合胞状/乳頭状化生由来であり，それらの出現は EGBD を示唆する指標である[14, 23]．

▸10 免疫細胞化学染色による化生性不整形突出集塊と子宮内膜癌との鑑別[26]：Insulin-like growth factor-II mRNA-binding protein 3(IMP3)を使用し，LBC 標本における免疫細胞化学染色での評価を試みた．その結果，IMP3 での発現スコア 3 以上での閾値を使用した場合，漿液性癌症例のみが類内膜癌 Grade 1/3 症例よりも有意に高い発現を示し，EGBD 症例での化生性不整形突出集塊はすべて陰性を示した(図 17，18)．したがって，IMP3 での免疫細胞化学染色は，漿液性癌から，類内膜癌 Grade 1/3 および EGBD での化生性不整形突出集塊を鑑別する有用なマーカーであり，さらに，化生性不整形突出集塊と類内膜癌との鑑別には IMP3 と PTEN などの他のバイオマーカー[27]と組み合わせることにより，正確な診断の補助ツールになり得る．

c ライトグリーン体(図 22) [▶ 12]

- ライトグリーンに好染する物質で，不均一な顆粒状または線維状模様を示す．内膜間質細胞凝集塊の内部や背景に認められる．

d 断片化塊

- 断片化した内膜腺や変性凝集を起こした内膜間質細胞が血液やフィブリンの中に埋もれ，塊を形成したもの．
- SP-LBC 標本では標本作製過程により，認められない．

e 拡張・分岐集塊 [▶ 13]

- 管状腺管の途中や端で不規則な腺の拡張(腺管の最大幅が最小幅の 2 倍以上)や分岐がみられるもので，集塊外側に内膜間質細胞の付着を認め集塊の内側は腔状である．内膜間質への芽出・分枝状発育を反映している．

▶ 11 イメージング形態計測による化生性不整形突出集塊と子宮内膜癌との鑑別[29]：イメージング形態計測「ImageJ ソフトウェア」(http://rsbweb.nih.gov)を使用し，LBC 標本における核小体サイズについて評価を試みた．その結果，核小体径が 2.0 μm 以上の場合，類内膜癌 Grade 1 以上の内膜癌の診断とともに，類内膜癌 Grade 1 から EGBD での化生性不整形突出集塊を鑑別する有用な客観的な指標であった(図 19〜21)．さらに，核小体径が 3.0 μm 以上の場合は，漿液性癌から類内膜癌 Grade 3 を鑑別するための有用な指標であった．

▶ 12 SP-LBC 標本でのライトグリーン体を含む内膜間質細胞凝集塊の出現頻度は 44.8%で，1 症例あたり平均 2 個認められた．背景のライトグリーン体の出現頻度は 91.4%，1 症例あたり平均 4 個認められたと報告された[20]．EGBD の組織学的所見では，正常月経期内膜では通常遭遇しない，血管壁が薄く拡張した細静脈内の血小板・フィブリン血栓を，変性凝集した間質の領域でしばしば観察されることが報告され[1]（図 4），細胞診標本においても，内膜間質細胞に付着して観察されると記述されている[30]（図 22）.

▶ 13 直接塗抹法での DPP 症例において，拡張・分岐集塊の占有率は 24.5%であり，EGBD (14.8%)と比べて有意に高値であったが，子宮内膜増殖症(単純型 26.8%，複雑型 28.6%)と比較して，それぞれの間において有意な差を認めなかった[5, 23]．それらのことより，子宮内膜細胞診で DPP と子宮内膜増殖症と鑑別することは困難である.

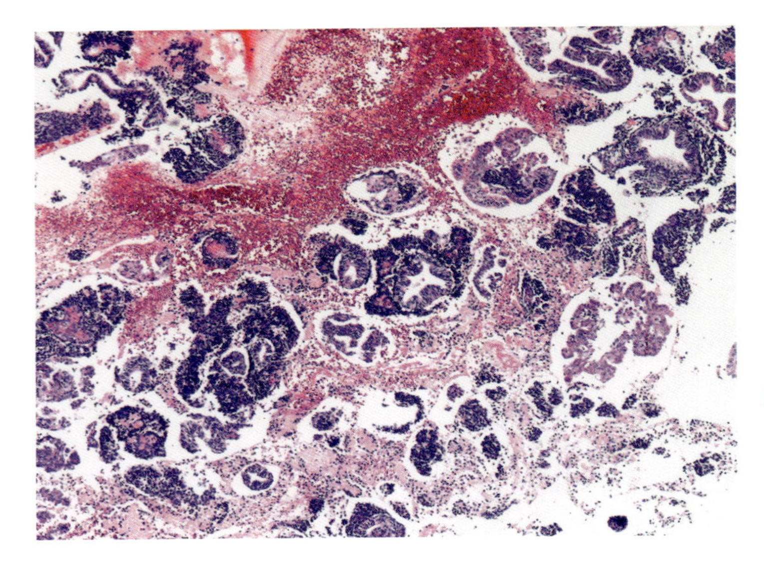

図 1　EGBD 組織像

出血やフィブリンの析出に加えて，内膜の広範な断片化がみられ，分泌像を欠く子宮内膜腺と子宮内膜間質の小断片が観察される．

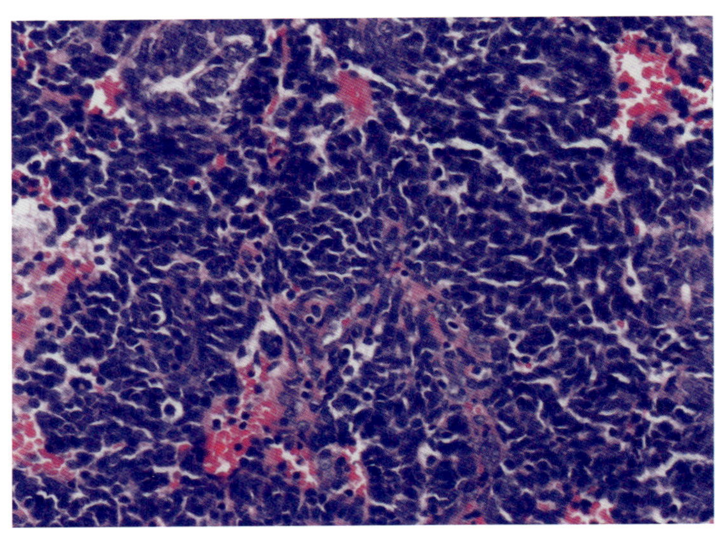

図 2　EGBD 組織像

内膜間質基質が融解するため，内膜間質細胞は変性凝集して密な集団を形成し，それらの核は濃染し細胞質は乏しい．

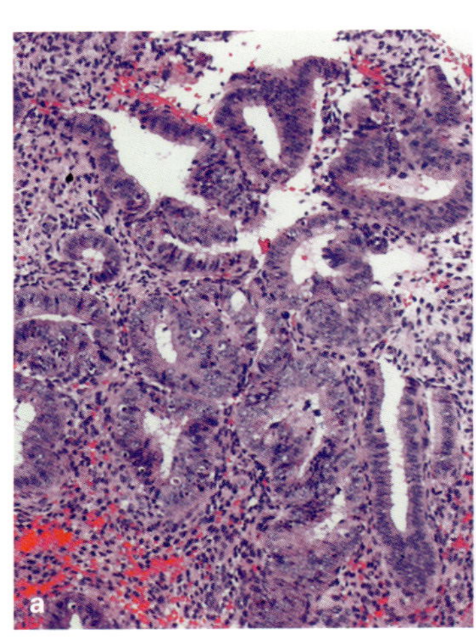

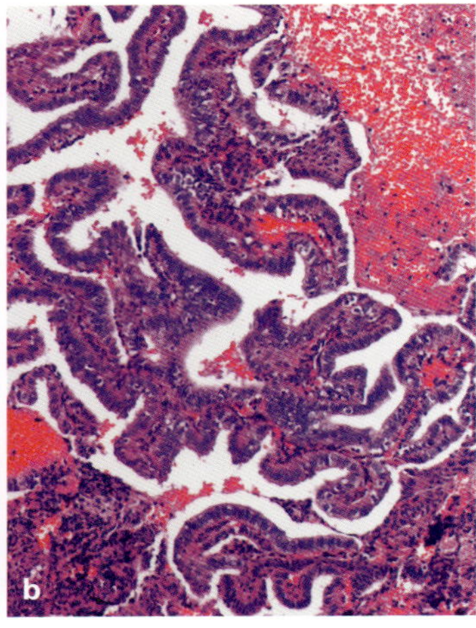

図 3　EGBD 組織像

子宮内膜腺の間に間質が介在せず，子宮内膜腺は不規則にちぎれたように配列する．これらの断片化した子宮内膜腺の密集した像は子宮内膜増殖症や子宮内膜癌との鑑別を要することもある．

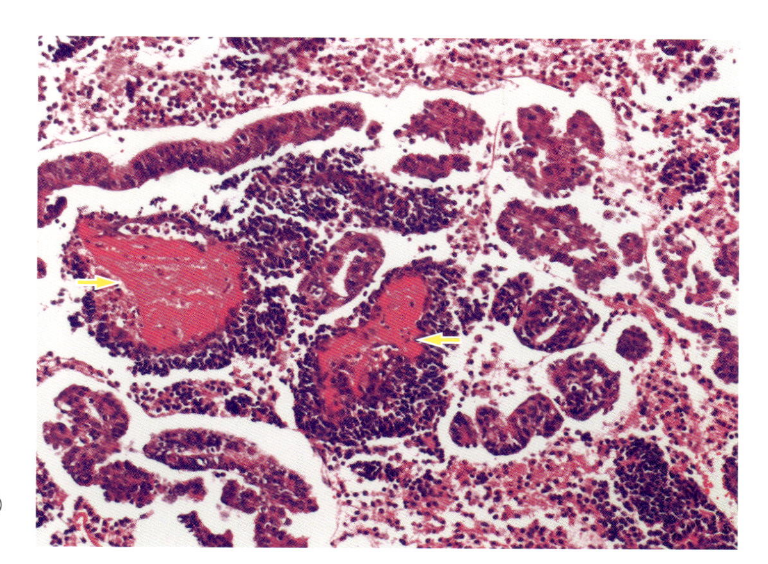

図 4　EGBD 組織像

拡張した毛細血管内では血栓(矢印)を認める.

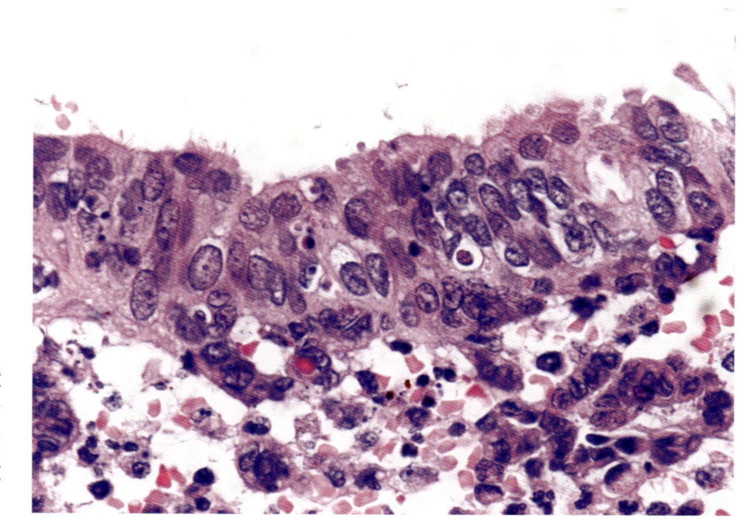

図 5　EGBD 組織像

子宮内膜表層では表層合胞状/乳頭状化生が認められることが多い. 個々の細胞には好酸性細胞質, 不明瞭な細胞境界, 核腫大, 線毛などの特徴が認められる.

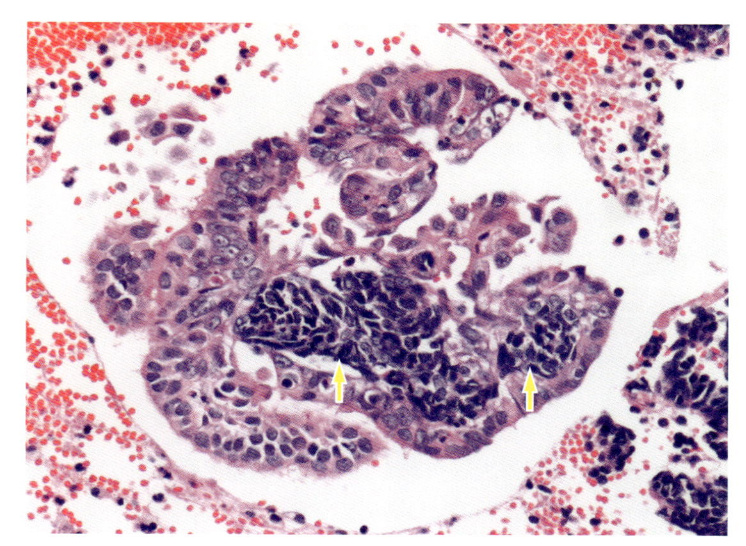

図 6　EGBD 組織像

表層合胞状/乳頭状化生が断片化すると, 内膜間質細胞凝集塊(矢印)を囲むように内膜表層にみられることがある. これらの変化は病的でなく, EGBD における組織反応である.

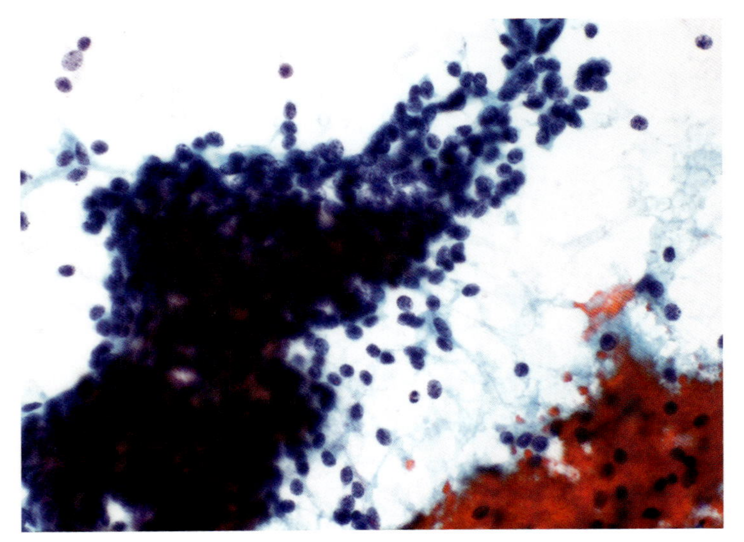

図 7　EGBD（内膜間質細胞凝集塊）
過染性核を有し，細胞質の乏しい内膜間質細胞が凝集・圧縮されて緻密な塊（集簇）を形成したもので，不整形突出集塊として出現し，核での形の不整，大小不同，クロマチン濃染，極性の乱れ，核重積などを認めるため，子宮内膜増殖症や子宮内膜癌と誤判定しないよう，注意が必要である．図 8 の SP-LBC 法と比べると，直接塗抹法においては，塗抹時の乾燥や細胞変形により，細胞集塊は平面的で，核は腫大し丸みを帯びるため，特徴である腎形核が観察される割合が少なくなる．
（直接塗抹法/対物×40）

図 8　EGBD（内膜間質細胞凝集塊）
SP-LBC 法は自然沈降法であるため，細胞は立体構築がよく保たれる．そのため内膜間質細胞の集塊が3 層以上の核重積を伴う不整形突出集塊として出現することが多く，そのことが子宮内膜増殖症や子宮内膜癌と誤判定されないよう，注意が必要である．しかしながら，細胞は採取時に保存液で前固定されるため，形態保持にすぐれており，図 7 の直接塗抹法と比べて，核形が類円～紡錘～腎形と多彩である．
（SP-LBC 法/対物×40）

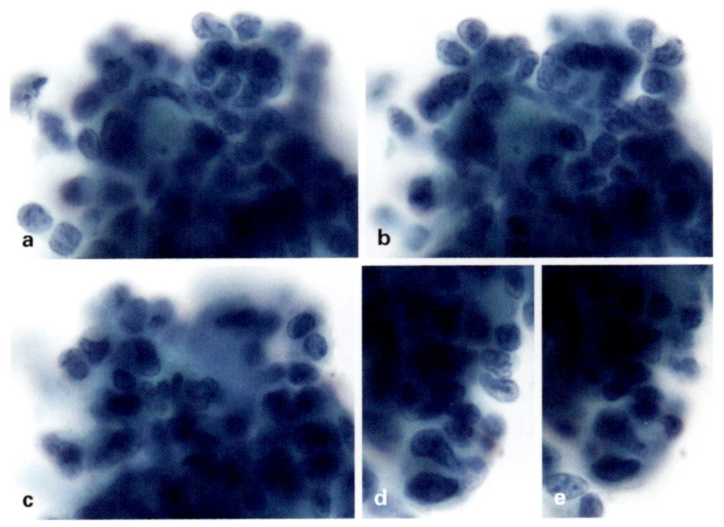

図 9　EGBD（内膜間質細胞凝集塊）
SP-LBC 法では，細胞は採取時に保存液で前固定されるため，形態保持にすぐれており，特徴である腎形核の割合が多い．
（SP-LBC 法/**a～e**：対物×80）

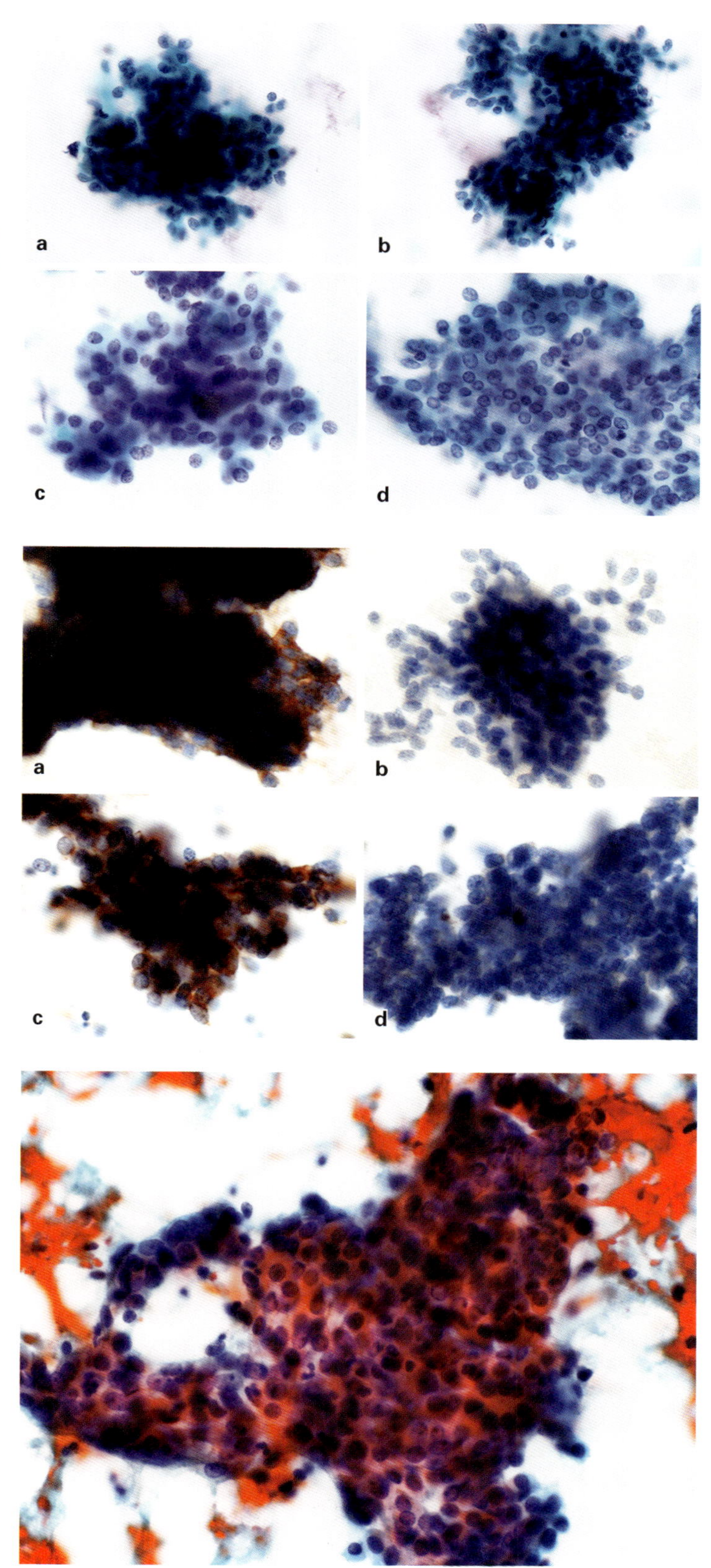

図 10　免疫細胞化学染色による内膜間質細胞凝集塊と子宮内膜癌との鑑別

EGBD の内膜間質細胞凝集塊（**a, b**）は，種々の程度の細胞異型，3 層以上の核重積や不整形突出パターンの構造異型を示すため，類内膜癌 Grade 1（**c, d**）との鑑別が困難な場合がある．
（SP-LBC 法/**a〜d**：対物×40）

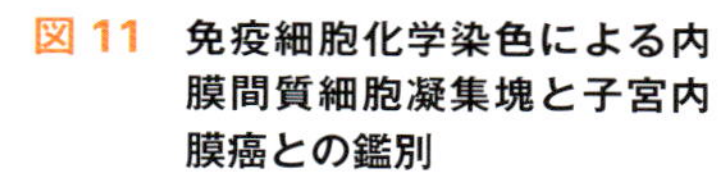

図 11　免疫細胞化学染色による内膜間質細胞凝集塊と子宮内膜癌との鑑別

EGBD での内膜間質細胞凝集塊が CD10 に陽性（**a**）を示し，CAM5.2 が陰性（**b**）であった．一方，類内膜癌 Grade 1 の癌細胞集塊では CAM5.2 に陽性（**c**）を示し，CD10 は陰性（**d**）であった．
（免疫細胞化学染色/**a〜d**：対物×60）[Norimatsu Y, et al. Diagn Cytopathol. 2009；37：891-896, Fig.C-3, Fig.C-5 より改変]

図 12　EGBD（化生性不整形突出集塊）

図 5 の組織像での表層合胞状/乳頭状化生像に対応するもので，化生細胞（細胞質変化）のみで構成される細胞集塊である．それらは細胞集塊辺縁より小突起状の突出がみられ，細胞質辺縁は明瞭であり，核重積を伴う不整形突出集塊として出現するため，子宮内膜増殖症や子宮内膜癌と誤判定しないよう注意が必要である．図 13 の SP-LBC 法と比べ，直接塗抹法では塗抹時の乾燥や細胞変形により，細胞集塊は平面的で，核は腫大し丸みを帯びて観察されるため，特徴である紡錘形核の割合が少ない．（直接塗抹法/対物×40）

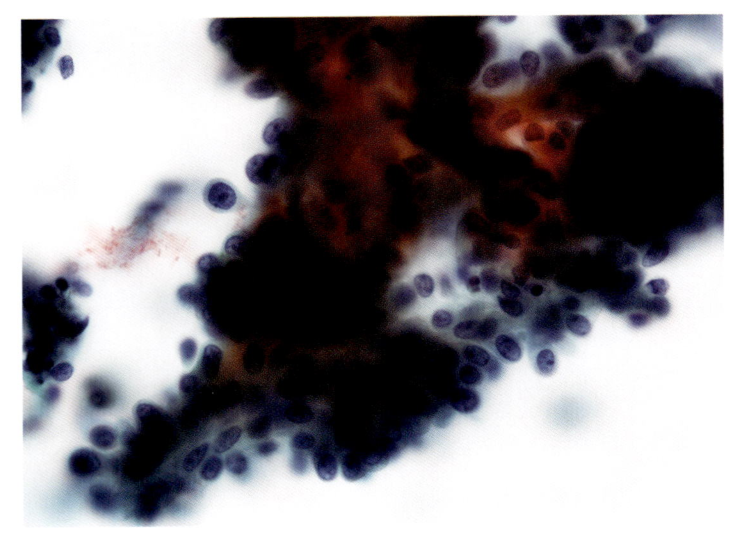

図 13　EGBD（化生性不整形突出集塊）

SP-LBC 法は自然沈降法であるため，細胞は立体構築がよく保たれ，3 層以上の核重積を伴う不整形突出集塊として認められることが多い．さらに，化生性変化として，厚みのある細胞質と核腫大，核小体の腫大が認められるため，子宮内膜増殖症や子宮内膜癌と誤判定しないよう，注意が必要である．しかしながら，細胞は採取時に保存液で前固定されるため，形態保持にすぐれており，図 12 の直接塗抹法と比べて，特徴である紡錘形核が観察されやすい．
（SP-LBC 法/対物×40）

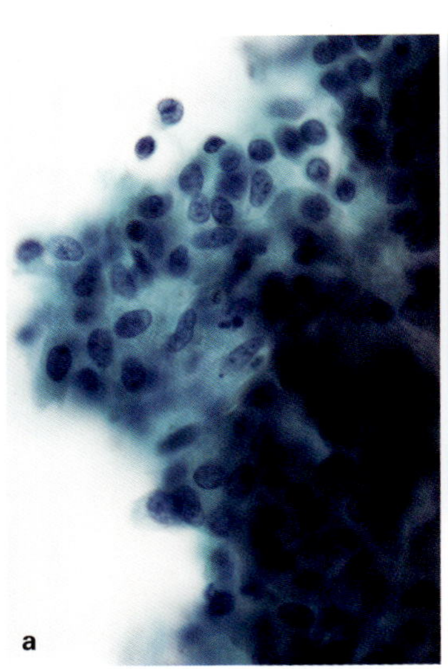

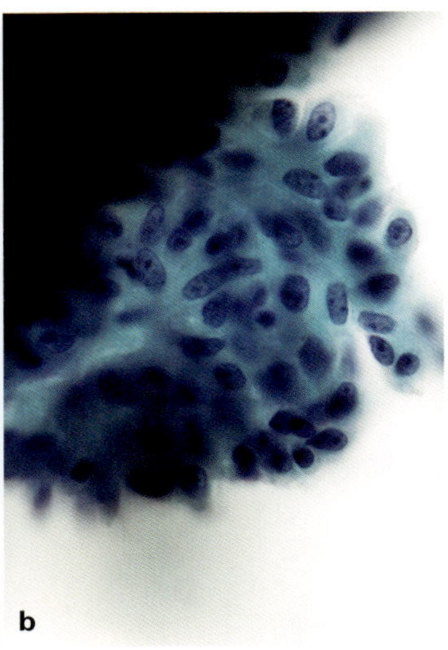

図 14　EGBD（化生性不整形突出集塊）

SP-LBC 法では，細胞は採取時に保存液で前固定されるため，形態保持にすぐれており，特徴である紡錘形核の割合が多い．
（SP-LBC 法/**a, b**：対物×40）

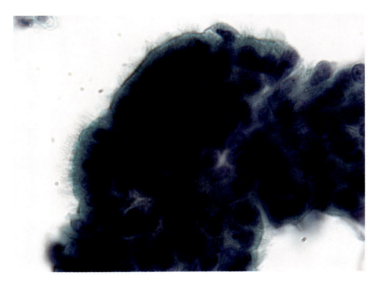

図 15　EGBD（化生性不整形突出集塊）

直接塗抹法よりも SP-LBC 法では背景が清明となるため，化生細胞における細胞質辺縁の線毛が明瞭に観察される．
（SP-LBC 法/対物×80）

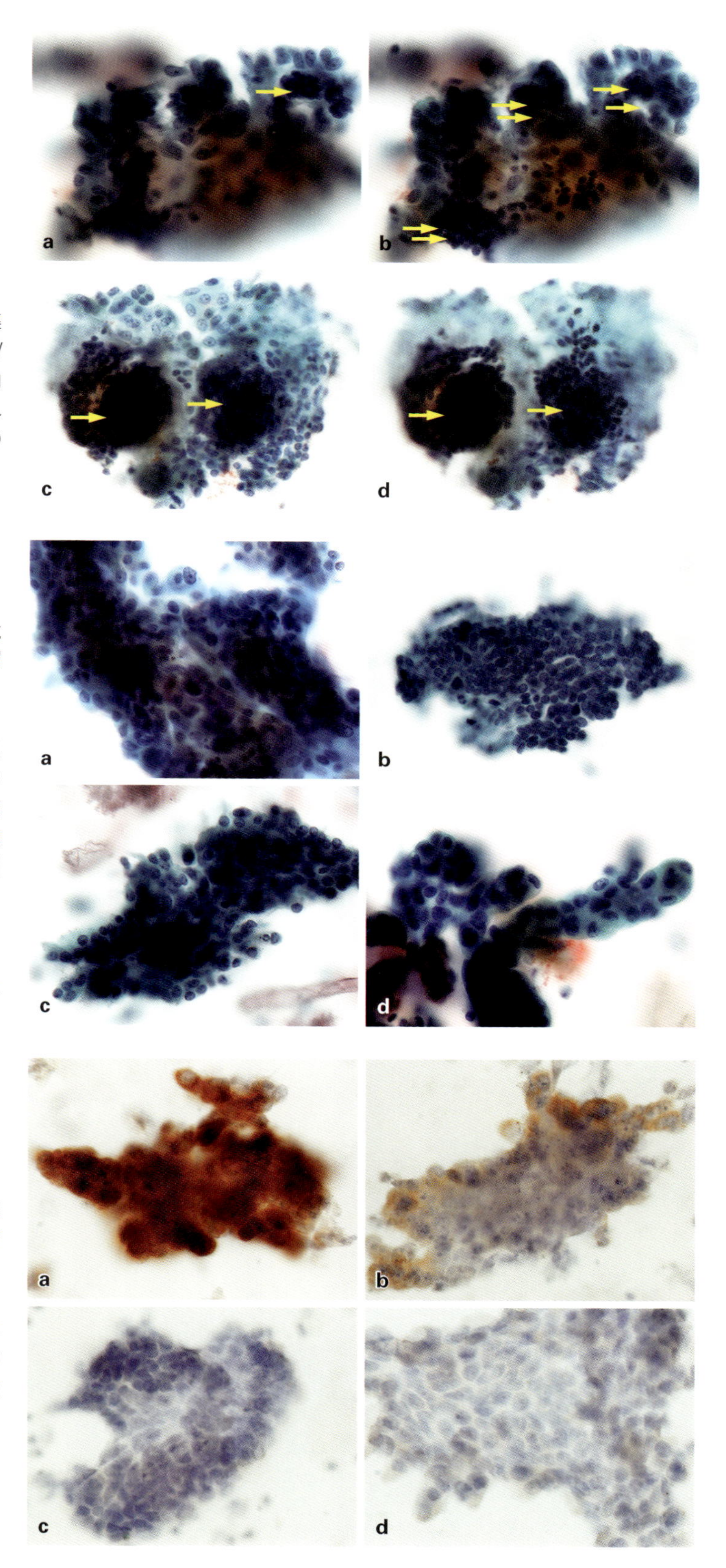

図 16　EGBD
（化生性不整形突出集塊）

図 6 の組織像での内膜間質細胞凝集塊を囲むようにみられる表層合胞状/乳頭状化生像に対応するもので，内膜間質細胞凝集塊（矢印）が内包された化生性不整形突出集塊は EGBD を示唆する指標である．
（SP-LBC 法/**a**～**d**：対物×40）

図 17　免疫細胞化学染色による化生性不整形突出集塊と子宮内膜癌との鑑別

EGBD の化生性不整形突出集塊（**a**）は，種々の程度の細胞異型，3 層以上の核重積や不整形突出パターンの構造異型を示すため，子宮内膜癌（**b**：類内膜癌 Grade 1，**c**：類内膜癌 Grade 3，**d**：漿液性癌）との鑑別が困難な場合がある．
（SP-LBC 法/**a**～**d**：対物×40）
[Norimatsu Y，et al．Cytopathology. 2019；30：215-222，Fig.1，2 より改変]

図 18　免疫細胞化学染色による化生性不整形突出集塊と子宮内膜癌との鑑別

漿液性癌（**a**）は集塊全体に強陽性を，類内膜癌 Grade 3（**b**）は集塊の一部に弱陽性を示している．類内膜癌 Grade 1（**c**）や EGBD の化生性不整形突出集塊（**d**）は陰性である．
（SP-LBC 法/**a**～**d**：対物×40）
[Norimatsu Y，et al．Cytopathology. 2019；30：215-222，Fig.3，4 より改変]

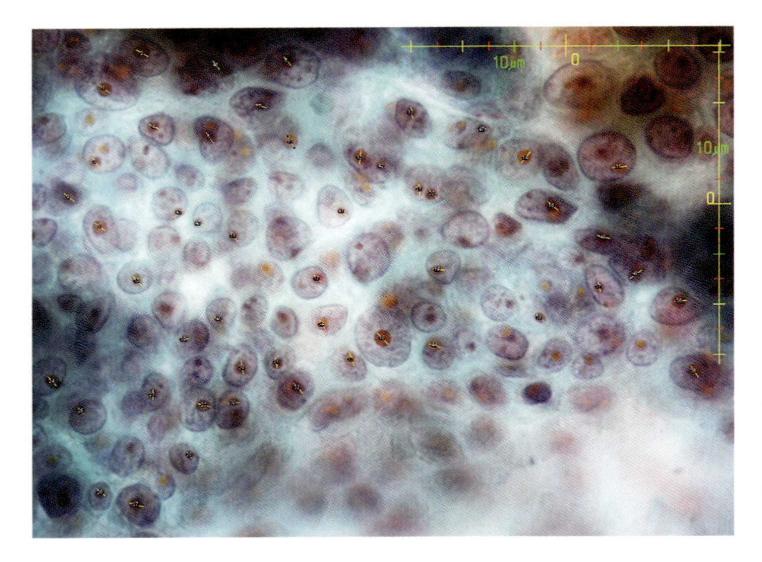

図 19　ImageJ での核小体径の測定

任意に選択した核について，マウスにて核小体の長軸に沿って線(黄色)を引くと，各々の核の核小体径は自動的に計測される.
(SP-LBC 法/対物×60)

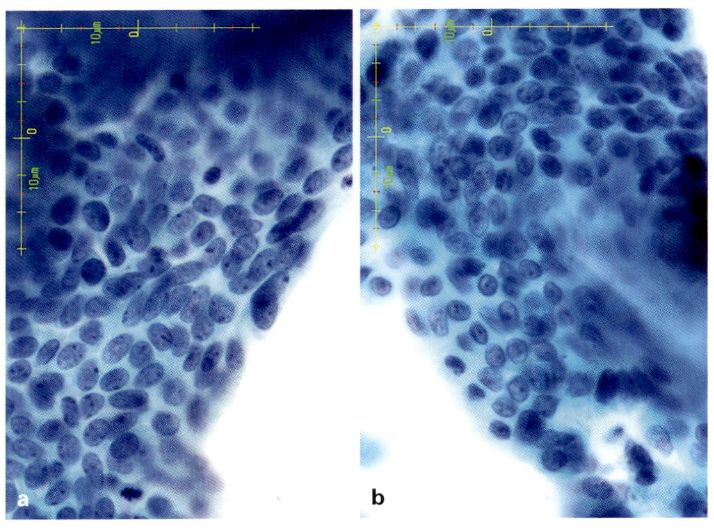

図 20　ImageJ での核小体径の測定

EGBD での化生性不整形突出集塊(**a**)は時折，類内膜癌 Grade 1(**b**)に類似した構造異型および核異型を示すことがあり，顕微鏡的目視では子宮内膜癌との鑑別が必要な場合がある.
(SP-LBC 法/**a, b**：対物×60)

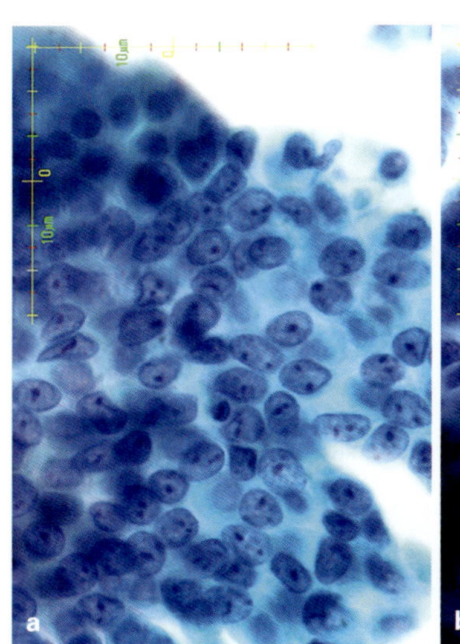

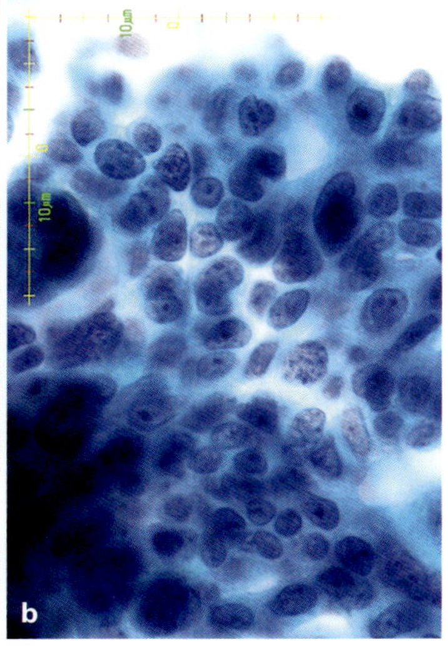

図 21　ImageJ での核小体径の測定

EGBD での化生性不整形突出集塊(**a**)は，類内膜癌 Grade 3(**b**)に類似した核異型(核腫大・核の大小不同・核の配列不整・核小体腫大)を有する場合，顕微鏡的目視では両者の鑑別は困難な場合がある.
(SP-LBC 法/**a, b**：対物×60)

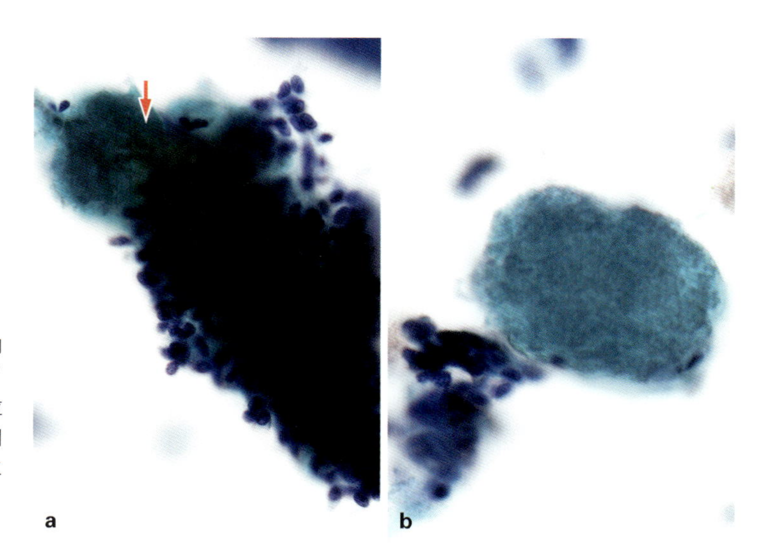

図 22　EGBD（ライトグリーン体）
図 4 の組織像で拡張した毛細血管内での血栓像に対応するもので，ライトグリーンに好染し，不均一な顆粒状または線維状模様を示す．内膜間質細胞凝集塊の内部（矢印）や背景に認められる．
（SP-LBC 法/**a, b**：対物×40）

文献

1）McCluggage WG. Benign disease of the endometrium. In Kurman RJ, Ellenson LH, Ronnett BM (eds). Blaustein's Pathology of the Female Genital Tract. 6th ed. New York：Springer-Verlag；2010. 307-354.
2）本山悌一．ホルモン失調による子宮内膜病変の所見と診断．病理と臨床．1998；16：539-543.
3）桜井幹己．子宮内膜増殖症と鑑別すべき非腫瘍性病変―取り扱い規約に沿った腫瘍鑑別アトラス子宮体部（第 2 版）．文光堂；1999. 49-53.
4）Vakiani M, Vavilis D, Agorastos T. Histopathological findings of the endometrium in patients with dysfunctional uterine bleeding. Clin Exp Obstet Gynecol. 1996；23：236-239.
5）Shimizu K, Norimatsu Y, Kobayashi TK, et al. Endometrial glandular and stromal breakdown, part 1：Cytomorphological appearance. Diagn Cytopathol. 2006；34：609-613.
6）林　玲子，蔵本博行．子宮内膜機能性出血の細胞診―内膜細胞診疑陽性例の再検討から．日臨細胞誌．2002；41：201-208.
7）Ferenczy A. Pathophysiology of endometrial bleeding. Maturitas. 2003；45：1-14.
8）Livingstone M, Fraser IS. Mechanisms of abnormal uterine bleeding. Hum Reprod Update. 2002；8：60-67.
9）森谷卓也．子宮内膜増殖症と鑑別すべき非腫瘍性病変．石倉浩，本山悌一，森谷卓也（編）．子宮腫瘍病理アトラス．文光堂；2007. 239-243.
10）三上芳喜．子宮内膜増殖症と鑑別すべき病変．病理と臨床．2004；22：369-374.
11）Hendrickson MR, Kempson RL. Endometrial epithelial metaplasias：Proliferations frequently misdiagnosed as adenocarcinoma. Report of 89 cases and proposed classification. Am J Surg Pathol. 1980；4：525-542.
12）Zaman SS, Mazur MT. Endometrial papillary syncytial change；A nonspecific alteration associated with active breakdown. Am J Clin Pathol. 1993：99：741-745.
13）Lehman MB, Hart WR. Simple and complex hyperplastic papillary proliferations of the endometrium：A clinicopathologic study of nine cases of apparently localized papillary lesions with fibrovascular stromal cores and epithelial metaplasia. Am J Surg Pathol. 2001；25：1347-1354.
14）Norimatsu Y, Shimizu K, Kobayashi TK, et al. Endometrial glandular and stromal breakdown, part 2：Cytomorphology of papillary metaplastic changes. Diagn Cytopathol. 2006；34：665-669.
15）Ehrmann RL. Atypical endometrial cells and stromal breakdown two case reports. Acta Cytol. 1975；19：465-469.

16) Gribaudi G, Alasio L. Cytological changes caused by intrauterine devices. Pathologica. 1981；73：207-216.
17) Saurel J, Marc J, Audebert A, et al. Cytological complications of IUDs (author's transl). Arch Anat Cytol Pathol. 1982；30：20-24.
18) Rorat E, Wallach RC. Papillary metaplasia of the endometrium：Clinical and histopathologic considerations. Obstet Gynecol. 1984；64：90s-92s.
19) Norimatsu Y, Yuminamochi T, Shigematsu Y, et al. Endometrial glandular and stromal breakdown, part 3：Cytomorphology of "condensed cluster of stromal cells". Diagn Cytopathol. 2009；37：891-896.
20) Norimatsu Y, Kawai M, Kamimori A, et al. Endometrial glandular and stromal breakdown, part 4：Cytomorphology of "condensed cluster of stromal cells including a light green body". Diagn Cytopathol. 2012；40：204-209.
21) Norimatsu Y, Shigematsu Y, Sakamoto S, et al. Nuclear features in endometrial cytology：Comparison of endometrial glandular and stromal breakdown and endometrioid adenocarcinoma grade 1. Diagn Cytopathol. 2012；40：1077-1082.
22) Norimatsu Y, Shigematsu Y, Sakamoto S, et al. Nuclear characteristics of the endometrial cytology：Liquid-based versus conventional preparation. Diagn Cytopathol. 2013；41：120-125.
23) 則松良明．無排卵周期に伴う機能性出血の細胞像―特に Endometrial glandular and stromal breakdown の細胞像について．日臨細胞誌．2012；51：93-104.
24) 則松良明．無排卵周期に伴う Endometrial glandular and stromal breakdown の細胞像―従来法と LBC 法の比較．日臨細胞誌．2013；52：77-86.
25) Norimatsu Y, Yuminamochi T, Shigematsu, et al. Endometrial glandular and stromal breakdown, part 3：cytomorphology of 'condensed cluster of stromal cells'. Diagn Cytopathol. 2009；37：891-896.
26) Norimatsu Y, Yanoh K, Maeda Y, et al. Insulin-like growth factor-II mRNA-binding protein 3 immunocytochemical expression in direct endometrial brushings：possible diagnostic help in endometrial cytology. Cytopathology. 2019；30：215-222.
27) Norimatsu Y, Miyamoto M, Kobayashi TK, et al. Diagnostic utility of phosphatase and tensin homolog, beta-catenin, and p53 for endometrial carcinoma by thin-layer endometrial preparations. Cancer. 2008；114：155-164.
28) Norimatsu Y, Ohsaki H, Yanoh K, et al. Expression of immunoreactivity of nuclear findings by p53 and cyclin a in endometrial cytology：comparison with endometrial glandular and stromal breakdown and endometrioid adenocarcinoma grade 1. Diagn Cytopathol. 2013；41：303-307.
29) Norimatsu Y, Irino S, Maeda Y, et al. Nuclear morphometry as an adjunct to cytopathologic examination of endometrial brushings on LBC samples：a prospective approach to combined evaluation in endometrial neoplasms and look alikes. Cytopathology. 2021；32：65-74.
30) Maksem JA, Robboy SJ, Bishop JW, et al. Benign endometrial abnormalities. In Rosenthal DL (ed). Endometrial Cytology with Tissue Correlations. 1st ed. New York：Springer Science+Business Media, LLC；2009. 97-152.

（則松良明）

TYS 2/TYS 4

子宮内膜異型細胞
Atypical endometrial cells(ATEC)

背景

子宮内膜異型細胞(atypical endometrial cells：ATEC)は記述式子宮内膜細胞診報告様式において，**新たに設定された判定区分**である(図1〜18)．従来の「**疑陽性**」の一部に該当するが，**「疑陽性」とは異なり**，細胞診で良性範囲内の細胞形態変化や子宮内膜増殖症，子宮内膜異型増殖症/類内膜上皮内腫瘍をできるかぎり判定することに努め，それでも**何らかの理由で，特定の組織診断が推定できない際に限り**，本判定区分で報告されることが望ましい．この判定区分が乱用されることを防止するため，ATECと判定される件数は，**ベセスダシステム2001**と同様に**数値目標**が設定されている．

ATECは，組織診断が推定できない場合に限定された除外診断としてのグレーゾーンであるため，**典型的なATECの判定基準は存在しない**．

このカテゴリーに限り，カテゴリーとしてのATECのみの診断は許可されず，必ず「**子宮内膜異型細胞；意義不明**」(**ATEC-USと略す**)，「**子宮内膜異型細胞；子宮内膜異型増殖症/類内膜上皮内腫瘍や悪性病変を除外できない**」(**ATEC-AEと略す**)のいずれかが選択される必要がある．

なお，**異型ポリープ状腺筋腫(atypical polypoid adenomyoma：APA)**に関しては，子宮内膜細胞診で正確に判定することは困難であると考えられる．そのため，この組織診断区分に対応する細胞診判定区分は，当面その細胞異型に応じてATEC-USもしくはATEC-AEとして報告されることが望ましいと考えられる．

定義

a 子宮内膜異型細胞；意義不明
Atypical endometrial cells, of undetermined significance(ATEC-US)

標本適正で**ATEC-US**と判定された場合，**子宮内膜生検は必ずしも必要ではない**．日本臨床細胞学会の臨床研究によれば[1)]，ATEC-USと判定をされた対象の約1/2は良性内膜，残りは子宮内膜異型増殖症/類内膜上皮内腫瘍もしくは悪性腫瘍であることが報告されている．組織診断が施行されず，経過観察とされた対象，および組織診で良性と診断された対象の，その後の自然史は解明されていない．このようにATEC-USは，広く良性子宮内膜から悪性腫瘍までを包括する判定であるため，少なくとも，このことが十分理解されたうえで，**フォローアップ(細胞診再検)**が薦められる．臨床医の判断で子宮内膜生検が実施されることもありうる．

この報告は**全標本の5%以下**であることが望ましい．そのためATEC-USの判定に際しては，ATEC-US以外の判定が困難であった理由を添えて報告されることが，その後の臨床対応を判断する際の助けとなる．

b 子宮内膜異型細胞；子宮内膜異型増殖症/類内膜上皮内腫瘍や悪性病変を除外できない Atypical endometrial cells, cannot exclude EAH/EIN or malignant condition（ATEC-AE）

明白な腫瘍性背景が存在するが，**異型細胞が認められない場合**や，腫瘍の存在を示唆する**化生細胞**（異型のある扁平上皮化生など）や**不整形な細胞集塊**が存在し子宮内膜異型増殖症またはそれ以上の病変が示唆されるが，組織診断が推定できるような**明瞭な腫瘍細胞が存在しない場合**などに選択される．臨床研究により，**ATEC-AE** と判定された約 70％で APA と子宮内膜異型増殖症/類内膜上皮内腫瘍を含む悪性腫瘍が診断されていることが示されている．そのため，内膜生検が推奨される．この報告は**「子宮内膜異型細胞」全体の 10％以下**であることが望ましい．

診断基準

a ATEC-US（TYS 2）

- 細胞診標本全体と臨床情報から導き出された総合判定結果である．
- 明確な判定基準は存在しない．
- 明確な組織診断との整合性はない．
- 以下に示されたような理由などにより，典型的な組織診断が推定できない場合の判定として用いる．
  - ① 炎症やホルモン環境異常，薬物や放射線治療，加齢に伴う閉経などの影響によって，少なくとも正常とは判断できない核所見が認められ，細胞質に**化生性変化が認められる細胞集塊**．**3 層未満の核重積**にとどまるもの．
  - ② 採取されている細胞量が不足しているが，標本中に**異型細胞が認められ，「陰性/悪性腫瘍および前駆病変ではない」と判定できない**場合．

b ATEC-AE（TYS 4）

- 細胞診標本全体と臨床情報から導き出された総合判定結果である．
- 明確な判定基準はない．
- 明確な組織診断との整合性はない．
- **子宮異型内膜増殖症/類内膜上皮内腫瘍**，もしくは**悪性腫瘍が疑われる**が，標本中に認められる異常所見がきわめて限定的である場合や，典型的ではなく断定できない場合に限って用いられる判定結果である．
- 上皮細胞で構成される**不整形突出細胞集塊**において，**3 層以上の核重積**が観察され，細胞異型などの所見に乏しく，かつ**子宮内膜腺・間質破綻（EGBD）**としての所見が認められない場合[2]．細胞質には**化生性変化**の所見が観察されることが多い．

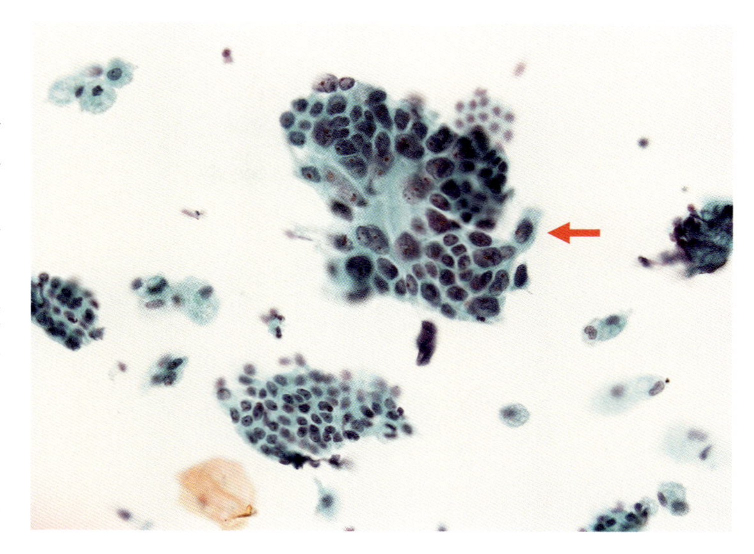

図 1　ATEC-US(78.6%)
50 歳代．3 層未満の核重積を呈する小型細胞集塊．隣接する細胞集塊と比較して，核の大型化，核の長軸方向の乱れ，クロマチンの増量，核小体の顕著化などの所見が認められる他，一部の細胞では線毛上皮化生性変化が確認できる(矢印)．このような細胞質の変化は，子宮内膜腺・間質破綻(EGBD ☞ 90 頁)などでも頻繁に観察されるが，この例では出血性背景の他，典型的な所見が，まったく認められていない．このような所見は，しばしば閉経後の萎縮内膜細胞集塊に伴って出現することがあるが，この所見と漿液性子宮内膜上皮内癌との関連性は解明されておらず，場合によっては「陰性/悪性腫瘍および前駆病変ではない」と報告できない場合もありうる．
(SP-LBC 法/対物×40)

子宮内膜異型細胞(ATEC)の画像に関する補足説明

本項に掲載されている ATEC-US および ATEC-AE の画像を掲載するにあたり，Osaki Study Group (OSG)内の有志(14 名)に対して，ATEC と判定される可能性がある標本を対象とした調査が実施された．

調査の対象は，あらかじめ OSG で所有している，本検討に利用可能な対象から選別されたものである．検討の対象となった 45 例は，すべて BD SurePath™ (SP)法により作製された子宮内膜細胞診標本である．調査の方法は，標本を用いて撮影された画像を本検討に同意した OSG メンバーに配信し，記述式子宮内膜細胞診報告様式を用いて判定したものを集計した．提供された臨床情報は，年齢のみである．なお，実際の臨床運用にあたっては，必ずしも記述式子宮内膜細胞診報告様式を用いた運用が行われているとは限らない．そのため，すべての対象において，判定結果に基づいた組織診断が施行されているわけではない．

掲載されている ATEC-US, ATEC-AE の図に関しては，判定された割合が 50%以上のものを優先的に掲載した〔カッコ内に割合(%)を明示〕．また，**陰性/悪性腫瘍および前駆病変ではない**，もしくは**悪性腫瘍**と判定が分かれた対象に関しても可能な範囲で掲載した．

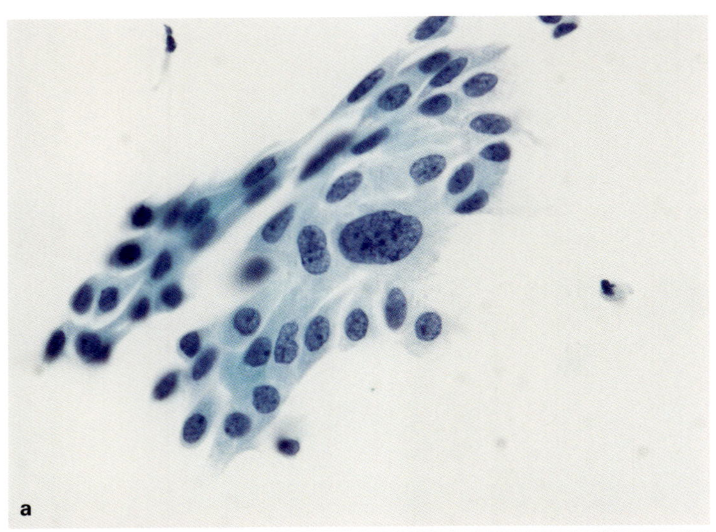

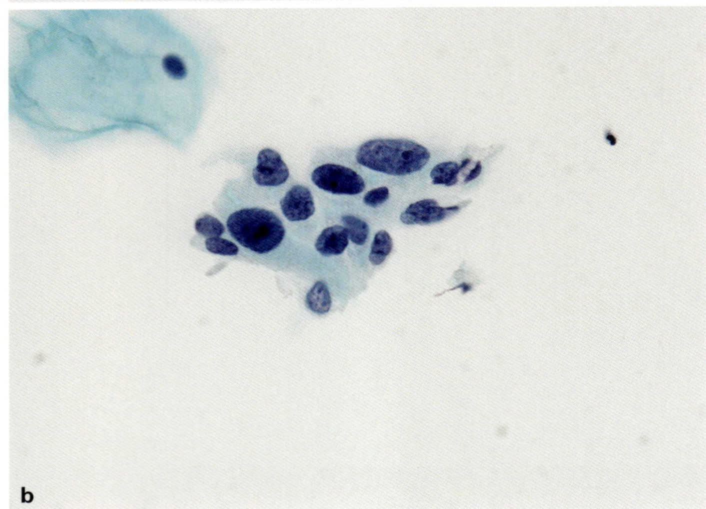

図 2　ATEC-US（78.6%）

50 歳代後半．核の大小不同所見が目立つ細胞集塊を認める．細胞は重積を示していない．核形の不整がみられ，細胞質には化生性変化も認められる．同時に施行された子宮内膜組織生検では，萎縮内膜と診断されている．
（SP-LBC 法/**a, b**：対物×40）

Osaki Study Group（OSG）（大崎内膜細胞診研究会）

本会は，子宮内膜細胞診とそれにかかわる検査および，その関連領域に関する研究を行うことを主な目的として 2012 年 5 月に設立された．研究と同時に，子宮内膜細胞診に関連した知識と技量の普及，および増進に寄与することを目的として，広報，研修会活動も実施している．本会は，子宮内膜細胞診に関心をもち，会の主旨に賛同する医師，細胞検査士，臨床検査技師など，細胞診に従事する者によって構成されており，特定の医療機関や企業，政府機関には所属していない．

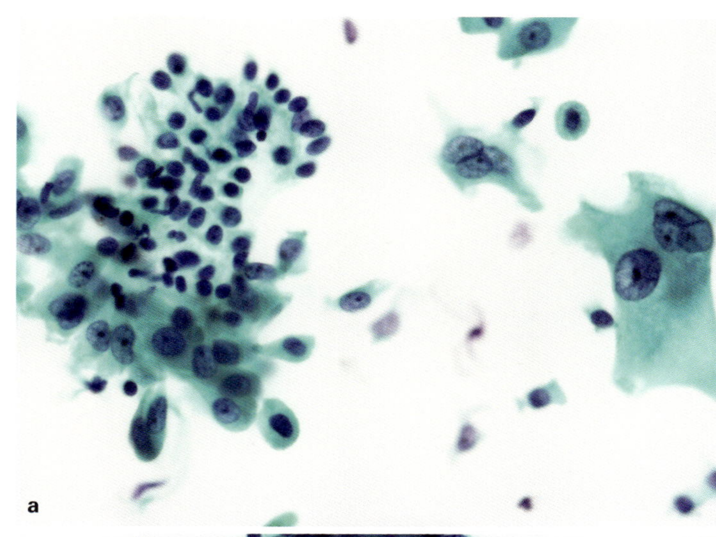

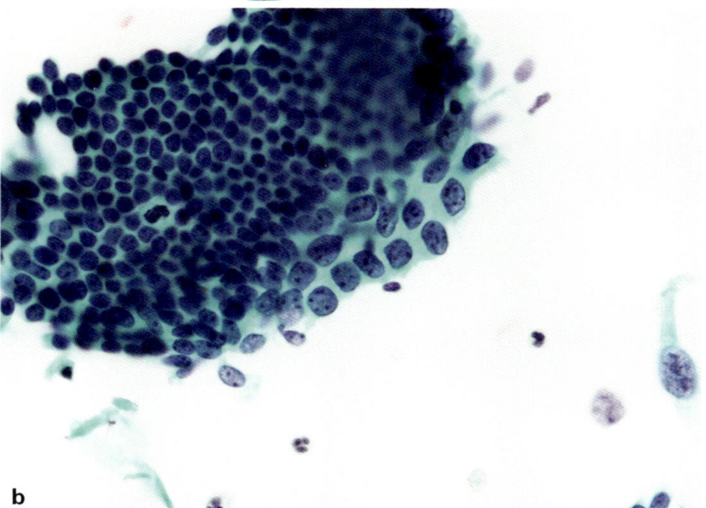

図 3　ATEC-US（78.6%）

50 歳代後半．3 層以上の核重積が認められない小集塊に核大小不同，核形不整，著明な核小体，大型の核などが認められる．核小体は 1～複数個みられる．厚く広い細胞質を有する細胞も出現しており，医原性の変化などの反応性変化も考えられる．（SP-LBC 法/**a, b**：対物×40）

大崎内膜細胞診研究会メンバー

石谷　　健	東京女子医科大学 産婦人科学講座 講師
大杉　増美*	愛媛県立医療技術大学大学院 保健医療学研究科 医療技術科学専攻
岡田　薫子*	東京女子医科大学 産婦人科学講座
川西なみ紀	三原市医師会病院 診療部 臨床検査科
木村　祐子*	東京女子医科大学 産婦人科学講座
木原　真紀*	東京女子医科大学 産婦人科学講座
黒川　哲司*	福井大学 産科婦人科
坂本　寛文*	東海細胞研究所
小林　忠男	大阪大学大学院 医学系研究科 保健学専攻
品川　明子	福井大学 産科婦人科
西川　　武	奈良県立医科大学附属病院 病院病理部
徳田美由紀	東京女子医科大学 産婦人科学講座
中村　　豊*	JA 三重厚生連鈴鹿中央総合病院 中央検査科病理
林　　透*	潤和会記念病院 病理診断科
梁木富美子	東京女子医科大学 産婦人科学講座 助教
広兼　春美*	東京女子医科大学 産婦人科学講座

＊は，「子宮内膜異型細胞（ATEC）」の標本に対する調査の協力者（105 頁 Memo 参照）．【氏名／所属は本書初版発行当時〔2015 年 11 月〕】

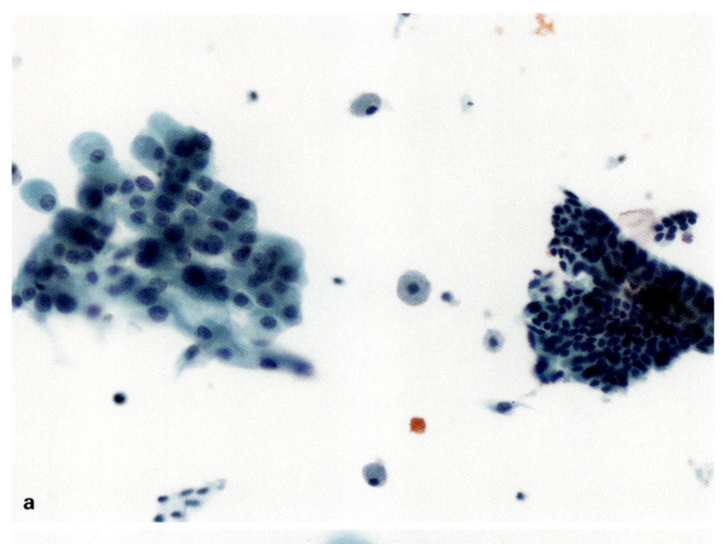

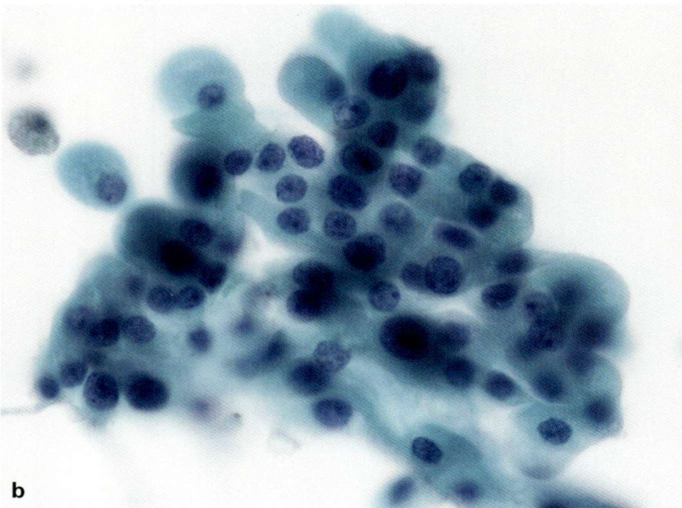

図 4　ATEC-US（78.6%）

70 歳代前半．萎縮内膜上皮細胞集塊とともに，細胞質に化生性変化を示す細胞集塊が認められる．3 層以上の核重積は認められない．核小体も認められるが，悪性腫瘍を疑わなければならないほど目立ったものではない．多くの判定者が，「陰性/悪性腫瘍および前駆病変ではない」と判定することをためらい，ATEC-US と判定した．本例では，子宮内膜生検も実施されているが，採取された組織検体量が少なく，組織標本検体不適とされた．高齢者においては，しばしばこのような事態に遭遇する．そのような場合，現状では臨床症状に注意をはらいながら，細胞診と超音波画像診で経過観察が行われることが望ましいであろう（**b** は，**a** の一部拡大）．
（SP-LBC 法/**a**：対物×20，**b**：対物×40）

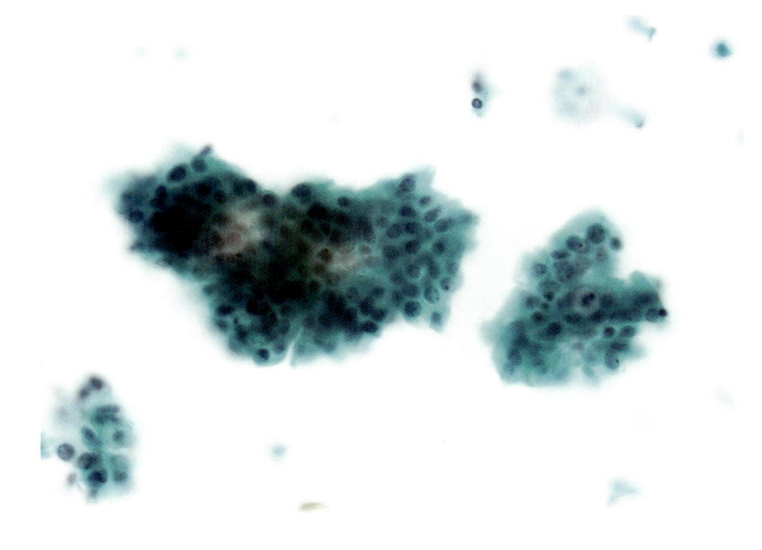

図 5　ATEC-US（57.1%）

70 歳代．化生性変化を伴い，3 層未満の核重積を示す不整形突出集塊が認められる．上皮細胞集塊に間質細胞の付着は認められない．わずかながら好中球の進入像や核の腫大が認められる．本例では，3 層以上の核重積はないと判断され，ATEC-AE ではなく ATEC-US とされた．同時に施行された子宮内膜組織生検では，一部の細胞において，細胞質に好酸性化生性変化を伴った萎縮内膜と診断されている．
（SP-LBC 法/対物×20）

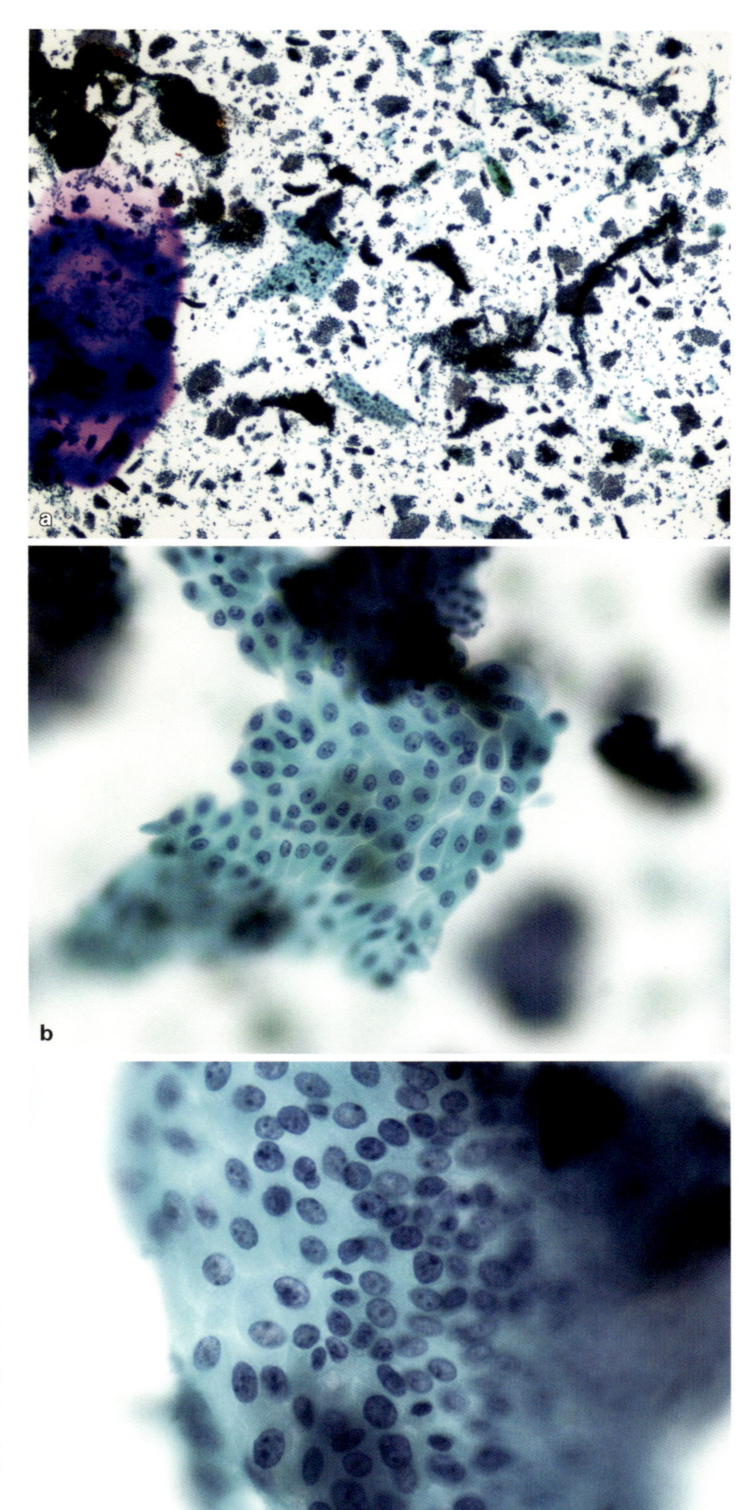

図 6　ATEC-US(42.9%), 陰性/悪性腫瘍および前駆病変ではない(57.1%)

40歳代後半. 軽度な核腫大が認められるが核重積はみられない. 細胞質には化生性変化が認められている. 何らかのホルモン環境異常が推定されるが特定には至らない. 手術摘出標本により, 分泌期早期内膜に一部萎縮像を伴っている状態と診断された.
(SP-LBC法/**a**：対物×4, **b**：対物×20, **c**：対物×40)

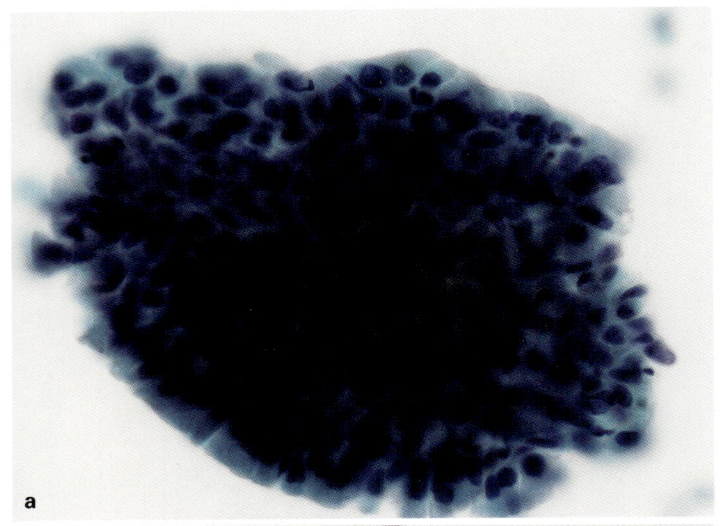

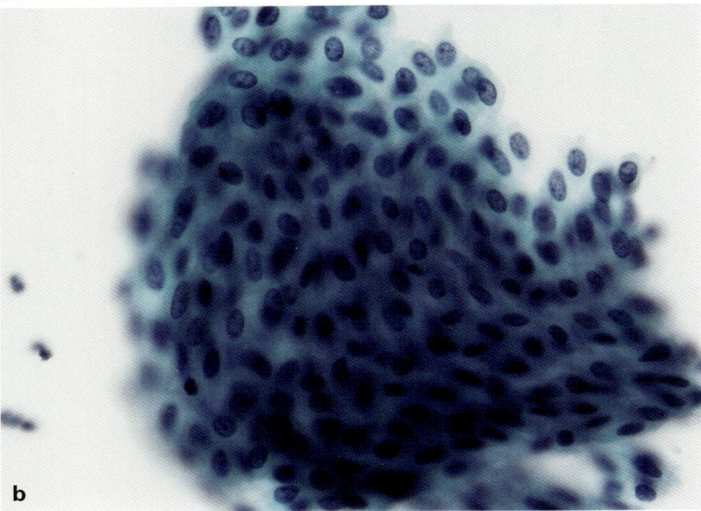

図 7　ATEC-US（42.9%），陰性/悪性腫瘍および前駆病変ではない（42.9%）

70 歳代前半．少数の紡錘形核を有する morule が疑われる細胞集塊が認められる．扁平上皮化生と判断される細胞質の化生性変化により，細胞質はわずかに広い．核異型はない，もしくは少数にとどまるが，3 層以上の核重積が認められる不整形突出集塊が 1 か所に認められている．全体として，細胞異型性が弱く，ATEC-AE と判定した者は 1 名にとどまり，大部分の判定者は「陰性/悪性腫瘍および前駆病変ではない」もしくは ATEC-US と判定した．
（SP-LBC 法/**a, b**：対物×40）

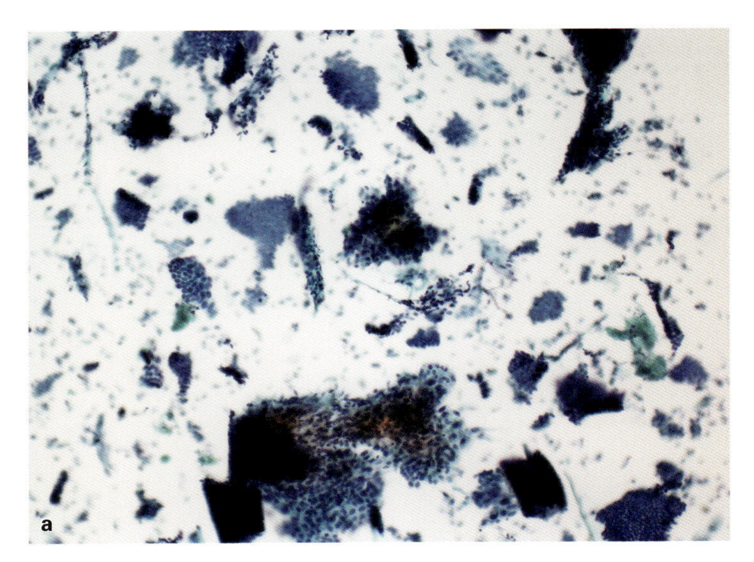

図 8　ATEC-US（35.7%），陰性/悪性腫瘍および前駆病変ではない（57.1%）

50 歳代前半．化生性変化を伴う不整形突出集塊を認められる．わずかに 3 層を超える核重積が認められる集塊が存在するが，多くは 3 層以上の核重積が認められないシート状に近い集塊であり，これらの細胞集塊においては，核大小不同，核の異型，著明な核小体が観察される．一部では，細胞質の化生性変化もうかがわれる．
（SP-LBC 法/**a**：対物×10）

（つづく）

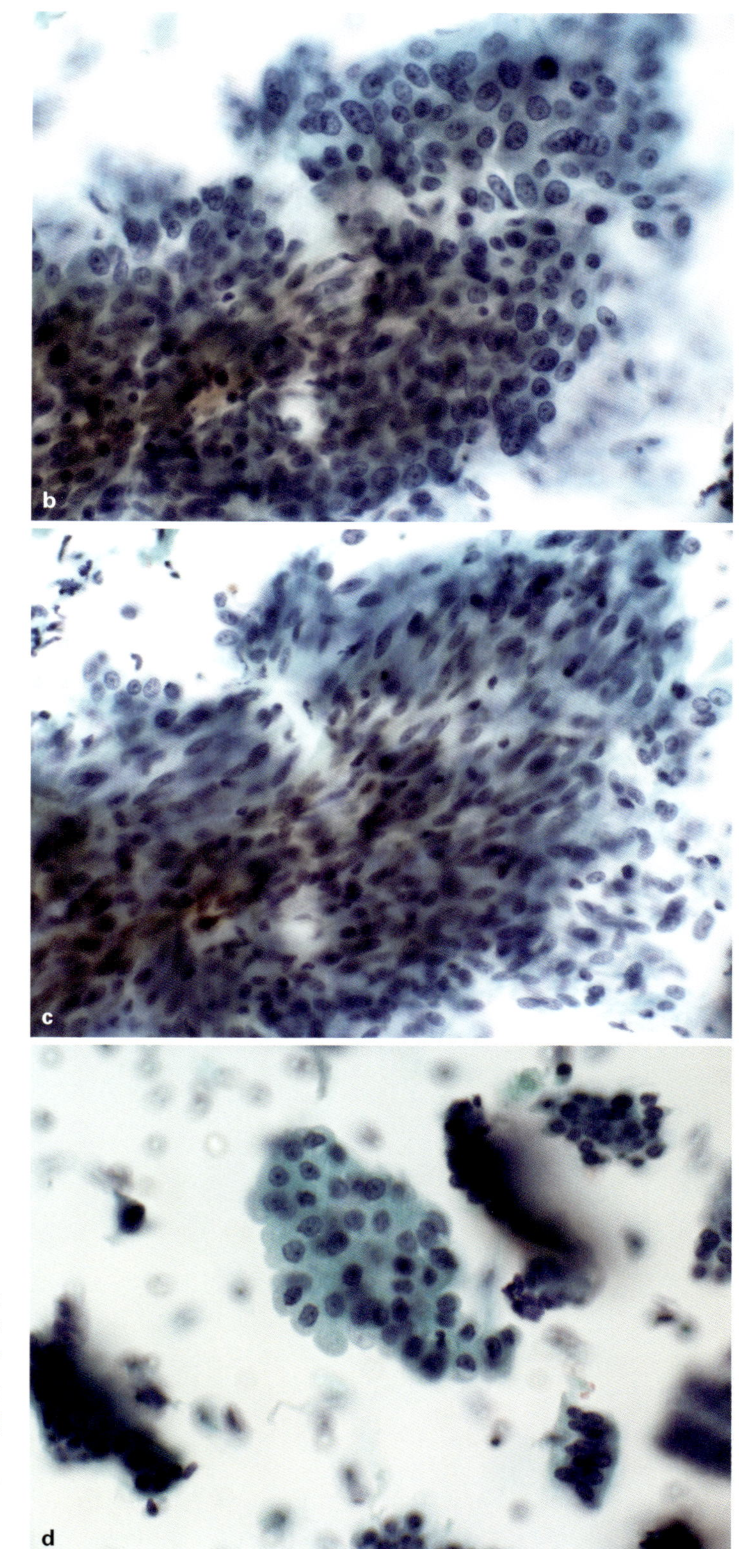

図 8　ATEC-US(35.7%), 陰性/悪性腫瘍および前駆病変ではない(57.1%)(つづき)

「陰性/悪性腫瘍および前駆病変ではない」に次いで多かった判定がATEC-AEではなく，ATEC-USであった理由は，周囲に正常な子宮内膜細胞や子宮内膜間質細胞も多く観察されることが原因であった(**c** は，**b** と同一視野を，顕微鏡のフォーカスを変えて撮影されたもの).
(SP-LBC 法/**b, c, d**：対物×40)

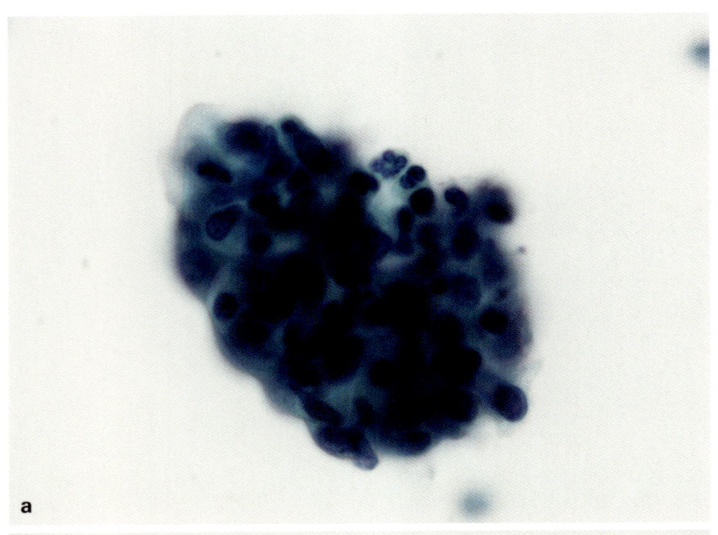

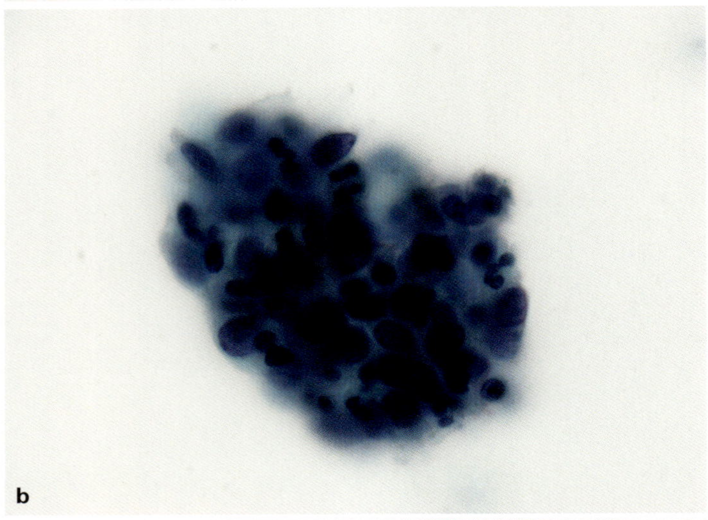

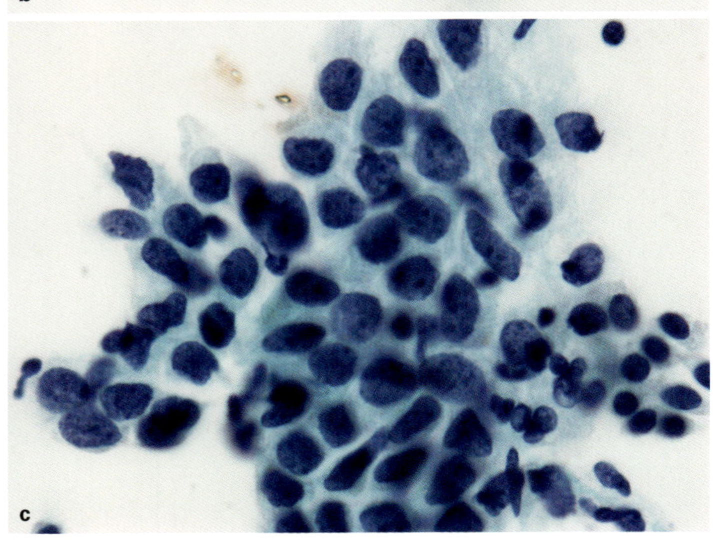

図 9　ATEC-US（42.9%），ATEC-AE（42.9%）

50 歳代後半．核の大小不同，核小体の顕著化，好中球の進入像，核形不整，細胞質の化生性変化を示す不整形突出集塊が認められる．3 層以上の核重積の有無の解釈の差によって，ATEC-AE と ATEC-US の判定に関して意見が分かれた．**a** と **b** は，同一視野をフォーカスを変えて撮影されている．ホルモン環境異常や薬剤などの影響も否定できない状態であったが，生検標本での組織診断は萎縮内膜であった．
（SP-LBC 法/**a, b, c**：対物×80）

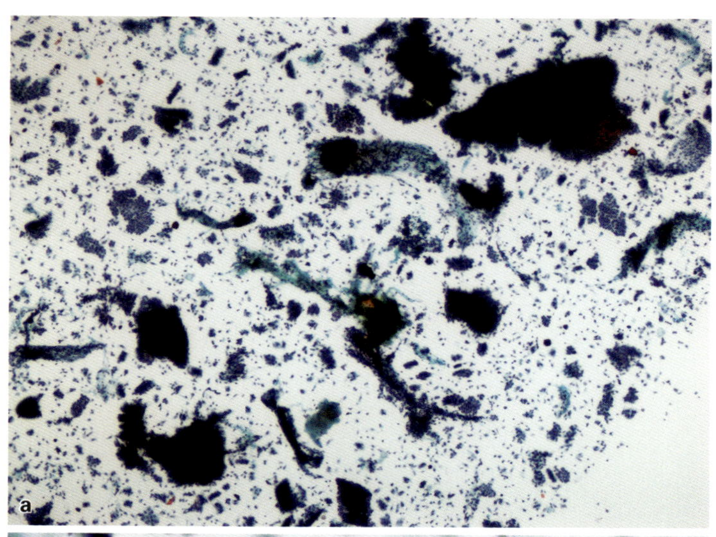

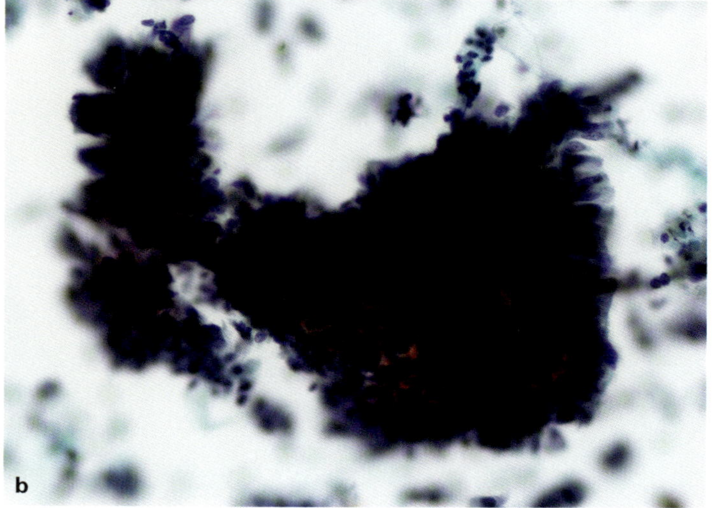

図 10　ATEC-AE（35.7%），ATEC-US（28.6%）

60 歳代前半．年齢の割に採取された細胞量が多いのが印象的である．細胞質の化生性変化からは，ホルモン環境異常による変化も考える．核の腫大，核形不整，核クロマチン増量および 3 層以上の核重積を伴う不整形突出集塊が多数認められる．最終的に，子宮内膜ポリープを伴う子宮内膜増殖症と診断された．
（SP-LBC 法/**a**：対物×20，**b**：対物×40）

（つづく）

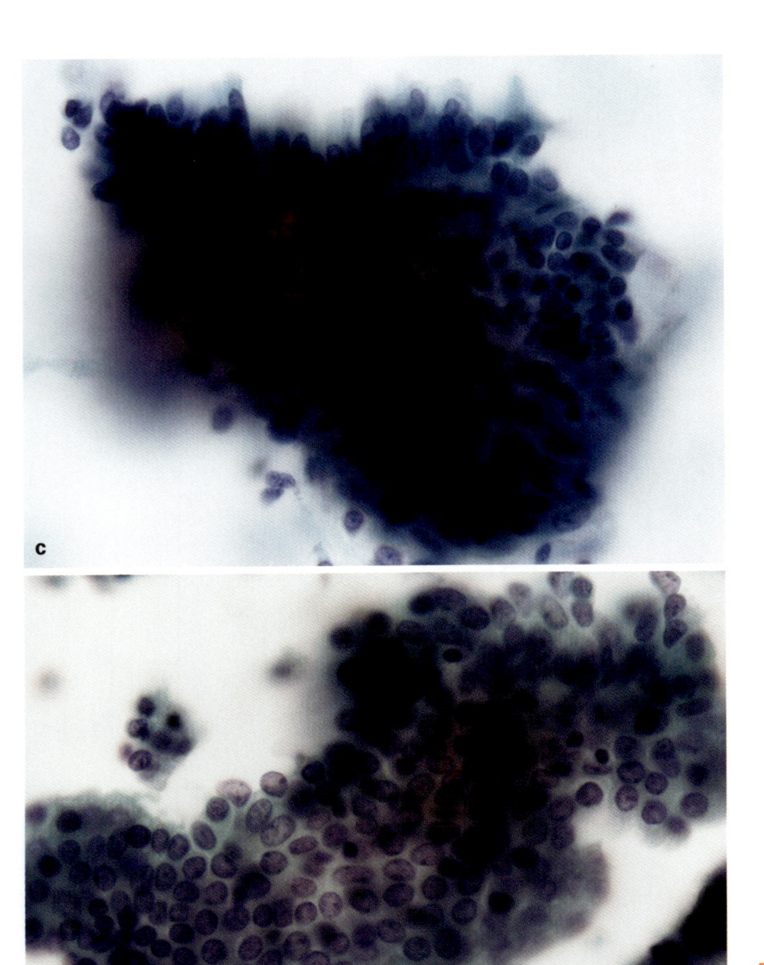

図 10　ATEC-AE(35.7%), ATEC-US(28.6%)(つづき)

(SP-LBC 法/**c, d**：対物×20)

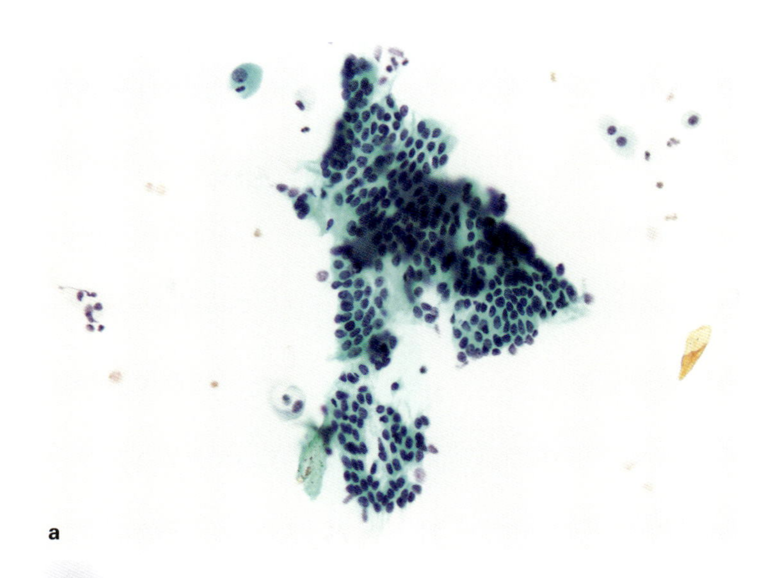

a

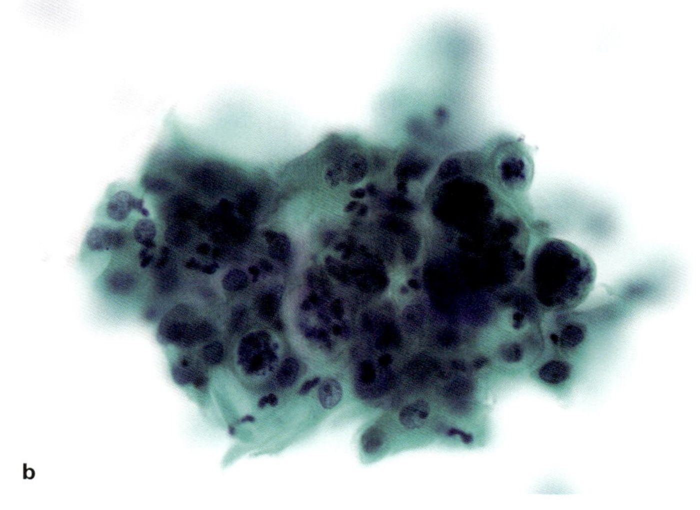

b

図 11　ATEC-AE(64.3%)

60 歳代前半．細胞集塊周囲から細胞が突出しており，集塊辺縁は不整形を呈している(不整形突出集塊)．この細胞集塊では，顕微鏡のフォーカスを微調整することによって 3 層以上の核重積を確認することができる．細胞質には化生性変化が認められるが，炎症性細胞の侵入により正確な所見の観察は困難である．また，核小体の顕著化，核腫大が認められるが，核形の多彩さは顕著ではない．この他，EGBD に特徴的な所見は，この写真の視野以外にも観察されていない．
(SP-LBC 法/**a**：対物×20，**b**：対物×40)

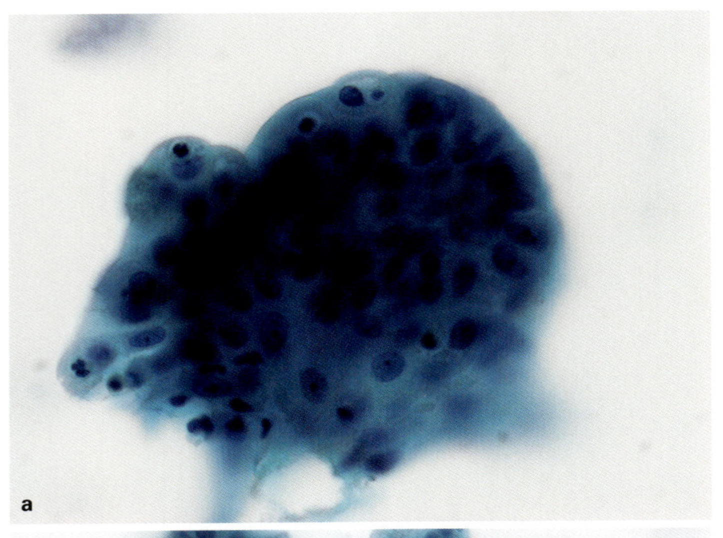

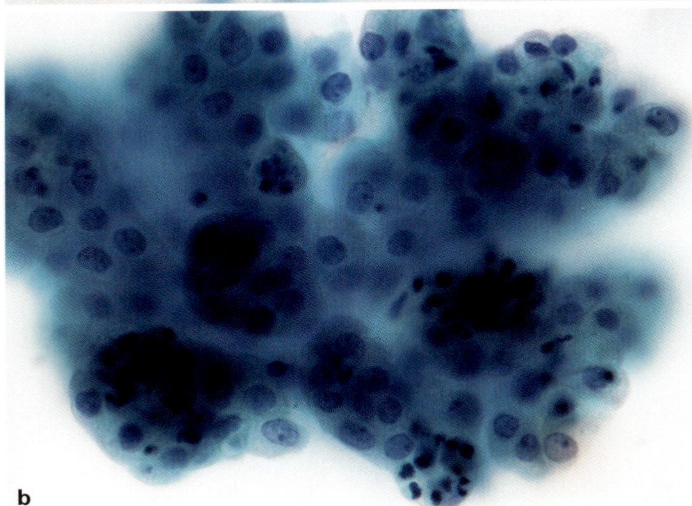

図 12　ATEC-AE（71.4%）

70 歳代前半．内膜間質細胞凝集塊を伴わない化生性変化を示す細胞質を有する上皮細胞集塊において，3 層以上の核重積が認められる．核小体が目立っているが，細胞集塊からの核の突出像や，細胞の遊離像は認められていない．核配列の乱れは認められるが，クロマチンパターンの多彩さや核の大小不同は目立たない．出血性背景や壊死性背景は著明ではないこと，診断の決め手となるような核の異型が認められないことより，悪性腫瘍と判定されにくい．組織診断は類内膜癌 Grade 1 であった．
（SP-LBC 法/**a, b**：対物×40）

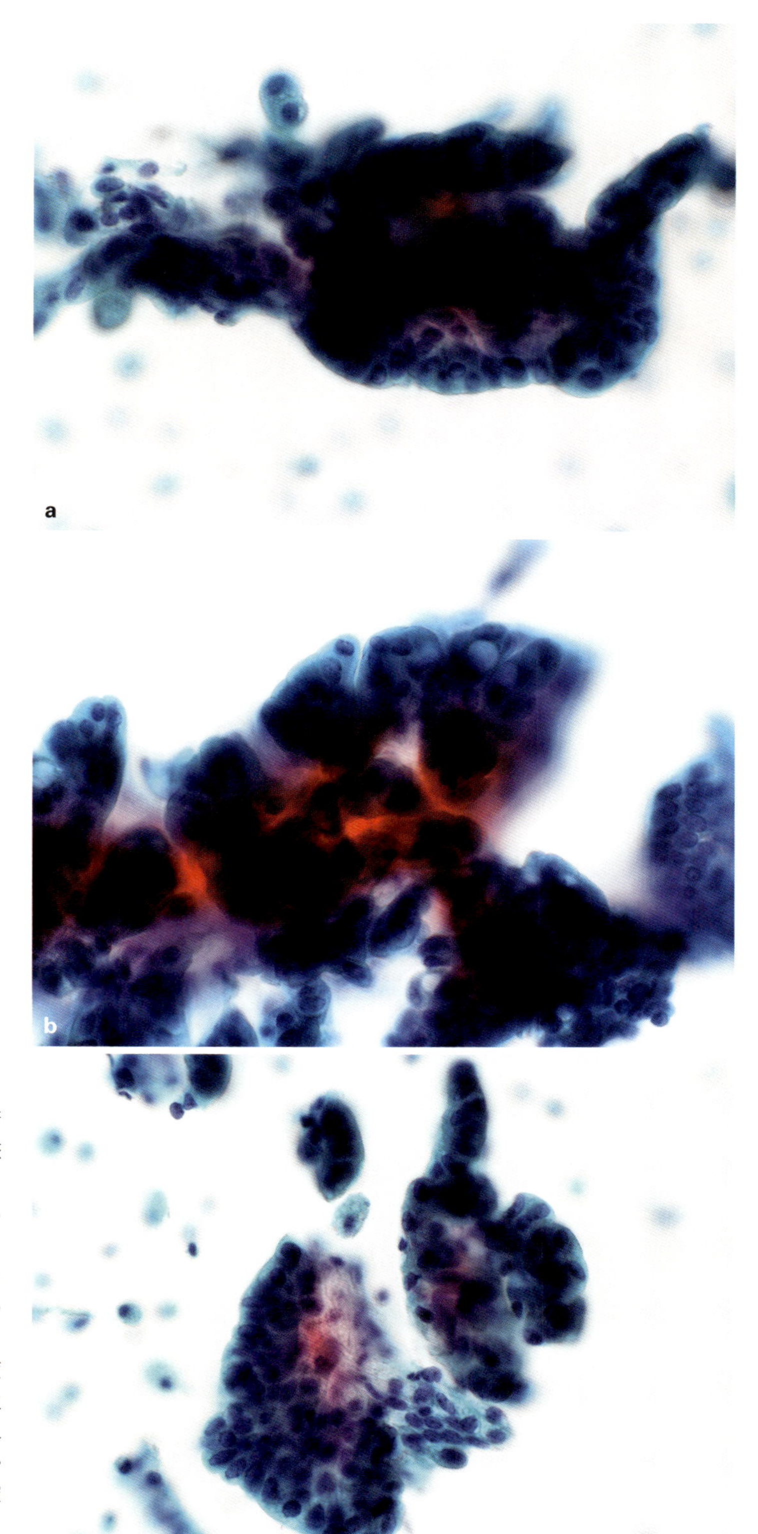

図 13　ATEC-AE(71.4%)
50歳代後半．内膜間質細胞の付着を伴わない不整形突出細胞集塊．核の異常配列，3層以上の核重積から，強く悪性腫瘍が疑われる所見である．乳頭状構造が認められる部位もあり，EGBDをうかがわせる所見を欠いている．これだけの所見が認められながら，子宮内膜異型増殖症，もしくは類内膜癌と判定された頻度が低かった理由は，細胞質の化生性変化を過小評価したためと思われる．最終的には，子宮内膜増殖症から子宮内膜異型増殖症への移行が確認された．
(SP-LBC法/**a, b, c**：対物×40)

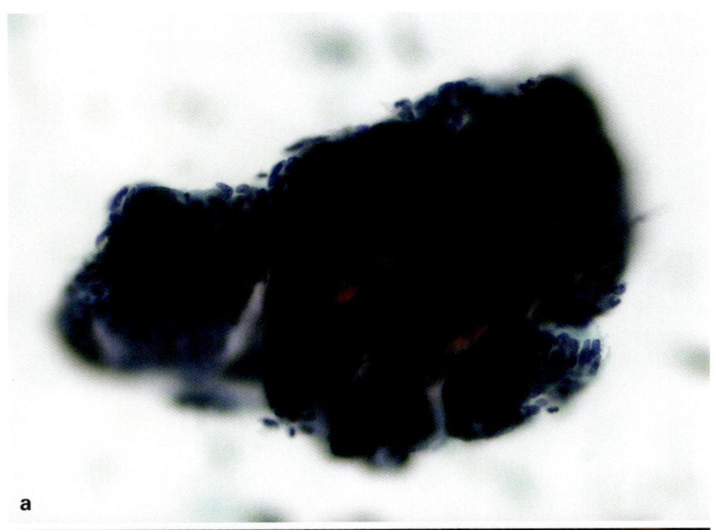

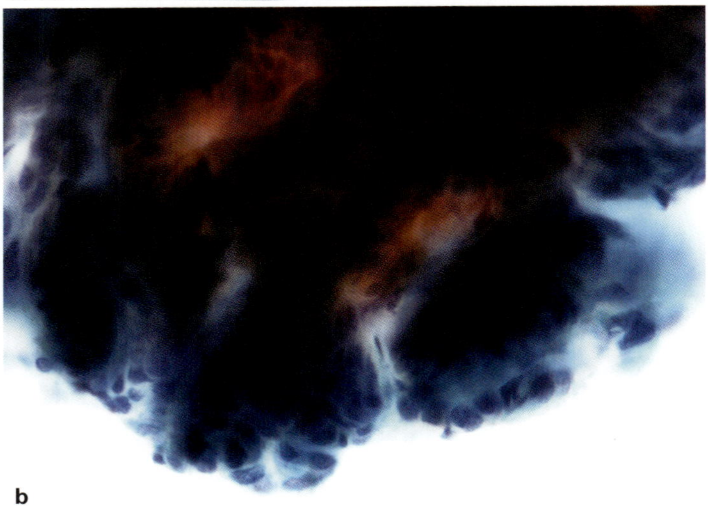

図 14　ATEC-AE（71.4%）

80 歳代前半．不整形突出細胞集塊で，3 層以上の核重積が認められる．EGBD としての所見を伴っておらず，年齢不相応な大型核も認められており，子宮内膜異型増殖症もしくは子宮内膜癌と判定されてもよい所見である．しかし，示されているような所見が認められる視野が限られていたため，ATEC-AE と判定された．それ以外の判定は，すべて悪性腫瘍であった．最終的な組織診断は，類内膜癌 Grade 1 である．
（SP-LBC 法/**a**：対物×20，**b**：対物×40）

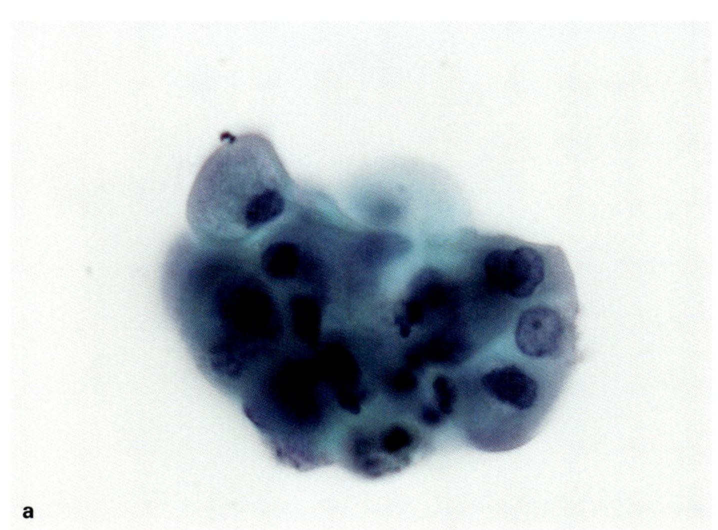

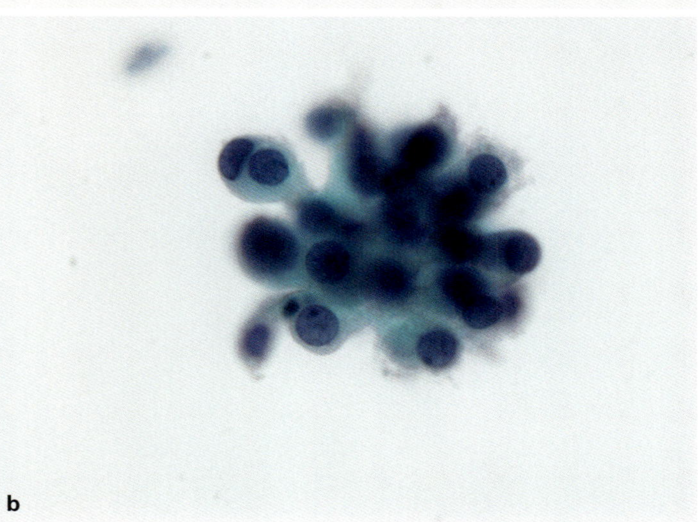

図 15　ATEC-AE(57.1%)

70歳代前半．核の大小不同，好中球の進入像，核異型，化生性変化を伴う3層以上の核重積がみられる不整形突出集塊が認められている．この他に，3層以上の核重積を認めない細胞集塊に核大小不同，核異型，著明な核小体も認められている．一部の細胞では，細胞質の化生性変化が認められており，悪性腫瘍も含めた可能性が考慮される所見である．また，**b**の核の突出像をhobnail patternとして解釈をした場合，明細胞癌も疑われる．最終的な組織診断は類内膜癌Grade 1である．
(SP-LBC法/**a, b**：対物×80)

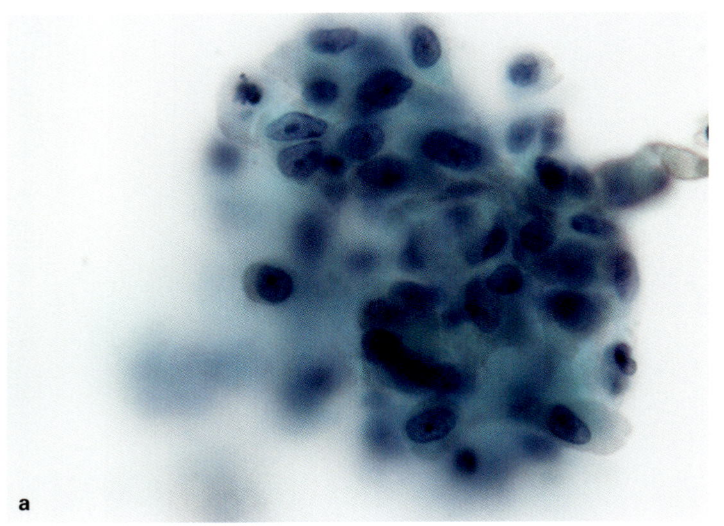

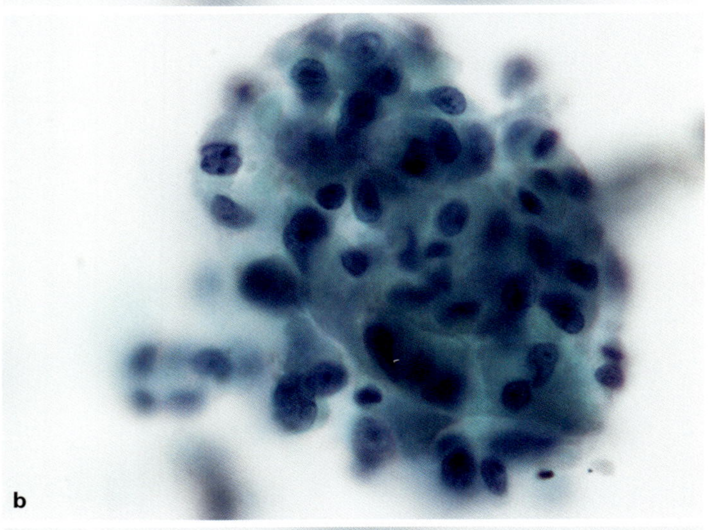

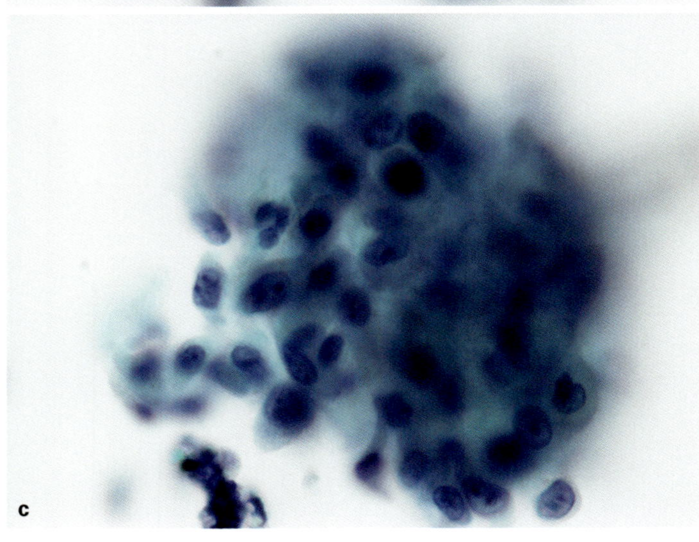

図 16　ATEC-AE（71.4%）

50 歳代後半．3 層以上の核重積を有する上皮細胞集塊が認められる．**a～c** は，同じ視野を，顕微鏡のフォーカスを変えて撮影されたものである．核の腫大，配列不整，核小体の顕著化などの所見を伴っている．細胞質には化生性変化が確認される．写真には示されていないが，EGBD としての所見や，腫瘍性背景は確認されなかった．核異型と細胞の重積性から ATEC-AE と判定された割合が高かった．実際の臨床では，生検で得られた組織採取量が少なく，検体不適正であり，直接塗抹標本での細胞診判定は，「陰性/悪性腫瘍および前駆病変ではない」であった．
（SP-LBC 法/**a, b, c**：対物×80）

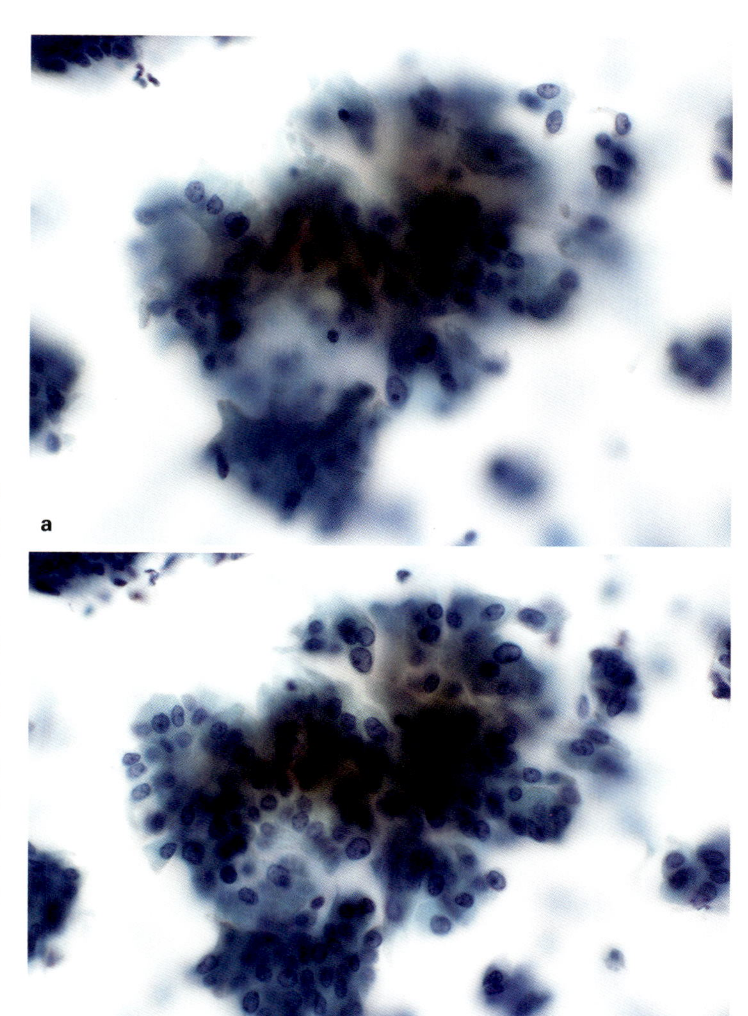

図 17　ATEC-AE(57.1%),
悪性腫瘍(35.7%)

50 歳代後半．腹膜偽粘液腫(類内膜癌 Grade 2 合併)．3 層以上の核重積を示す不整形突出細胞集塊が，多数確認される．腫瘍性背景は確認されていない．子宮内膜異型増殖症もしくは高分化型類内膜癌の存在が疑われる所見である．しかし，通常とは異なる柵状配列を示す異型腺細胞集塊(**d**)が混在して認められるため，典型的な所見として認識できず，悪性腫瘍，もしくは子宮内膜異型増殖症ではなく，ATEC-AE と判定されるケースが多かったものと思われる．手術摘出標本で確認できた類内膜癌病変は隆起性であり，8×6×3 mm の狭い領域の病変であった．
(**a, b, c** は同一視野)
(SP-LBC 法/**a, b**：対物×40)

(つづく)

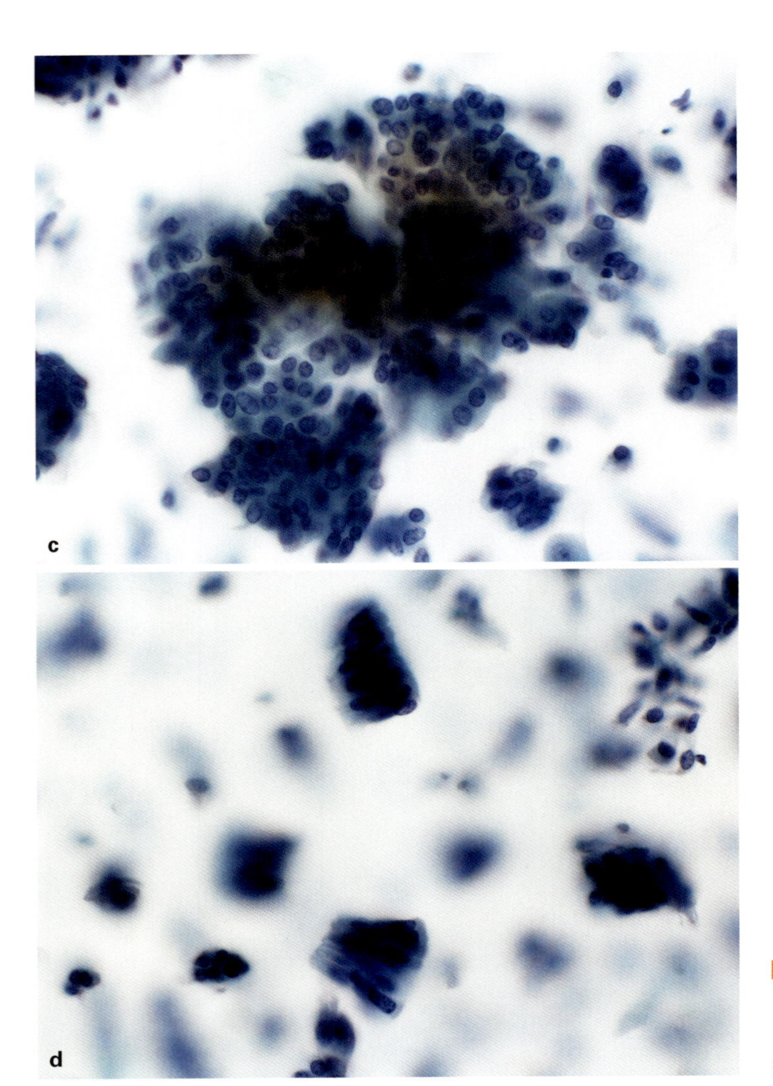

図 17 ATEC-AE（57.1%），悪性腫瘍（35.7%）（つづき）

（SP-LBC 法/**c, d**：対物×40）

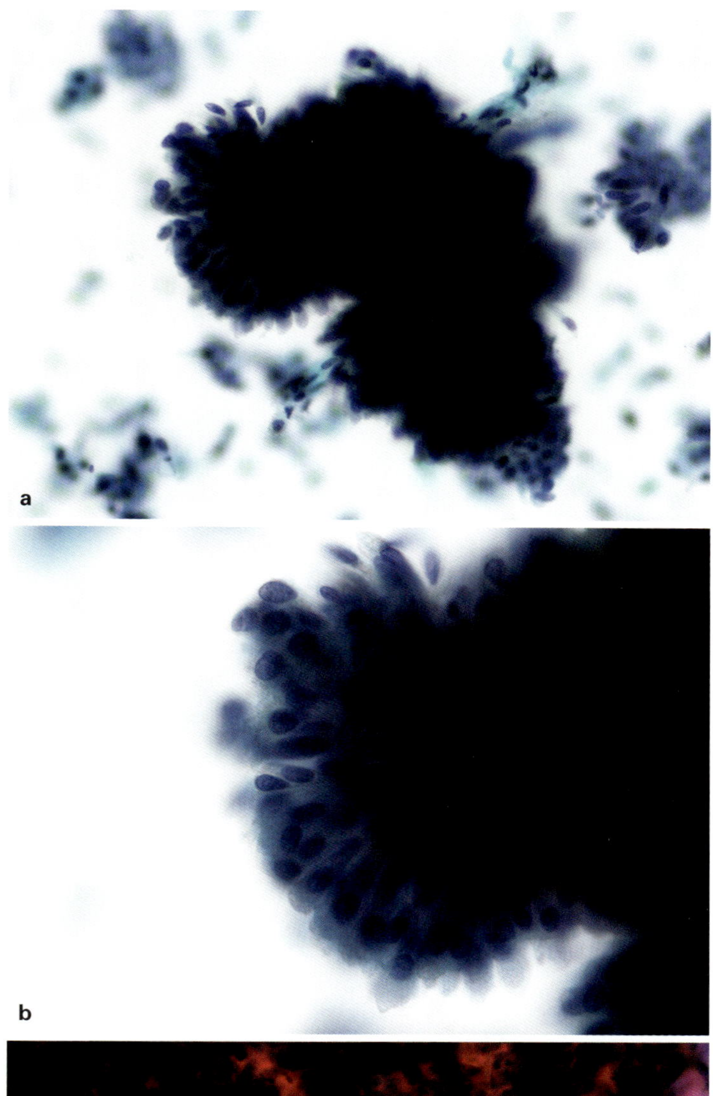

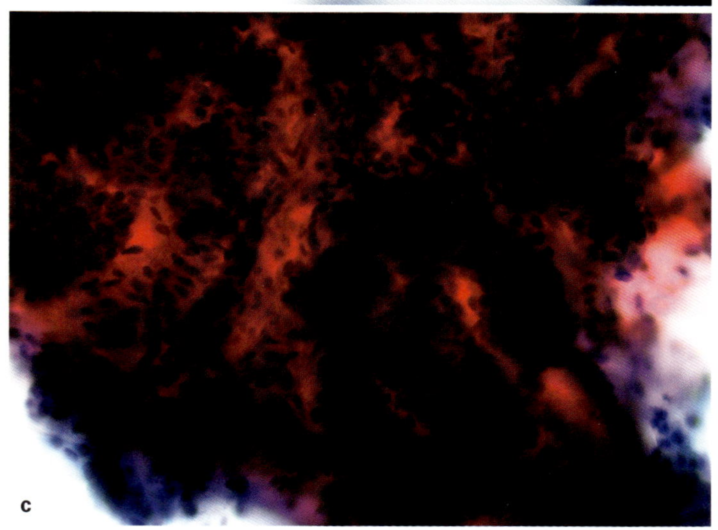

図 18　ATEC-AE(35.7%), 悪性腫瘍(42.9%)

60 歳代後半. 年齢の割に採取された細胞量が多い. 核腫大, 核異型, 核クロマチン増量および 3 層以上の核重積を伴う不整形突出集塊と乳頭状構造を示す大型細胞集塊が認められる. 上皮細胞への内膜間質細胞の付着はみられない. 大型の細胞集塊には篩状構造像も認められる. 高分化型(Grade 1)の類内膜癌が最も推定される. 最終的な組織診断は子宮内膜異型増殖症.
(SP-LBC 法/**a**：対物×20, **b, c**：対物×40)

TYS 式子宮内膜細胞診判定様式における「ATEC」の役割

従来直接塗抹標本で疑陽性と判定され，組織診を実施した52症例について，組織診断で良性29症例（子宮内膜増殖症を含む）と悪性23症例（子宮内膜異型増殖症/類内膜上皮内腫瘍以上を含む）に分け，SP-LBC 標本と TYS 式子宮内膜細胞診判定様式を用い，その判定成績を検討した（**図 19〜21**）[3]．

その結果，組織診断-良性29例では陰性：5例（17.2％），ATEC-US：14例（48.3％），ATEC-AE：4例（13.8％），子宮内膜増殖症：6例（20.7％），悪性：なし．同様に，組織診断-悪性23例は陰性：1例（4.3％），ATEC-US：2例（8.7％），ATEC-AE：14例（60.9％），子宮内膜増殖症：0例，悪性：6例（26.1％）であった．加えて，組織診断-良性例でATEC判定された18例の約8割がATEC-USであり，ATEC-US，ATEC-AEともにその多くが化生性不整形突出集塊であった．また，組織診断-悪性例でATEC判定された16例の約9割がATEC-AEであり，ATEC-USと判定した2例は，核重積3層以上の不整形突出集塊を認めたものの，悪性と判定するには細胞異型が乏しいことが判明した．

以上のことより，TYS式子宮内膜細胞診判定様式による分類は適正に組織診断を反映していることが証明された．化生性変化には十分に注意を払い観察する必要があるが，本方法の普及は子宮内膜細胞診の診断精度向上に寄与することが大いに期待できる．

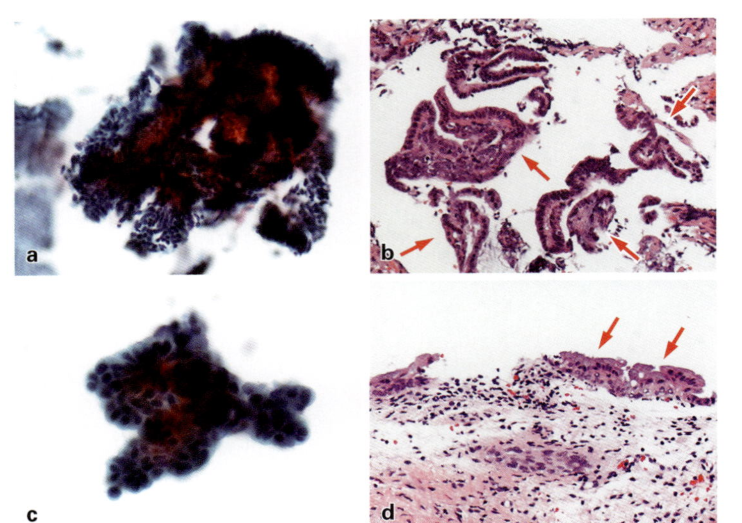

図 19　細胞診：ATEC-US，組織診：良性内膜

a, c ともに核はやや腫大し，好酸性の胞体や粘液を有する化生性不整形突出集塊を認めた．核重積は3層未満であるため，ATEC-USと判定した．**a** の組織診断は悪性は認められず，化生性変化（**b**/矢印）を多数，認めた．また，**c** の組織診断はポリープであり，表層に粘液を有する化生変化（**d**/矢印）を認めた．

（**a, c**：SP-LBC法/対　物×20，**b, d**：HE染色/対物×20）

図 20　細胞診：ATEC-US, 組織診：悪性(類内膜癌 Grade 1)

背景に多数の好中球を認め，それらを細胞質に取り込んだ不整小集塊を認めるが，標本中には5個程度(**a**)と少量であった．癌細胞の可能性はあるものの，核重積は3層未満であり(**b**)，ATEC-USと判定した．組織診断は類内膜癌 Grade 1であるが，壊死の強い部分があり(**c**/＊)，その部分には変性した小型癌細胞を認め(**d**/矢印)，細胞診ではそれらを反映していたと考えられる．
(SP-LBC法/**a**：対物×20，**b**：対物×40，HE染色/**c**：対物×10，**d**：対物×40，原田美香，ほか．医学検査．2016；65：517 Fig 2より転載)

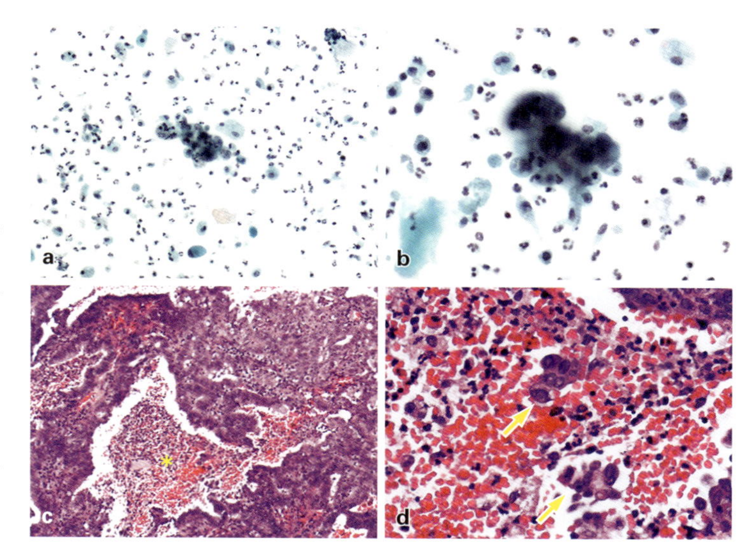

図 21　細胞診：ATEC-AE, 組織診：良性

a, cともに核腫大を伴う，3層以上の核重積を認める不整形突出集塊を多数認めた．両者ともに好酸性の細胞質を有していたため，化生性不整形突出集塊と考え，ATEC-AEと判定した．**a**の組織診断は分泌期内膜と腺筋腫であったが，表層には化生性変化(**b**/矢印)を認めた．**c**での組織診断は悪性は認められなかったが，化生性変化(**d**/矢印)を認めた．両者ともに，細胞診ではそれら化生変化を反映していたと考えられる．
(SP-LBC法/**a**：対物×10，**c**：対物×20，HE染色/**b**：対物×10，**d**：対物×20)

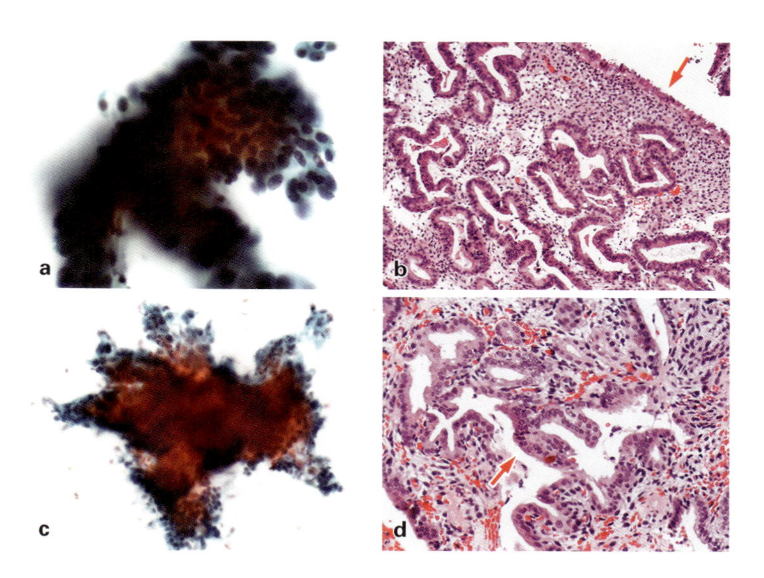

TYS 式子宮内膜細胞診判定様式における「ATEC」の臨床管理

TYS 式子宮内膜細胞診判定様式においては，ATEC カテゴリーが設けられ，ATEC-US と ATEC-AE の 2 つに分類される．ATEC-US は子宮頸部/ベセスダシステムの ASC-US に類似しており，そのほとんどは正常であるが，一部は正常と判断できない．一方，ATEC-AE では，細胞学的所見として，3 層以上の核重積を伴う不整形突出集塊が示され，子宮内膜癌および子宮内膜異型増殖症/類内膜上皮内腫瘍の可能性を疑う．しかしながら，TYS 式子宮内膜細胞診判定様式の問題として，ATEC カテゴリーの臨床管理が不明確であることが挙げられる．

従来からの子宮内膜細胞診報告様式(陰性・疑陽性・陽性)の「疑陽性」分類の 59 例について，TYS 式子宮内膜細胞診判定様式での再分類を試みた結果[4]，36 例(61%)が ATEC-US に分類され，21 例(36%)が ATEC-AE とされた(図 **22**，**23**)．つまり，「疑陽性」症例のほぼすべての症例である 57 例(97%)が ATEC カテゴリーに分類されていることが明らかとなった．また，21 例の ATEC-US の組織学的診断であるが，約 8 割が正常内膜であり，16 例の ATEC-AE では約 8 割が子宮内膜異型増殖症/類内膜上皮内腫瘍以上の病変であった．それらの結果から，TYS 式子宮内膜細胞診判定様式下での ATEC-US と ATEC-AE における臨床管理の違いを明確にする必要があると考えられ，ATEC-US と分類された 18 例について，3 か月間の follow 期間を設け，その後に細胞診の再評価が可能であった 15 例について検討した．その結果，93% (14 例)が正常内膜を示し，1 例は再び ATEC-US とされた．これらの結果は，ATEC-US 分類で組織学的に正常内膜または子宮内膜増殖症として分類された 15 例において，3 か月後に子宮内膜異型増殖症または子宮内膜癌の病変がなく，治療の必要がないことを示唆した．

それらの結果に基づいて以下のことが明らかになった．

① ATEC-US と ATEC-AE のカテゴリーには別々の臨床管理が必要であること．
② ATEC-US 判定された患者は，少なくとも 3 か月間の follow 期間を設けることが可能である．
③ ATEC-AE 判定された患者は，早急に子宮内膜組織診を受ける必要がある．
④ 臨床管理を明確にすることで，不必要な子宮内膜組織診を減らすことにつながる．

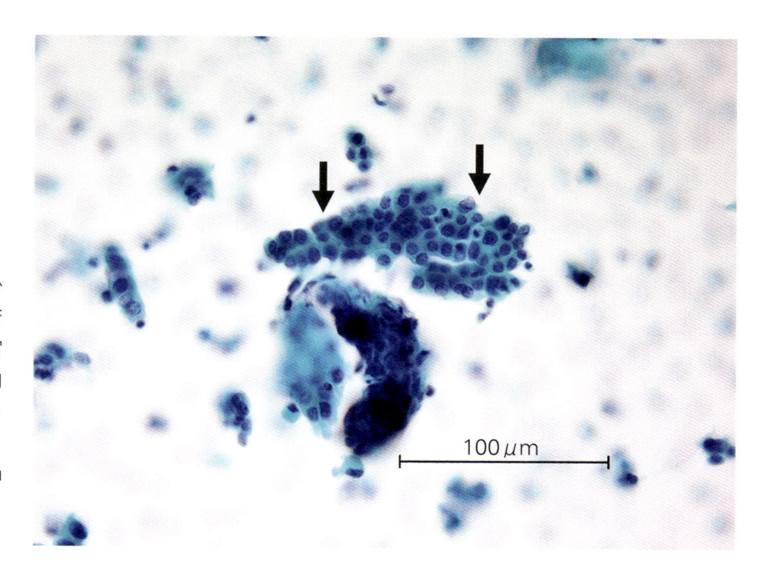

図 22　ATEC-US

核異型を伴う細胞集塊(矢印)を少数，認めたが，核重積は3層未満であり，ATEC-USと判定した．子宮内膜生検による組織診断は分泌期内膜であり，経過観察で陰性となった．
(SP-LBC法：対物×20，Shinagawa A，et al. Diagn Cytopathol. 2018；46：314-319．より転載)

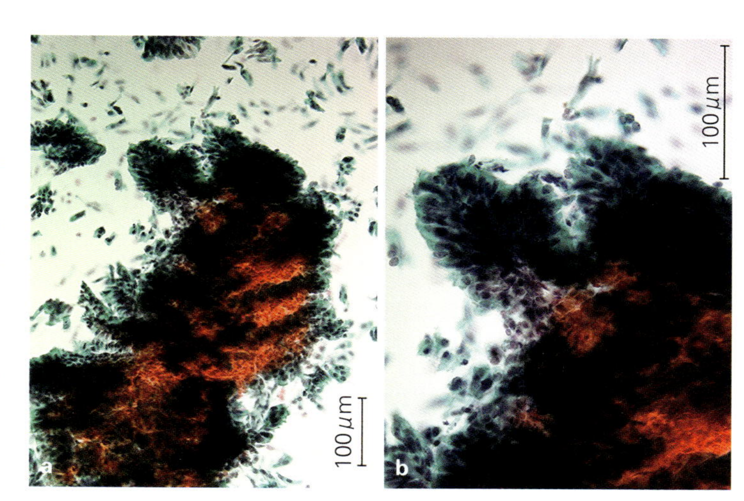

図 23　ATEC-AE

3層以上の核重積を認める不整形突出集塊を少数認めた(**a**)．核小体を伴うものの，悪性と判定するには所見が十分でなく，ATEC-AEと判定した(**b**)．子宮摘出術による組織診断は，子宮内膜異型増殖症であった．
(SP-LBC法/**a**：対物×10，**b**：対物×40，Shinagawa A，et al. Diagn Cytopathol. 2018；46：314-319．より転載)

文献

1) Yanoh K，Hirai Y，Sakamoto A，et al. New terminology for intrauterine endometrial samples：a group study by the Japanese society of clinical cytology. Acta Cytol. 2012；56：233-241.

2) Yanoh K，Norimatsu Y，Munakata et al. Evaluation of endometrial cytology prepared with Becton Dickinson SurePath™ method：a pilot study by the Osaki study group. Acta Cytol. 2014；58：153-161.

3) 原田美香，則松良明，香田浩美，他．液状化検体細胞診を用いた子宮内膜細胞診における OSG 式判定の検討．医学検査．2016；65：513-520.

4) Shinagawa A，Kurokawa T，Yamamoto M，et al. Evaluation of the benefit and use of the new terminology in endometrial cytology reporting system. Diagn Cytopathol. 2018；46：314-319.

(矢納研二，平井康夫，則松良明)

TYS 3

異型を伴わない子宮内膜増殖症
Endometrial hyperplasia without atypia

背景

子宮内膜増殖症は生理的な範囲を超えて内膜腺が過剰に増殖する病態であり，**類内膜癌の前駆病変**と位置付けられている．子宮内膜増殖症の発生には持続的な**エストロゲン過剰状態**が必要であるといわれている．エストロゲンの持続的な過剰状態に伴って発生し，**過形成性変化**とされる病態を含む一方，**腫瘍性格を有する病態**までを包括している．

当初，子宮内膜増殖症に対してcystic glandular hyperplasia，adenomatous hyperplasiaというように研究者によりさまざまな名称が使用され，かつ分類されてきた．このために病態の概念や用語に混乱が生じてきたが，基本的には①内膜腺自体の数の増加はないが腺細胞の数が増し，結果として内膜腺が拡張する嚢胞性の増殖症と，②腺細胞の増殖とともに腺が分岐し，結果として腺自体の数も増し密集してくる腺腫性の増殖症とに解釈されるようになった[1]．

その後，Kurmanらは構造および細胞異型が子宮内膜癌への進展するリスクと相関すると報告し[2]，1994年版のWHO病理組織分類では構造と核異型の有無といった観点から**4種類の組織亜型**に分類されることになった．すなわち構造の点から**単純型**と**複雑型**，細胞異型の点から**異型を示さない狭義の子宮内膜増殖症**と**異型を示す子宮内膜異型増殖症**である[3]．これらは2003年のWHO分類第3版にも踏襲された[4]．

予後や治療の点から構造よりも細胞異型の有無がより重要であるとされ，2014年のWHO分類第4版では，従来からの単純型子宮内膜増殖症および複雑型子宮内膜増殖症をendometrial hyperplasia without atypiaとして一括した[5]．**エストロゲン刺激に対する内膜の過剰な増生という点**に焦点が合わされていると考えられ，これまであった腺管構造の変化への意識は薄くなり[5]，WHO第5版(2020年)にも引き継がれた[6]．

本邦でも子宮体癌取扱い規約第3版(2012年)において単純型，複雑型の記載は残るものの子宮内膜増殖症，子宮内膜異型増殖症をさらに亜分類しないこととなった[7]．子宮体癌取扱い規約第4版(2017年)も同様の分類が採用されている[8]．

定義

子宮内膜増殖症は，「**異型を伴わない**子宮内膜腺の過剰増殖で，**増殖期内膜腺上皮に類似**している」と定義されている．

現行の分類では以前の分類にあった単純型，複雑型の腺管構築に基づく分類は行わないため，拡張した腺管を主体とするものから分岐や蛇行の目立つ腺管を主体とするものまで一括りとして扱うこととなる．

固有の内膜腺は本来単一腺管であり，子宮内腔に向かって規則的に走行し，分岐はしないとされている．**いわゆる単純型**とされたものは，嚢胞状に拡張した内膜腺の増生が認められ，スイスチーズ様の形態を示す(**図 1〜3**)．増生した内膜腺の間には内膜間質の介在が見られるが，腺：間質比は1：1から3：1程度までになる．腺そのものの配列も不整で，分布に疎密が認められる．増生している内膜腺の大半は円形〜楕円形であるが，蛇行や外方向への突出や分岐を示すものも混じる．腺細胞は円柱状〜高円柱状で，長円形〜短紡錘形の核を有している，核の重層性がみられるが，基底膜に対して規則的に配列している．間質細胞は類円形の核を有している[3-12]．

一方，**いわゆる複雑型**とされるものでは，大小不同を示し不整な形状をとる内膜腺の増生が認められ，固有の内膜腺にみられる本来の走行，つまり極性が失われている(**図 4〜8**)．病変部は領域性をもっており，正常の増殖期内膜と比較して腺・間質比の増加をきたし，その比が3：1を超えるまでになる．さらには拡大した内膜腺より芽出した小型の腺房が見られるようになり，腺そのものの数が増す一方，間質は減少し，増生した腺管は互いに近接し，いわゆる**back to back 構造**まで示すことがある．腺細胞は円柱状〜高円柱状で長円形〜短紡錘形の核を有している．核の重層性がみられるが，基底膜に対して規則的に配列している．腺内腔に向かう乳頭状の上皮発育も時として認められる．

また，桑実胚様細胞巣，線毛細胞化生，好酸性化生の他，プロゲステロンの影響に伴う分泌性変化を示すこともある[1, 3-12]．

診断基準

- **図 9〜15** 参照[13-24]．
- 半球状やボール状とされる拡張した集塊がみられる．
- 拡張分岐を示す集塊が多く認められる(腺管の最大幅が最小幅の2倍以上)．
- 分岐の増加や，半島状や乳頭状と表現される突出を示すようになる．
- 上皮細胞集塊内での**細胞重積は 2〜3 層程度**で，周囲には間質の付着がみられる．
- 上皮細胞の結合性は良好で，配列も比較的整然としている．
- 上皮細胞は概ね均一な核を有し，異型性はみられない．
- 時として**核分裂像**が認められる．
- SP-LBC 標本では**核の重積が 3 層を超えることはなく**，標本内に5個以上の**拡張・分岐集塊**の出現がある時には**異型を伴わない子宮内膜増殖症(TYS 3)**を疑う．

鑑別診断

診断基準の中にも挙げたように，子宮内膜増殖症では**異型性がみられない拡張・分岐集塊**の出現が特徴とされている．生理的な範囲を超えた**腺管増生**を示すことから，多くの拡張分岐集塊がみられることになる．しかしながら，程度こそ違えども拡張・分岐集塊の出現を伴い子宮内膜増殖症との鑑別が問題となる病変もある．これらの病変としては以下の2つの病変が挙げられる．

a ▸ 良性反応性変化としての不調増殖期内膜（disordered proliferative phase endometrium：DPP）

不調増殖期内膜（DPP）は，**無排卵周期**が持続することにより生じる病変であり，機能性出血のひとつとして現れる．

組織学的には，遷延するエストロゲン刺激により**増殖期内膜腺**が局所的に不整な嚢胞状の拡張や不規則な分岐を示す．蛇行や屈曲を示すものの，極性が保持された固有の内膜腺が不整な内膜腺の間によく介在している他，腺・間質の面積比も 1：1 程度までである．**内膜腺上皮細胞**には核腫大や重積がみられ，時として**線毛細胞化生**や**好酸性化生**を示すこともある[13, 25, 26]（**図 16～18**）．

細胞像としては以下の所見が挙げられる[13-24]（**図 19～21**）．

- 特徴的な所見に乏しいことが多い．
- 径が太くなり拡張を窺わせる**上皮細胞集塊**がみられる．
- 集塊内での**細胞重積は目立たず**，周囲には間質の付着がみられる．
- **増殖期の像を呈する内膜腺細胞**の集塊が混じる．

b ▸ 子宮内膜ポリープ（endometrial polyp）

子宮内膜ポリープは，「**良性の子宮内膜腺**と**間質の増生**からなり，**限局性の隆起**をなす」と子宮体癌取扱い規約第 4 版で定義されている[8]．

30～40 歳代にかけて好発し，閉経後に発生することもある．半球状～有茎性のものまでみられ，約 20％は多発するとされている．

組織学的には子宮内膜腺の密度はさまざまで，不調増殖期内膜でみられるような種々の程度の拡張を示す子宮内膜腺が認められる．不規則な分岐を示す内膜腺も混じり，配列は不規則である．間質は線維成分が豊富になっており，らせん動脈よりも太い筋性の厚い壁を有する血管を伴うことがしばしばみられる（**図 22～24**）．

通常，子宮内膜腺はホルモンに反応せず，周期性変化は示さないが，時として**分泌性変化**を伴うことがある．この他，線毛細胞化生，好酸性化生，粘液化生や乳頭状増生といった各種の変化を伴うことがある．また，子宮内膜増殖症，類内膜癌，漿液性癌ないし明細胞癌の合併が時に認められる[7, 8, 25-29]．

細胞像としては以下の所見が挙げられる[13-24]（**図 25, 26**）．

- 特徴的な所見に乏しいことが多い．
- 径が太くなり拡張を窺わせる**上皮細胞集塊**がみられる．
- 集塊内での**細胞重積は目立たず**，周囲には間質の付着がみられる．

まとめ

子宮内膜増殖症との鑑別の対象になる 2 つの病変について，それぞれの定義や形態について述べた．

実際のところ，細胞診断では**かつての複雑型子宮内膜増殖症**も含め，いずれの病変においても拡張・分岐集塊が共通して認められる．病変のあり方などから集塊の出現程度にやや差が生じる可能性があると考えられるが，有意といえる程の差はないとされており，各々の病変に対する特異的な細胞所見はない．ついては病変の間に明確な線引きは難しく，病変の鑑別を行うにあたっては，集塊の出現程度や種類，背景の状態などを含めた総合的な判断が求められることになると考えられる[13-24]．

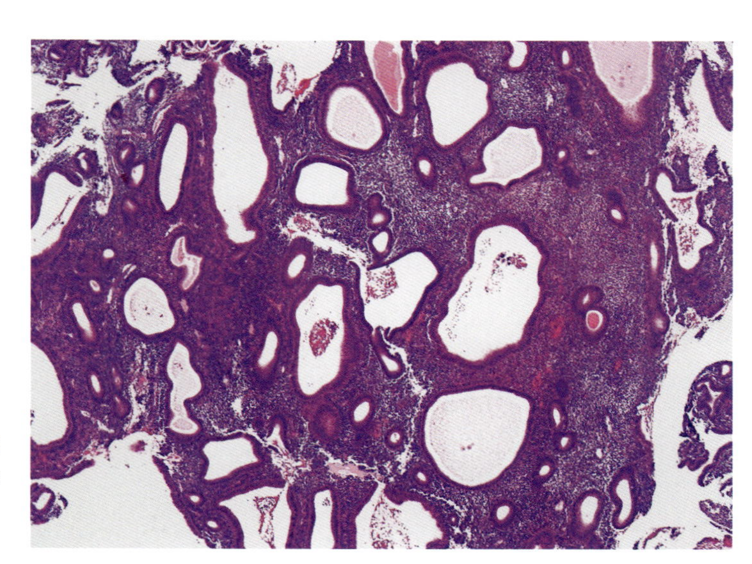

図 1　子宮内膜増殖症（組織像）

嚢胞状に拡張した内膜腺の増生が認められる．増生した内膜腺の間には内膜間質の介在がみられるが，腺：間質比は 1：1 を超えている．

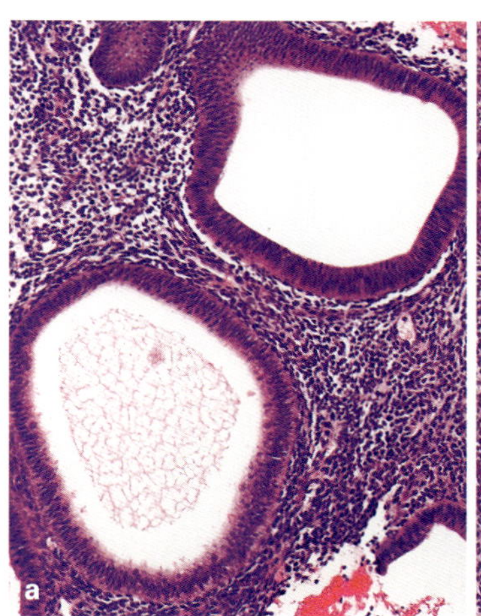

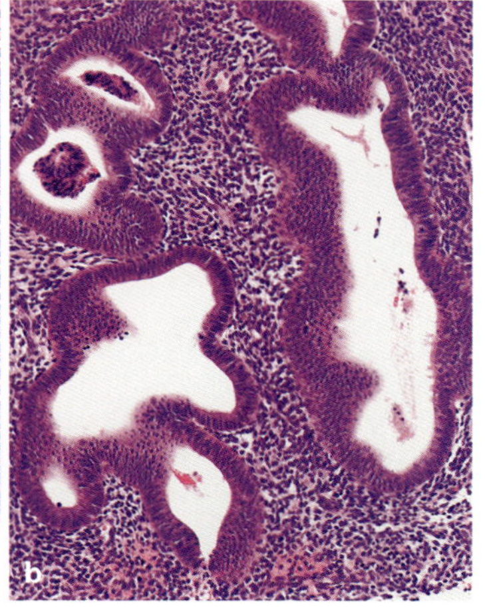

図 2　子宮内膜増殖症（組織像）

嚢胞状に拡張した内膜腺（**a**）の他，小さな分岐を示し形状が不整になった内膜腺もみられる（**b**）．

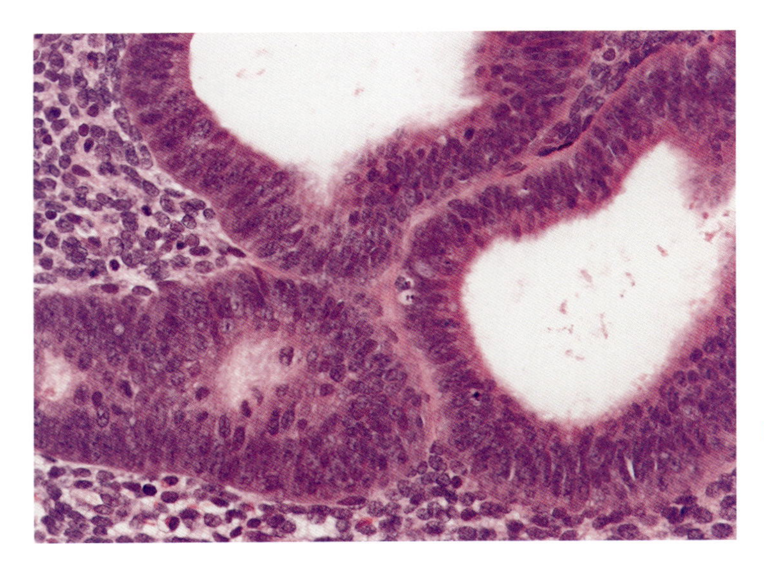

図 3　子宮内膜増殖症（組織像）

円柱状の腺上皮細胞からなる．核は長円形〜楕円形のものが主体で，異型性は乏しい．

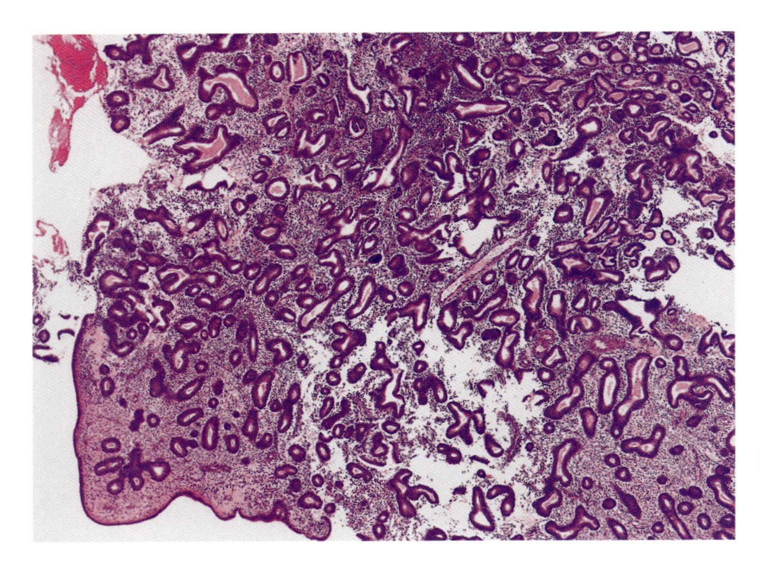

図 4　子宮内膜増殖症（組織像）

生理的な範囲を逸脱した内膜腺の増殖が認められる．

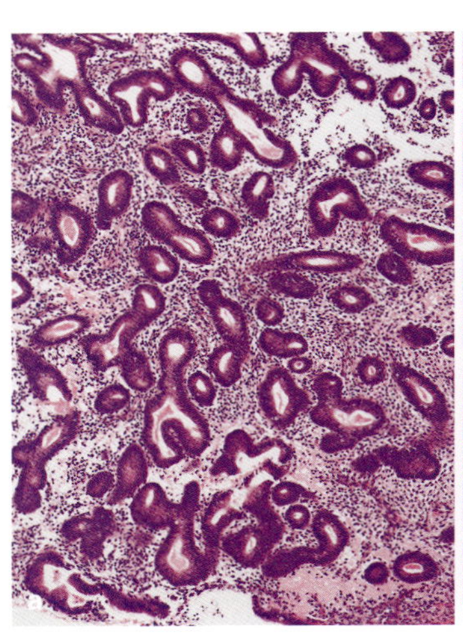

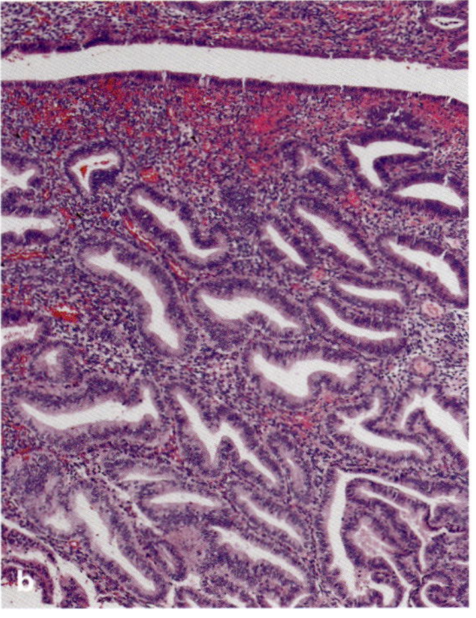

図 5　子宮内膜増殖症（組織像）

大小さまざまな内膜腺が認められ，不規則な分岐や蛇行を示している．

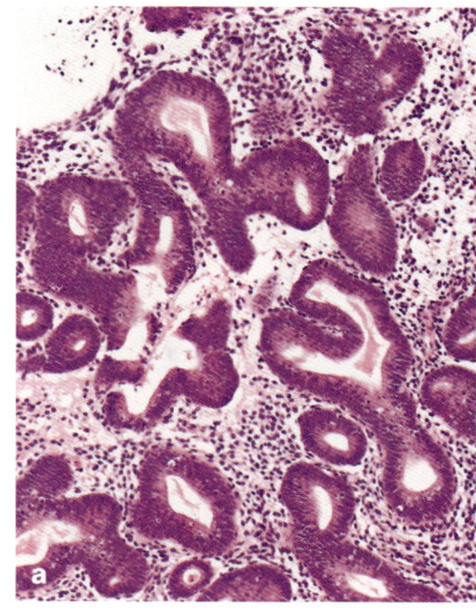

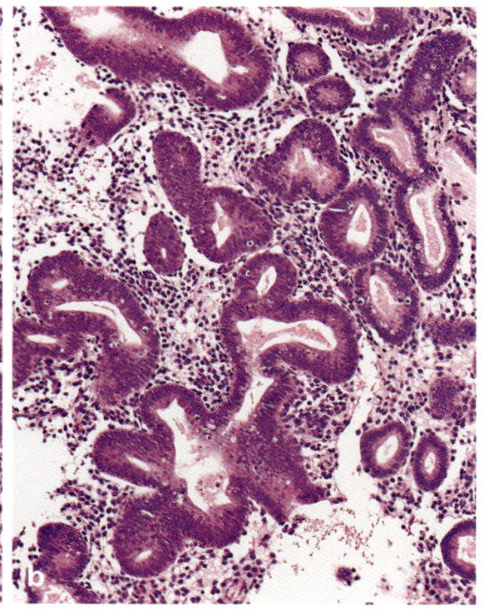

図 6　子宮内膜増殖症（組織像）

不規則な分岐や蛇行を示す内膜腺がよく認められ，周囲の間質が圧排されている．

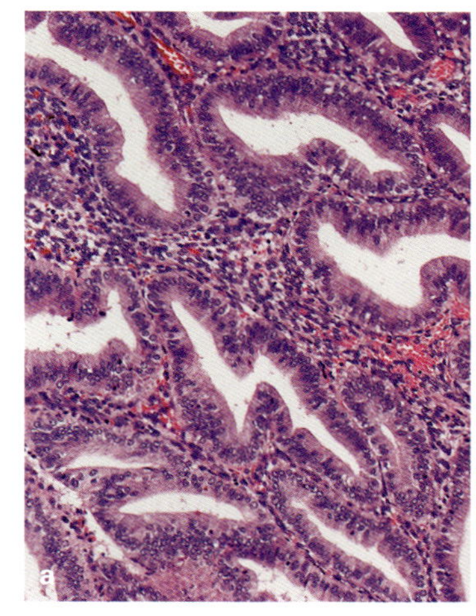

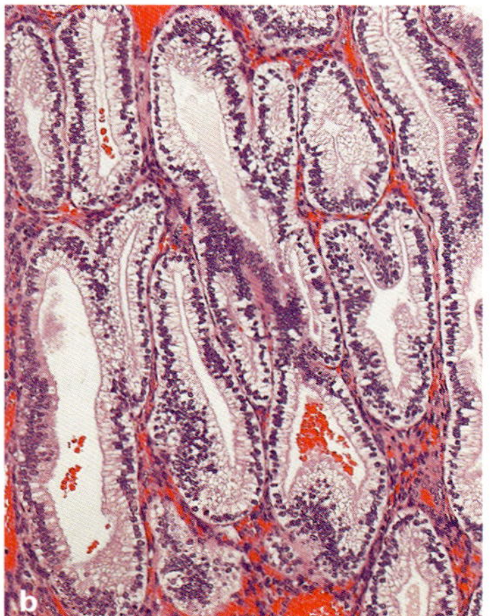

図 7　子宮内膜増殖症（組織像）

内腔に向かう乳頭状の突出を示すもの（**a**）や，淡明な細胞質を有し分泌期早期に類似した像を示すものも時にみられる（**b**：分泌性変化）．

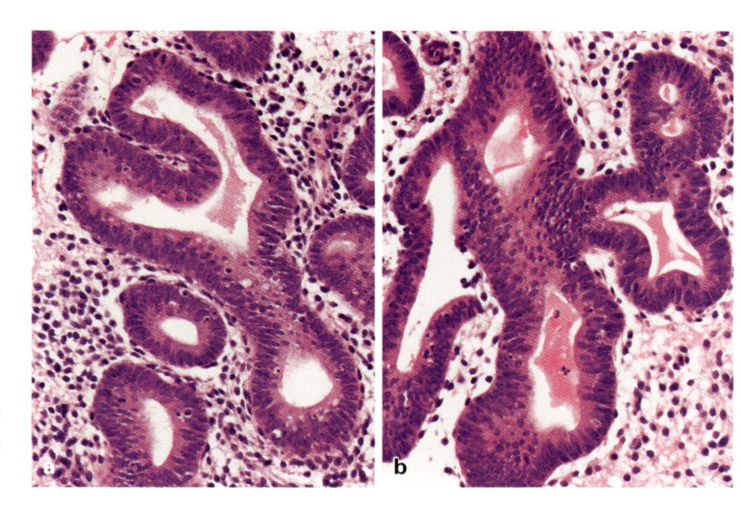

図 8　子宮内膜増殖症（組織像）

個々の腺細胞は短紡錘形や楕円形の核を有し異型性は目立たない．核の重層性にも乏しい．

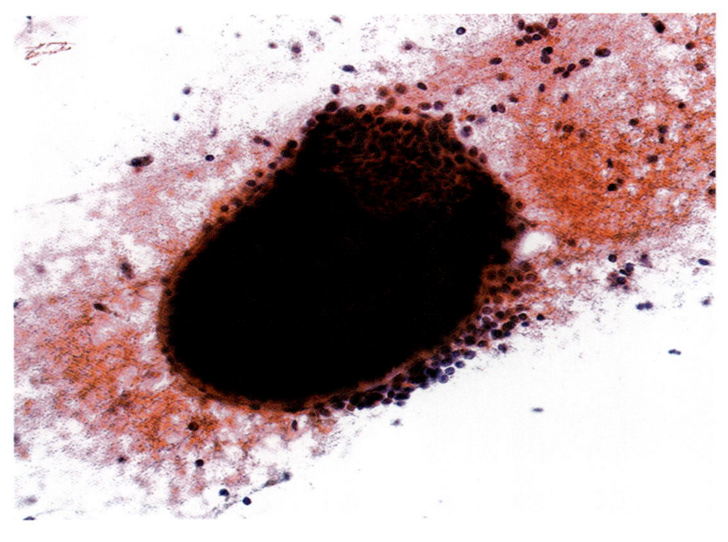

図 9　子宮内膜増殖症
半球状の集塊として出現している．重積性は目立たず，集塊周囲には内膜間質細胞がよく付着している．
（直接塗抹法/対物×40）

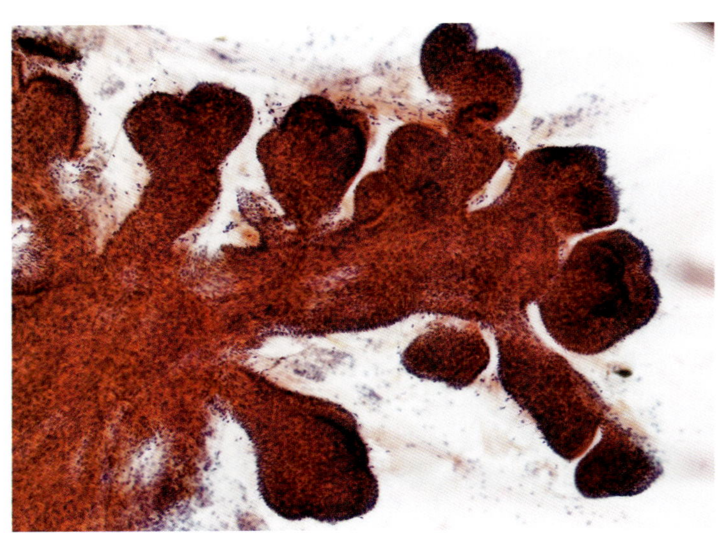

図 10　子宮内膜増殖症
拡張・分岐集塊として出現している．大小の分岐がみられ，半島状もしくは乳頭状の突出を示している．
（直接塗抹法/対物×10）

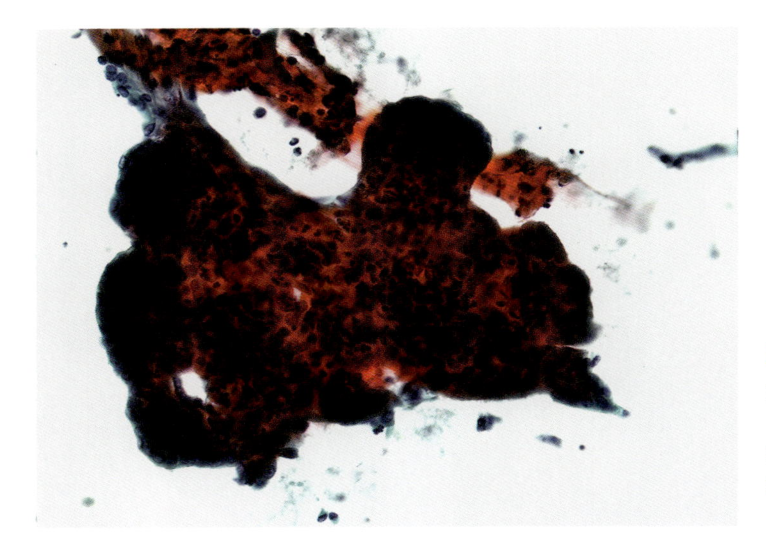

図 11　子宮内膜増殖症
拡張・分岐集塊として出現している．大小の分岐がみられ，半島状の突出を示す他，先端が先細りした不整な突出もみられる．
（直接塗抹法/対物×20）

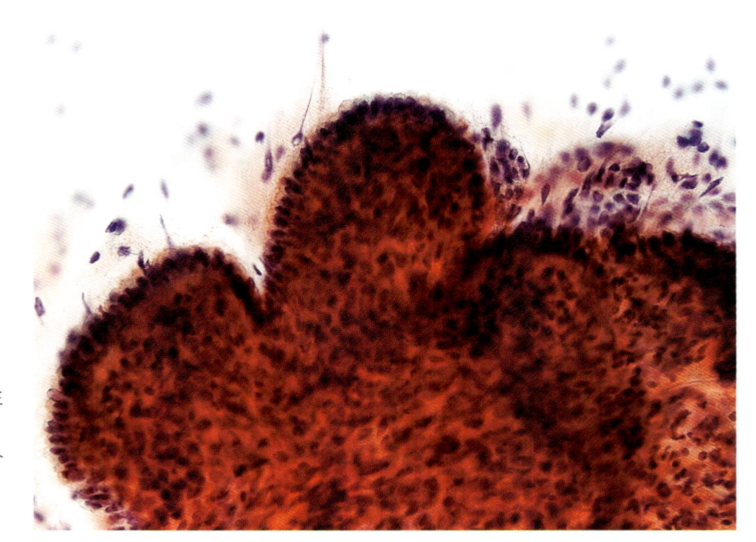

図 12　子宮内膜増殖症

腺上皮細胞は整然と配列し，異型性も目立たない．重積性にも乏しい．集塊の表層面には内膜間質細胞の介在がみられる．
（直接塗抹法/対物×40）

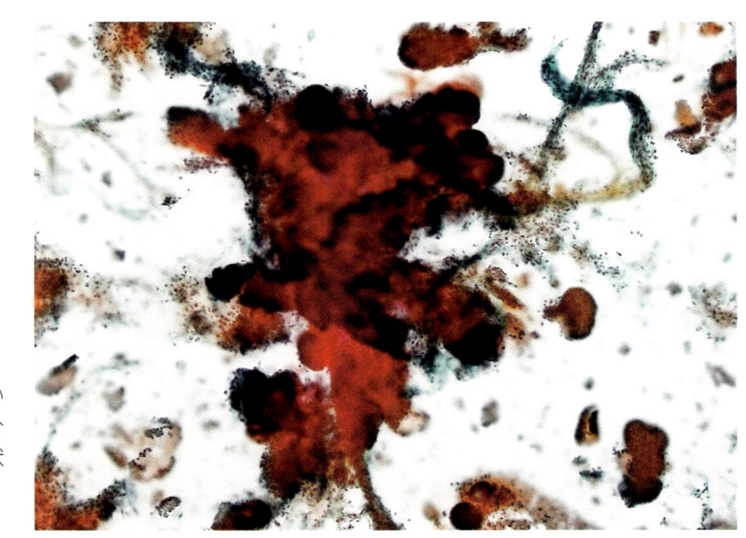

図 13　子宮内膜増殖症

拡張・分岐集塊として出現している．直接塗抹標本と同様に大小の分岐がみられ，半島状もしくは乳頭状の突出を示している．
（SP-LBC 法/対物×10）

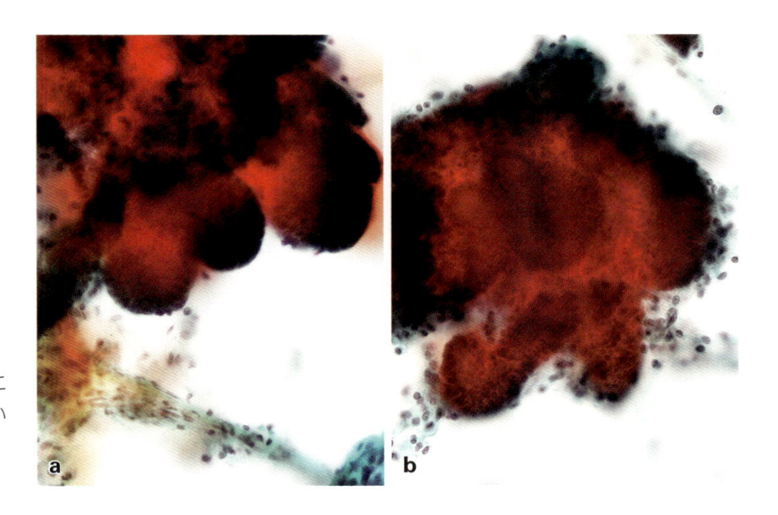

図 14　子宮内膜増殖症

大小の分岐や拡張がみられ，周囲には内膜間質細胞がよく付着している．
（SP-LBC 法/**a, b**：対物×20）

図 15　子宮内膜増殖症

個々の腺上皮細胞に異型性は目立たず，内膜間質細胞の介在も伴っている．重積性は 2 層程度にとどまっている．
（SP-LBC 法/対物×40）

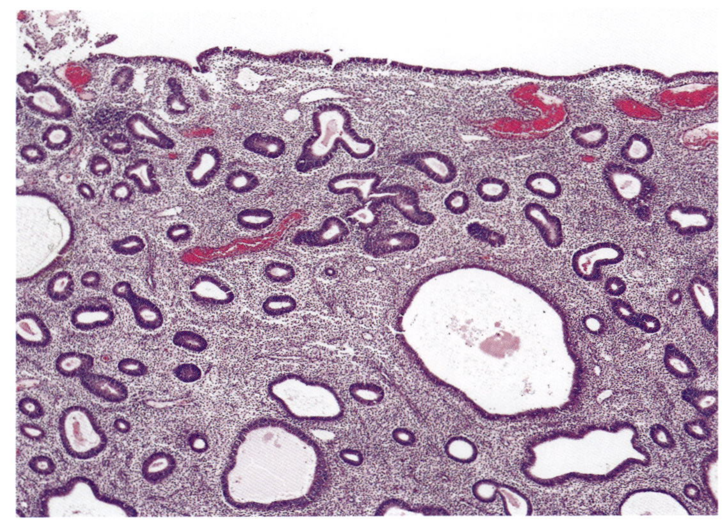

図 16　不調増殖期内膜（組織像）

増殖期類似の正常内膜腺と拡張や分岐を示す異常な内膜腺が混在している．腺：間質比は 1：1 を超えない．

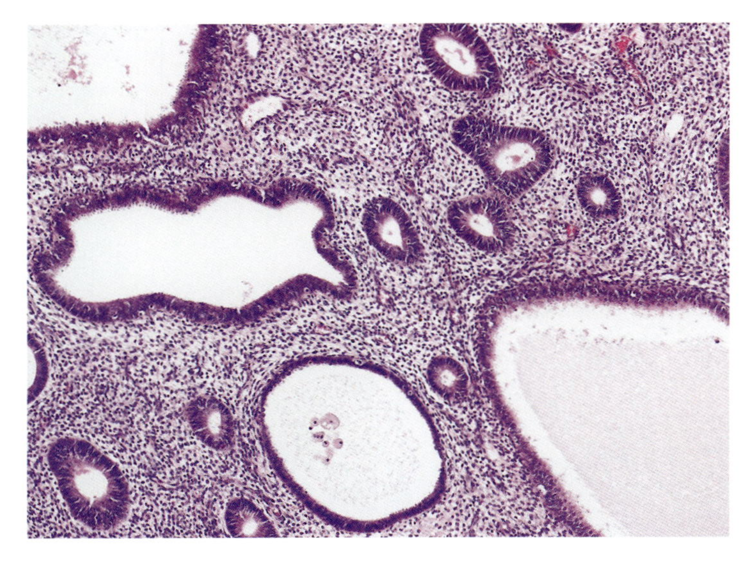

図 17　不調増殖期内膜（組織像）

増殖期類似の正常内膜腺と拡張を示す異常な内膜腺が混在している．間質細胞はやや緻密になっている．

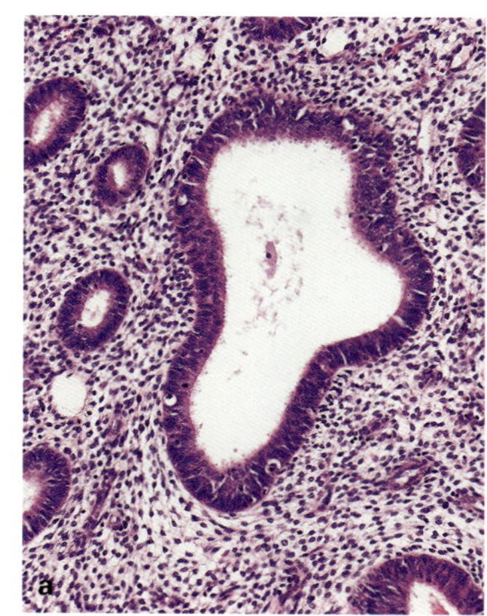

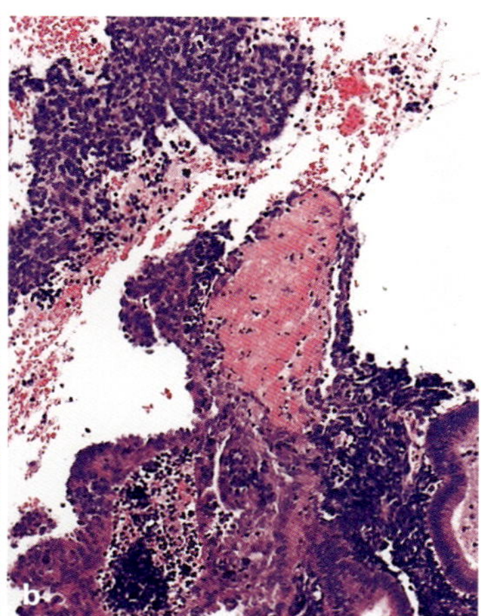

図 18　不調増殖期内膜(組織像)
増殖期類似の正常内膜腺と拡張を示す異常な内膜腺がみられるが，いずれにも異型性はみられない(**a**)．時として表層部に子宮内膜腺・間質破綻を伴う(**b**)．

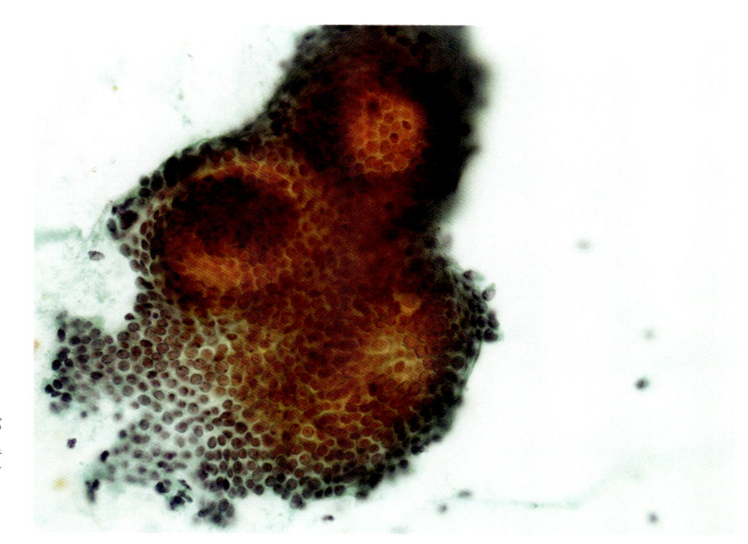

図 19　不調増殖期内膜
集塊内に拡張した腺管構造がうかがわれる．集塊内や表面には内膜間質細胞の介在がみられる．
(直接塗抹法/対物×40)

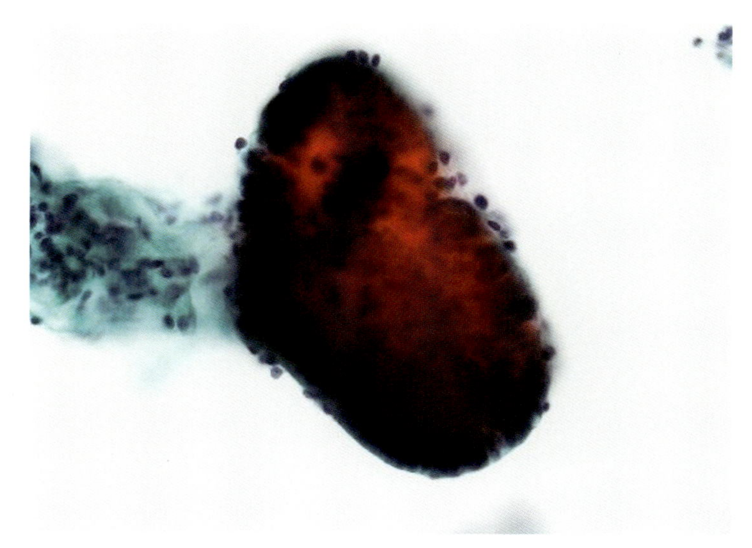

図 20　不調増殖期内膜
集塊内に拡張した腺管構造がみられ，集塊辺縁には内膜間質細胞がよく付着している．
(SP-LBC 法/対物×40)

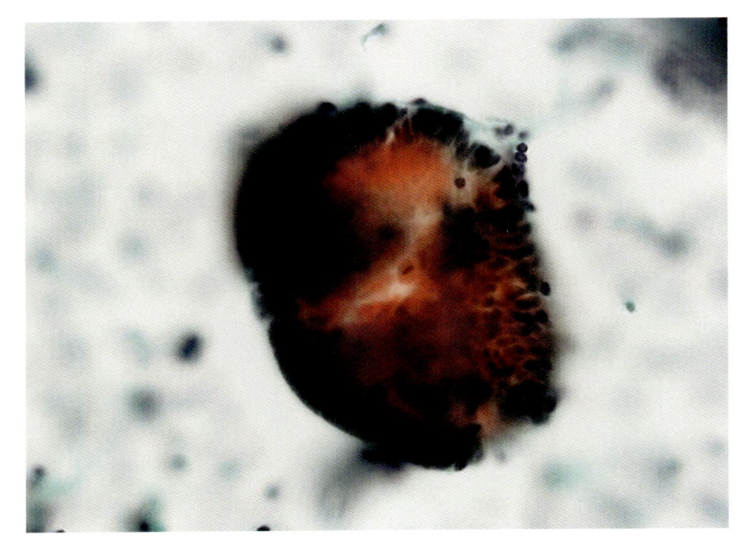

図 21　不調増殖期内膜

集塊内に拡張した腺管構造がみられ，集塊辺縁には内膜間質細胞がよく付着している．重積性や異型性はみられない．
(SP-LBC 法/対物×40)

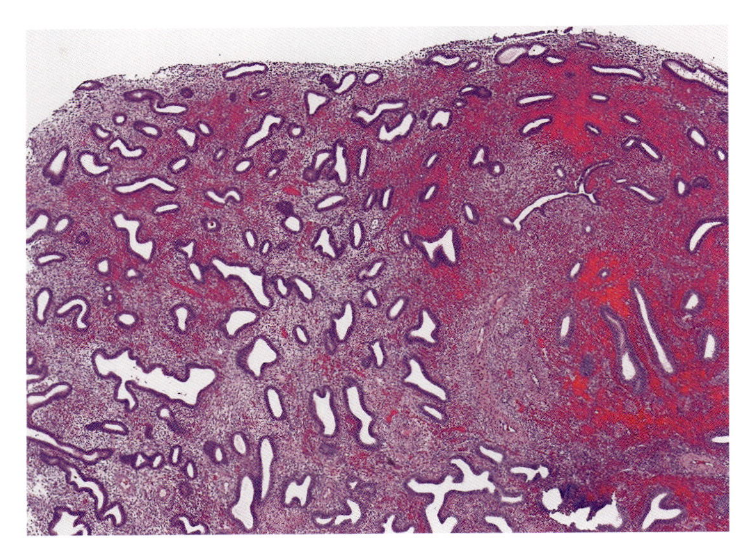

図 22　子宮内膜ポリープ(組織像)

内膜腺は不規則な分布を示し，腺管密度の疎密がみられる．

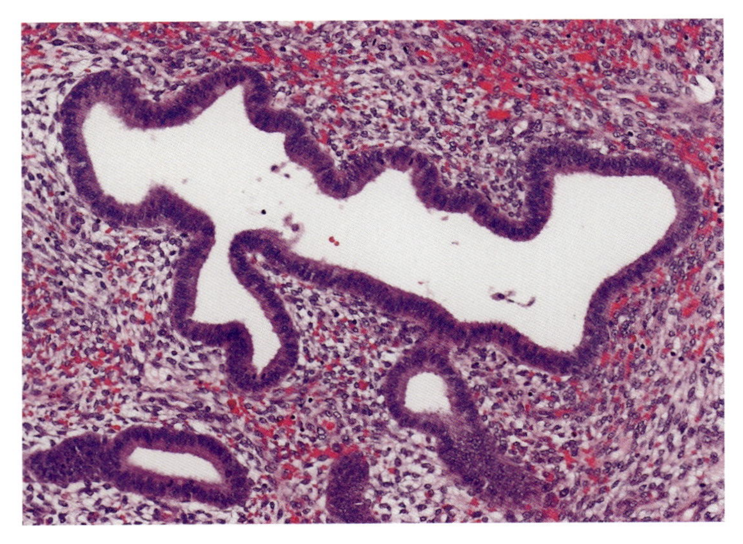

図 23　子宮内膜ポリープ(組織像)

不調増殖期内膜でみられるような種々の程度の拡張を示す内膜腺が認められる．不規則な分岐を示す内膜腺も混じる．

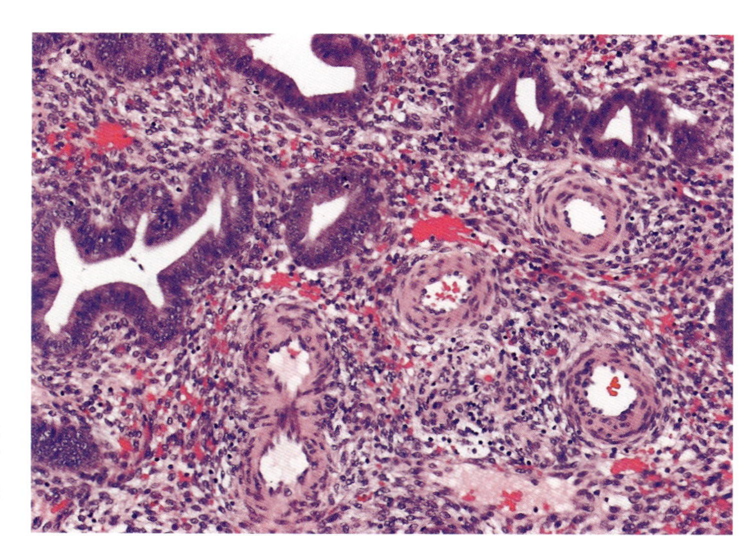

図 24　子宮内膜ポリープ（組織像）
不規則な分岐を示す内膜腺がみられる．間質は線維成分が豊富になっており，らせん動脈よりも太い筋性の厚い壁を有する血管がみられる．

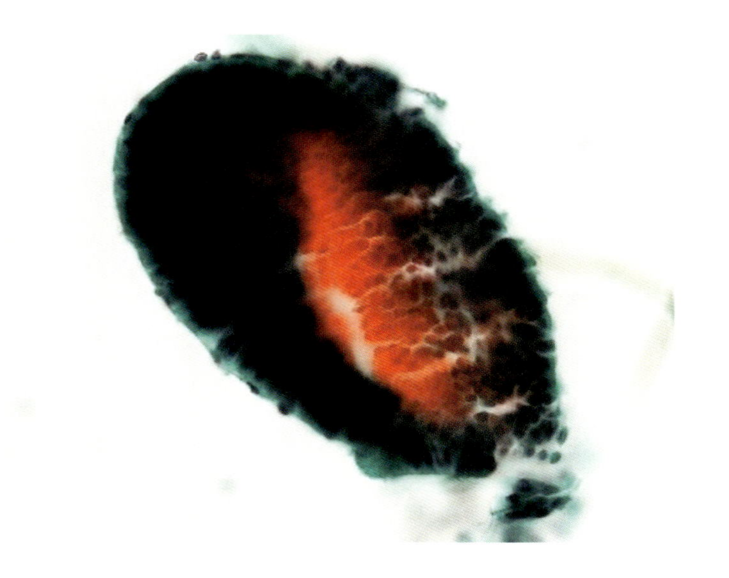

図 25　子宮内膜ポリープ
特徴的な所見に乏しいが，集塊内に拡張した腺管構造がみられ，集塊辺縁には内膜間質細胞がよく付着している．重積性や異型性はみられない．
（SP-LBC 法/対物×40）

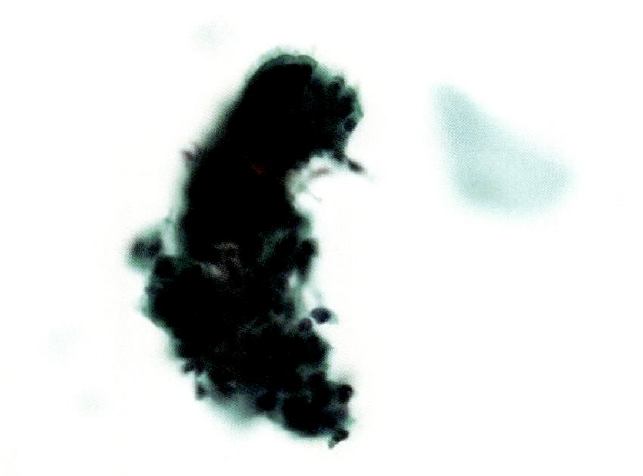

図 26　子宮内膜ポリープ
線毛上皮化生を示す集塊であるが，重積性や異型性はみられない．
（SP-LBC 法/対物×40）

文献

1) 杉森甫．子宮内膜増殖症の分類と相互の鑑別点と意義．森脇昭介，杉浦甫(編)．取扱い規約に沿った腫瘍鑑別診断アトラス　子宮体部．文光堂；1993．15-22
2) Kurman RJ, Kaminski PF, Norris HJ. The behavior of endometrial hyperplasia：a long-term study of untreated hyperplasia in 170 patients. Cancer. 1985；56：403-412
3) Scully RE, Bonfiglio TA, Kurman RJ et al(eds.). WHO International Histological Classification of Tumours. Histological Typing of Female Genital Tract Tumours. 2nd ed. Berlin：Springer-Verlag；1994. Pp13-18
4) Tavassoli FA, Devilee P(eds.). WHO Classification of Tumours. Pathology & Genetics. Tumours of the Breast and Female Genital Organs. 3rd ed. Lyon：IARC Press；2003：pp218-232
5) Zaino R, Carinelli SG, Ellenson LH, et al. Epithelial tumours and precursors. In：Kurman RJ, Carangiu ML, Herrington CS, et al. (eds.) WHO Classification of Tumor of Female Reproductive Organs, 4th ed. Lyon：IARC Press；2014：125-135
6) Ellenson LH, Matias-Guiu X, Mutter GL. Endometrial hyperplasia without atypia In：edited by the WHO Classification of Tumor Editorial Board. WHO Classification of Tumor of Female Reproductive Organs, 5th ed. Lyon：IARC Press；2020：248-249
7) 日本産科婦人科学会，日本病理学会，日本医学放射線学会，日本放射線腫瘍学会(編)．子宮体癌取扱い規約第3版．金原出版；2012.
8) 日本産科婦人科学会，日本病理学会(編)．子宮体癌取扱い規約第4版．金原出版；2017.
9) 清川貴子．特集　子宮内膜増殖症　子宮内膜増殖症の分類．病理と臨床．2004；22：351-355.
10) 清川貴子．特集　子宮腫瘍の病理　子宮体部の上皮内病変と初期病変の概念と診断基準．病理と臨床．2013；31：637-643.
11) 前田大地．子宮内膜増殖症・子宮内膜異型増殖症．森谷卓也，柳井広之(編)．腫瘍病理鑑別診断アトラス　子宮体癌．文光堂；2014．16-26
12) Ellenson LH, Ronnett BM, Kurman RJ. Precursors of endometrial carcinoma. In：Kurman RJ, Ellenson LH, Ronnett BM editors. Blaustein's pathology of the female genital tract. 7th ed. New York：Springer-Verlag；2019：439-472
13) 公益社団法人　日本臨床細胞学会(編)．細胞診ガイドライン1　婦人科・泌尿器．金原出版；2012．pp71-108
14) Norimatsu Y, Shimizu K, Kobayashi TK et al. Cellular feature of endometrial hyperplasia and well-differentiated adenocarcinoma using the Endocyte sampler：diagnostic criteria based on cyto-architecture of tissue fragments. Cancer. 2006；108：77-85
15) Papaefthimiou M, Symiakaki H, Mentzelopoulou P et al. Study on the morphology and reproducibility of the diagnosis of endometrial lesion utilizing liquid-based cytology. Cancer. 2005；105：56-64
16) Norimatsu Y, Yanoh K, Kobayashi TK. The role of liquid-based preparation in the evaluation of endometrial cytology. Acta Cytol. 2013；57：423-435
17) 上坊敏子，佐藤倫也，金井督之，ほか．子宮内膜細胞診診断精度の検討．日臨細胞誌．2000；39：381-388.
18) 林玲子，蔵本博行．子宮内膜機能性出血の細胞診—内膜細胞診疑陽性例の再検討から—．日臨細胞誌．2002；41：201-208.
19) 則松良明，森谷卓也．子宮内膜増殖症と非増殖症良性内膜にみられる細胞像の鑑別は可能か？．日臨細胞誌．2002；41：313-320.
20) 清水恵子，則松良明，小椋聖子，ほか．内膜増殖症を疑い細胞診疑陽性としたホルモン不均衡内膜症例の検討．日臨細胞誌．2004；43：266-271.
21) 吉田志緒子，楠奈々子，石山功二，ほか．子宮内膜細胞診判定基準の検討．日臨細胞誌．2008；47：227-235.
22) 清水恵子，則松良明，小椋聖子，ほか．内膜細胞診疑陽性例の検討—構造異型を加味した新判定基準の検討—．日臨細胞誌．2008；47：249-254.
23) 及川洋恵，則松良明，鷲尾尚子，ほか．子宮内膜細胞診はどこまで組織所見を捉えられるか—細胞像から組織構築を掴む—．日臨細胞誌．2010；49：297-305.
24) 無排卵周期に伴う機能性出血の細胞像—特に endometrial glandular and stromal breakdown の細胞像について—．日臨細胞誌．2012；51：93-104.

25) 桜井幹己．子宮内膜増殖症と鑑別すべき非腫瘍病変．森脇昭介，杉浦甫(編)．取扱い規約に沿った腫瘍鑑別診断アトラス　子宮体部．文光堂；1993．10-14
26) 三上芳喜．特集　子宮内膜増殖症　子宮内膜増殖症と鑑別すべき病変．病理と臨床 2004；22：369-374.
27) Kim KR, Peng R, Ro JY, et al. A diagnostically useful histopathological feature of endometrial polyp：the long axis of endometrial glands arranged parallel to surface epithelium. Am J Surg Pathol. 2004；28：1057-1062
28) 若狭朋子，若狭研一．特集　子宮の病理Ⅱ―子宮体部―　子宮内膜ポリープおよび類似疾患．病理と臨床．2008；26：368-373.
29) 森谷鈴子．子宮内膜増殖症 vs 非増殖症・非癌病変．森谷卓也，柳井広之(編)．腫瘍病理鑑別診断アトラス　子宮体癌．文光堂；2014．140-145

（前田宣延）

TYS 5

子宮内膜異型増殖症/類内膜上皮内腫瘍

Endometrial atypical hyperplasia/Endometrioid intraepithelial neoplasia（EAH/EIN）

背景

1994年版のWHO病理組織分類から2003年のWHO分類第3版および本邦の子宮体癌取扱い規約第3版に至るまで，**子宮内膜増殖症は構造と細胞異型の観点から**simple hyperplasia without atypia, complex hyperplasia without atypia, simple hyperplasia with atypia, complex hyperplasia with atypiaの**4亜型に分類**されてきた[1-3]．

Kurmanらにより子宮内膜増殖症が経過中に癌へと進展する頻度は，① endometrial hyperplasia, simple，② endometrial hyperplasia, complex，③ atypical endometrial hyperplasia, simple，④ atypical endometrial hyperplasia, complexで，それぞれ1%，3%，8%および29%と報告された[4]．このことから癌に進展するリスクは構造および細胞異型の程度と相関していることが明らかにされ，細胞異型を帯びた後者の2亜型が**子宮内膜異型増殖症（Endometrial atypical hyperplasia：EAH）**として位置づけられた．そして現在では，**構造異型よりも細胞異型がより重きをなす**といわれるようになっている．

子宮内膜異型増殖症には癌へ進展するリスクの他，類内膜癌が併存するリスクもあるとされている．これまでの報告によると，術前に生検標本もしくは掻爬標本で子宮内膜異型増殖症と診断された後に子宮切除術を受けた症例において，切除標本内に類内膜癌が認められる頻度は，6～63%といわれている．報告によりばらつきが強い点が問題であったが，厳密な条件のもとで検討を行った報告によると併存する頻度は40%程度とされている．異型を伴わない子宮内膜増殖症とは違って，子宮内膜異型増殖症の多くは腫瘍性格を有すると推定される所以であり，この両者をわけることは臨床上も重要であると考えられる[5-7]．

子宮内膜異型増殖症は，腫瘍性格の洗い出しという一面で大きな役割を果たしている． 近年では，より高い再現性および病変の性格を反映させる新しい基準として**類内膜上皮内腫瘍（endometrioid intraepithelial neoplasia：EIN）**がMutterらによって提唱された．腫瘍性格をより正確に判断し，治療の対象となる**前駆病変**として捉えることを目的としている点で従来の子宮内膜増殖症とは異なっている．

診断基準も**構造**，**細胞変化**および**病変の拡がり**の3点で構成されている．①構造に関しては**腺管面積**が間質よりも優勢であり，個々の腺管が種々の程度で分岐を伴い，多彩な形態を示す，②細胞の変化としては増殖性となった腺管の細胞像が，核（多形性や極性の乱れ）および細胞質に関して**背景の正常内膜腺上皮細胞と明瞭な違い**を呈する，③病変の拡がりは1 mm以上である．さらには診断基準の一部が重複する良性病変(**内膜基底層**, **分泌期**, **内膜ポリープ**, **再生性変化**など)の除外, および癌としての所見(**迷路状腺管**, **充実部**, **モザイク状腺管**, **篩状構造の有無**)の除外といった項目も加えられている.

従来の基準に沿った単純型子宮内膜増殖症, 複雑型子宮内膜増殖症, 子宮内膜異型増殖症のそれぞれ5%, 44%, 79%がこの類内膜上皮内腫瘍に相当するとされている. 一方で, 類内膜上皮内腫瘍の基準を満たす子宮内膜異型増殖症の38%は癌に進展したが, 基準を満たさないものはすべて癌への進展は見られなかった. したがって, 類内膜上皮内腫瘍と子宮内膜増殖症とは必ずしも同一ではないと考えられる. 子宮内膜増殖症には非腫瘍性病変も含まれていることを意味していると同時に, **類内膜上皮内腫瘍は腫瘍性格**がより浮き彫りにされ, 癌の前駆病変として位置付けられるものと考えられる[8-12].

定義

2014年のWHO分類第4版では, 概念の違う従来の子宮内膜異型増殖症と類内膜上皮内腫瘍が一括され[13], 2020年のWHO分類第5版にも引き継がれている[14].

本邦では子宮体癌取扱い規約第3版において「細胞異型を伴う子宮内膜腺の過剰増殖」と定義付けられていたが[3], 子宮体癌取扱い規約第4版では類内膜上皮内腫瘍の基準を満たせば子宮内膜異型増殖症とし, **子宮内膜異型増殖症(EAH)と類内膜上皮内腫瘍(EIN)がひとくくりとなった**[15].

子宮内膜異型増殖症における細胞異型の定義は長い間, 議論されてきた. 細胞異型の定義は婦人科病理医の間でも基準が一致しないことがよく知られているが, 「**核腫大**(特に横径の腫大に伴い核の円形化)」, 「**核クロマチン**の増加と分布の不均一性」, 「**核縁の肥厚**」, 「**核小体**の明瞭化と大型化」, 「**核の偽重積性**と極性の乱れ」といった所見が挙げられる. これらの中でも異型のない子宮内膜増殖症との区別には「**大型の核小体の出現**」が重要な所見であるとされている[16-22].

EAH/EINでは, 構造の複雑性に加え**腺管密度の増加**がみられる. 異型を伴わない子宮内膜増殖症よりも構造はさらに不整となり, **back to back構造**を示すことが多くなるほか, 腺管の大小, 拡張の目立つ腺管, 複雑な分岐などが目立つ. 腺管内腔への乳頭状突出もよく認められるようになる. また, EAH/EIN自体に**好酸性化生**, **線毛細胞化生**, **扁平上皮化生**といった種々の化生性変化が合併することもひとつの特徴として挙げられる(**図1～9**)[16-22].

診断基準

- **図10～15**参照[23-32].
- **拡張・分岐を示す集塊**が多く認められる(腺管の最大幅が最小幅の2倍以上).
- **不整形突出集塊**としても出現する.
- 上皮細胞集塊内での**細胞重積は3層もしくは3層を超え**, 周囲への間質の付着も不明瞭となる.
- 腺腔数の増加を示す**上皮細胞集塊**が時として認められる.

■上皮細胞集塊での配列が不整となり，集塊辺縁での核の突出も伴うこともある．
■腺上皮細胞には**核腫大**，**核クロマチンの増加**，**肥大した核小体**，**核縁の肥厚**といった異型性が認められる．
■時として核分裂像も認められる．

鑑別診断

子宮体癌取扱い規約第4版では類内膜上皮内腫瘍の基準を満たせば子宮内膜異型増殖症とするとされており[15]，類内膜上皮内腫瘍の基準を満たすものであれば，これまでは異型を伴わない子宮内膜増殖症とされたものでもEAH/EINのカテゴリーに含まれてくる可能性が生じることになる．

子宮内膜増殖症の分類に関しては細胞異型の有無が重要な鍵を握っていたが，類内膜上皮内腫瘍と一括りとされたことにより核異型の程度の幅が広くなる可能性があり，細胞診を行う上で，子宮内膜増殖症の鑑別がより難しくなると考えられる．

一方，類内膜上皮内腫瘍の診断基準にもあるように**類内膜癌 Grade 1（G1）**を除外する必要がある．これまで細胞診において類内膜癌G1と診断する上で，①不整形突出集塊や乳頭・管状集塊といった**異常内膜腺上皮細胞集塊**における腺管構造の複雑性の程度，②**束状の紡錘形細胞**を伴う不整な樹枝状構造の有無，③集塊周囲における内膜間質細胞の付着の有無，④壊死性背景の有無，などといった所見が有用であるとされてきた．

時として子宮内膜異型増殖症では，類内膜癌G1より強い核異型を示すことがあることが知られている．細胞異型の点で類内膜癌G1と同様もしくはそれ以上の状態であっても，**間質浸潤**としての所見を欠く場合，類内膜癌とはされず子宮内膜異型増殖症に分類されることになる．このことは子宮内膜異型増殖症には，分類上に存在しない**概念的な上皮内癌**までを含むことを意味しており，子宮内膜異型増殖症と類内膜癌G1の間の明確な線引きを難しくする一因と考えられる．

異常子宮内膜腺上皮細胞集塊の出現数，占有率，および異常集塊内における腺腔数などが子宮内膜異型増殖症と類内膜癌G1の鑑別に有用であると報告されているが，各施設で作製される標本の状態により判定に差が生じる可能性も有している．

そのため，SP-LBC標本を用いたTYS式子宮内膜細胞診判定様式の判定項目において，類内膜癌G1とEAH/EINとの区別を設けずに「**子宮内膜癌（EAH/EINも含む）（TYS 5またはTYS 6）**」とした緩やかな項目をあてることで，これまでの問題点の解消につながり意義のあることと考えられる．また類内膜上皮内腫瘍の登場により，細胞異型に関しても従来の範囲よりもさらに軽度の異型のものまで拾い上げられる可能性があり，前述したように細胞診を行う上で，子宮内膜増殖症の鑑別がより難しくなると考えられる．TYS式子宮内膜細胞診判定様式のATECといった項目がより重要な役割を演じるものと思われる[33]．

EAH/EINの分子生物学的な特徴

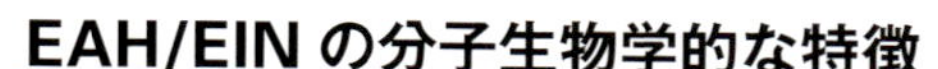

子宮内膜癌は，2013年にThe Cancer Gene Atlas(TCGA)により**分子生物学的**に，**POLE，MSI，Copy-number low，Copy-number highの4群**に分類され，それぞれの群における遺伝子変異についても解析されている[34, 35]．WHO分類第5版ではTCGAの解析をもとに，子宮体部類内膜癌は**分子病理学的**に，**POLE-ultramutated，MMR-deficient，p53-mutant，Nonspecific molecular profileの4つのサブグループに分類**されている[36]．

頻度の差はあるものの**EAH/EIN**においても**類内膜癌**と同様の遺伝子異常があるといわれており，**PTEN遺伝子変異**，**KRAS遺伝子変異**，**β-カテニン変異**のほか，**マイクロサテライト不安定性**などの分子病理学的な変化が指摘されている[37]．その中でも**PTEN遺伝子変異**は異型を伴わない子宮内膜増殖症およびEAHの15～55％に生じているとされており，類内膜癌の発癌の段階よりも子宮内膜増殖症の段階で生じていると考えられている．

PTENおよびPAX2の両者の発現の欠失は，EINおよび類内膜癌でそれぞれ31％，55％であり，増殖期内膜の21％より高い頻度でみられるといわれている．不整形集塊が出現しているが，異型の程度が軽度で鑑別に難渋する時には両者の発現の欠失の有無を確認することは診断の手助けになる[38]．このほか，**ミスマッチ修復タンパク質**の発現の欠失についても有用といわれている[39, 40](**図16**)．

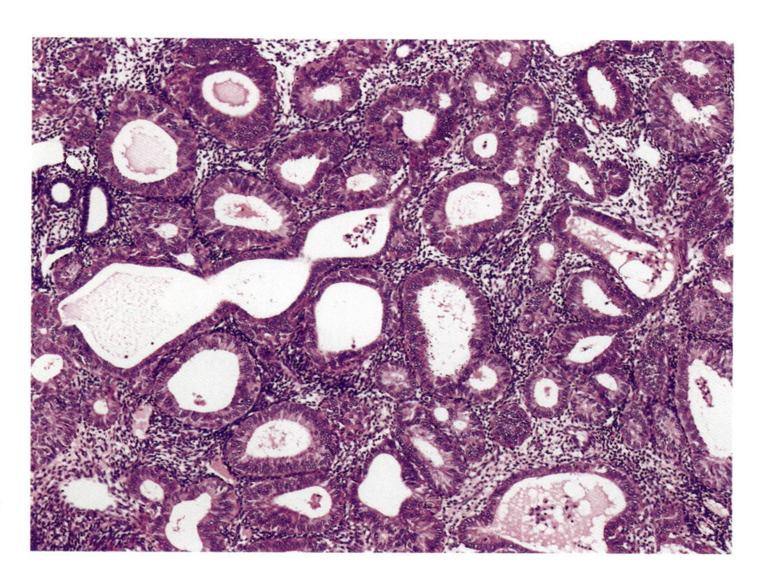

図1　子宮内膜異型増殖症(組織像)
大小さまざまな異型内膜腺の増殖が認められる．間質の介在は少ない．

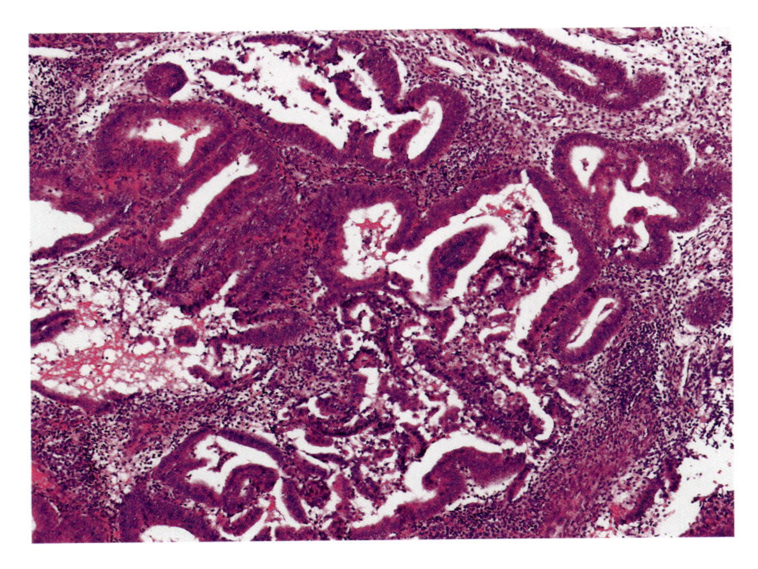

図 2　子宮内膜異型増殖症（組織像）

大小さまざまな異型内膜腺の増殖が認められる．内腔に向かう乳頭状の増殖を伴う異型内膜腺もみられる．図 1 と同様に間質の介在は少ない．

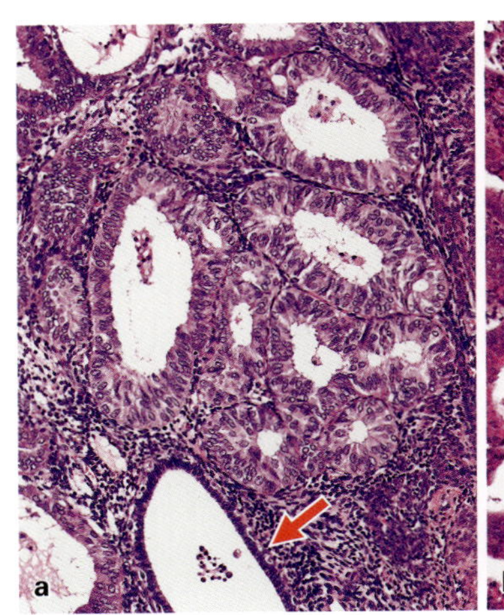

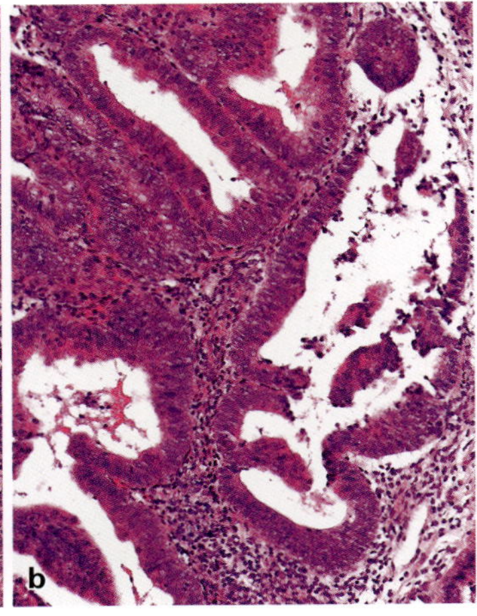

図 3　子宮内膜異型増殖症（組織像）

好酸性の細胞質を有する円柱状の異型腺上皮細胞が主体となっている．細胞の丈は高く，固有の内膜腺（**a**，矢印）よりも腺管の厚みを増している．

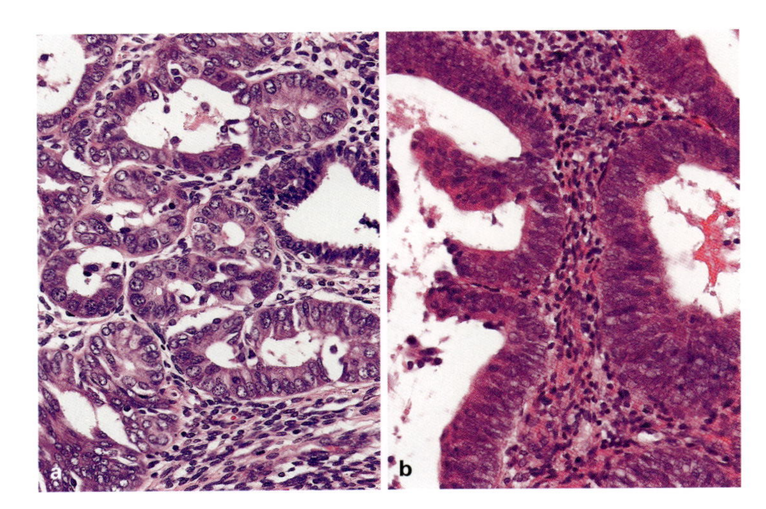

図 4　子宮内膜異型増殖症（組織像）

異型腺上皮細胞の核は腫大し，円形～楕円形のものが多く認められる．核のクロマチンの増加や核縁の肥厚がみられ，核小体も肥大し明瞭化している．核の重層性も示している．

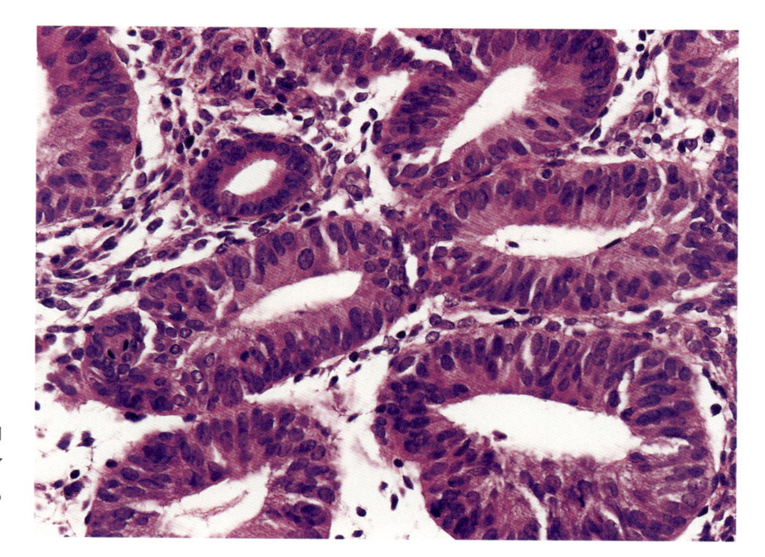

図 5　子宮内膜異型増殖症(組織像)
異型性が比較的弱い症例であるが，異型腺上皮細胞には核腫大，核クロマチンの増加が認められる．クロマチンの不整凝集や極性の乱れもみられる．

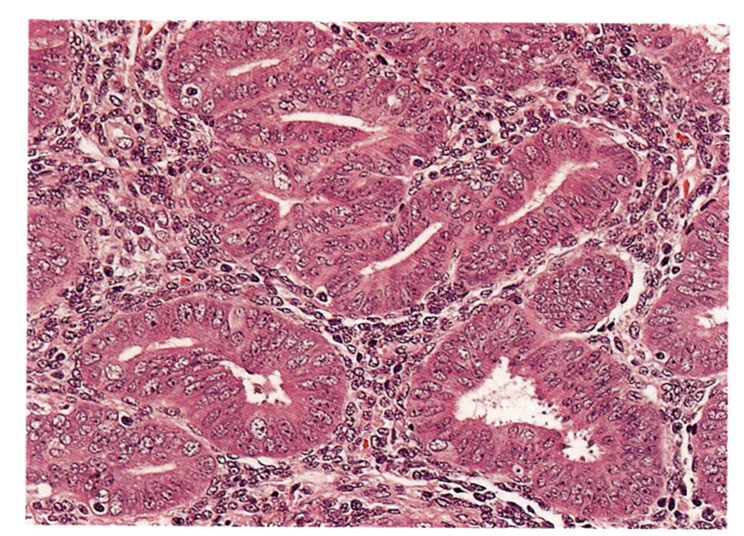

図 6　子宮内膜異型増殖症(組織像)
異型性が強い症例であり，異型腺上皮細胞には核腫大，核の大小不同がみられる．不整凝集を示す核クロマチンや肥大し明瞭化した核小体も認められる．核の重層性や極性の乱れもみられる．

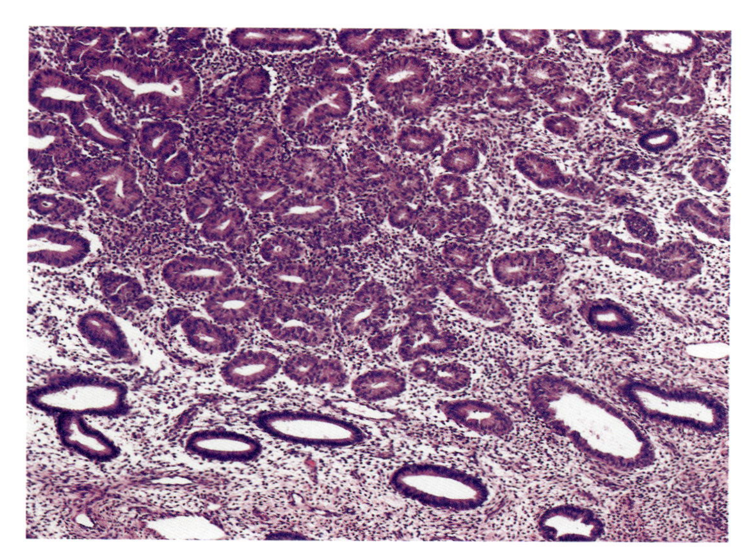

図 7　類内膜上皮内腫瘍(組織像)
背景の固有内膜腺と一線を画して，腺の密な増殖巣が認められる．
腺の増殖巣は 1 mm を超え，介在する間質も少なくなっている．

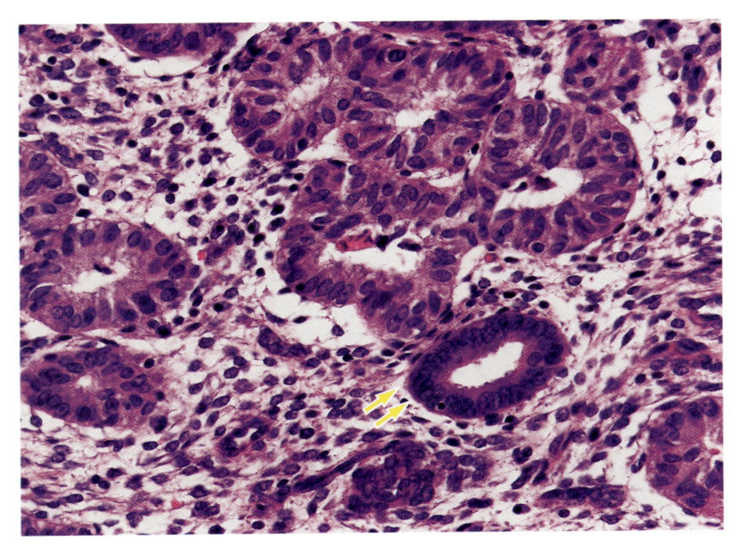

図 8　類内膜上皮内腫瘍(組織像)

固有の内膜腺(図中央付近，矢印)の核と比較して腫大し，極性の乱れも生じている.

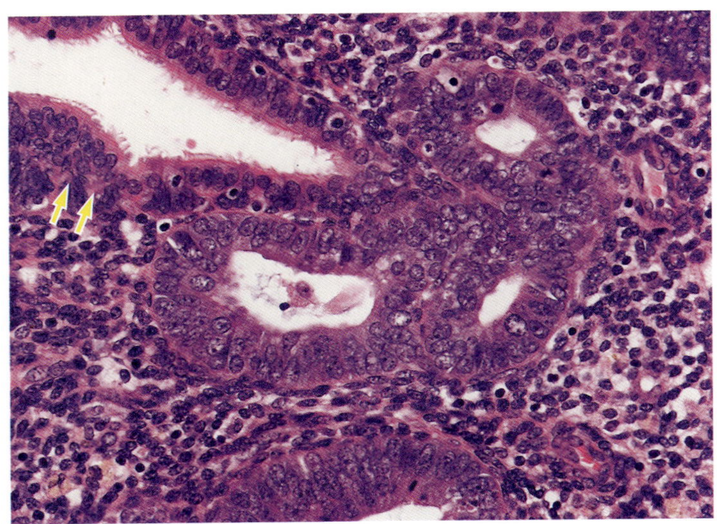

図 9　類内膜上皮内腫瘍(組織像)

線毛上皮化生を伴った固有の内膜腺(図左上，矢印)の核と比較しても腫大しており，核小体の肥大や極性の乱れも生じている.

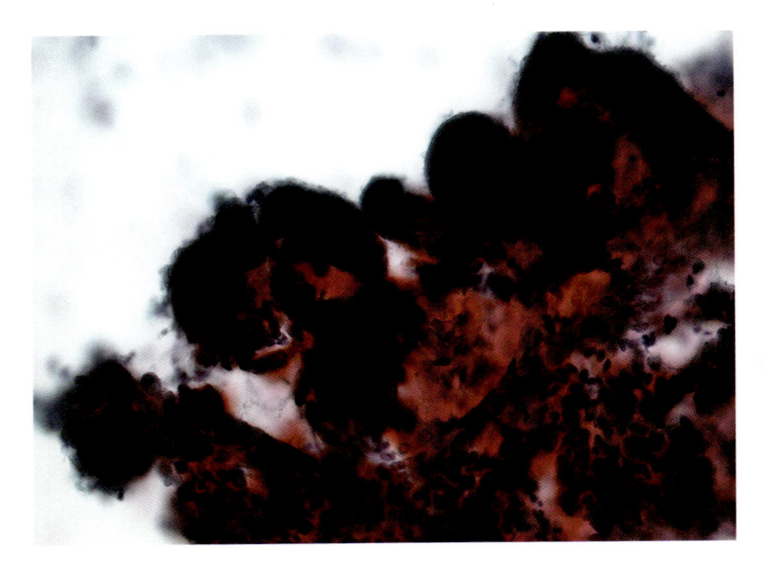

図 10　EAH/EIN

拡張・分岐集塊として出現している．分岐した部分は半島状の突出を示しており，分岐の数も増している.

(直接塗抹法/対物×20)

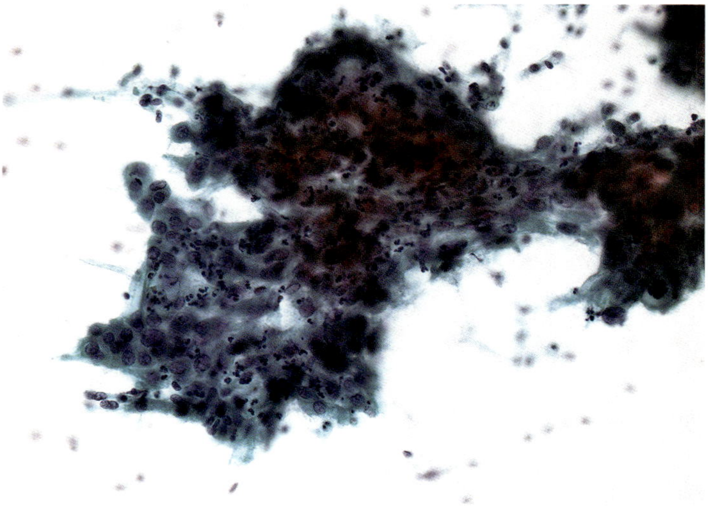

図 11　EAH/EIN

不整形突出集塊として出現している．集塊内には好中球の取り込みがみられる．核重積は 2～3 層程度であるが，細胞はライトグリーン好性で厚みをましている．分岐した部分は半島状の突出を示しており，分岐の数も増している．
（直接塗抹法/対物×40）

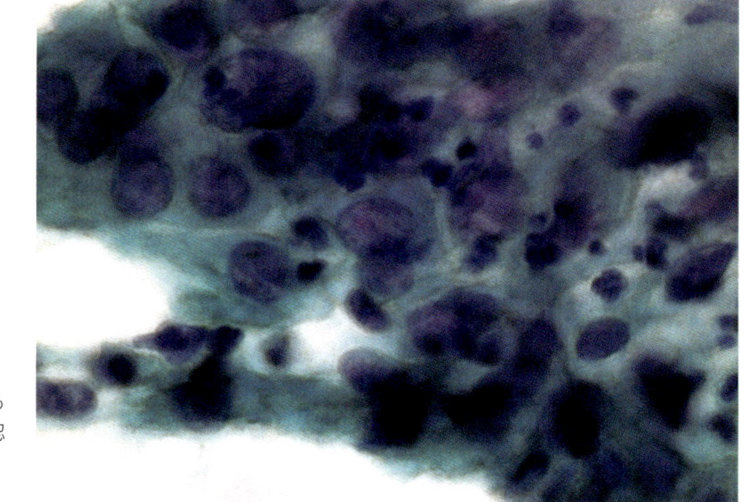

図 12　EAH/EIN

核腫大，核の大小不同がみられる．核クロマチンは増加し，不整凝集もうかがわれる．肥大した核小体も認められる．
（直接塗抹法/対物×60）

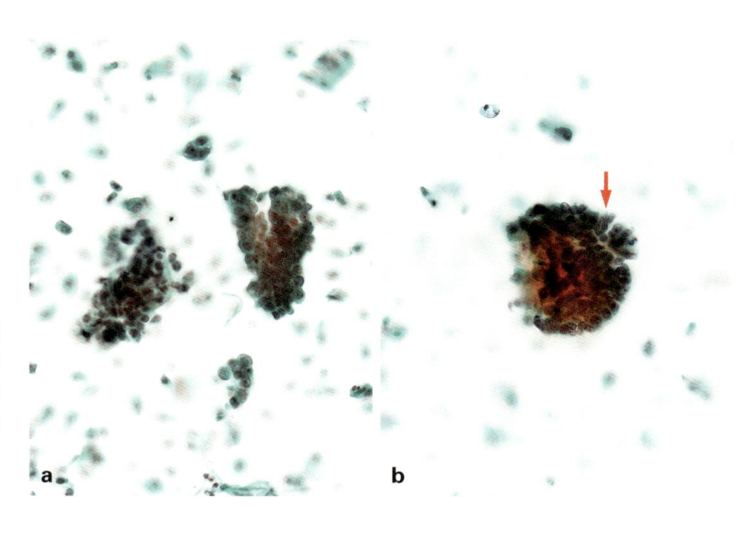

図 13　EAH/EIN

集塊は小型化する傾向にある．不整突出集塊として出現しており，核の密度が稠密になっている．**b** では集塊内に不整な管状構造（矢印）がうかがわれる．
（SP-LBC 法/**a, b**：対物×40）

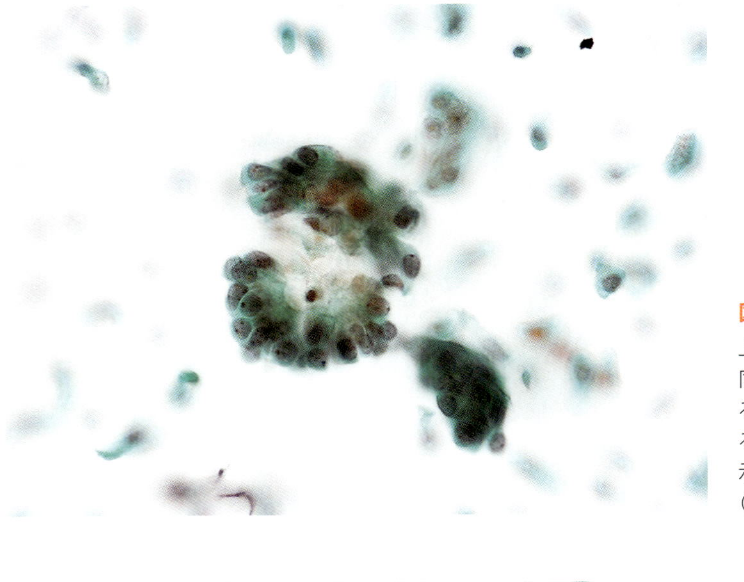

図 14　EAH/EIN

上皮細胞の核には腫大，核の大小不同，核クロマチンの増加が認められる．核小体も肥大し明瞭となっている．集塊辺縁部において核の突出を示す箇所もみられる．
（SP-LBC 法/対物×60）

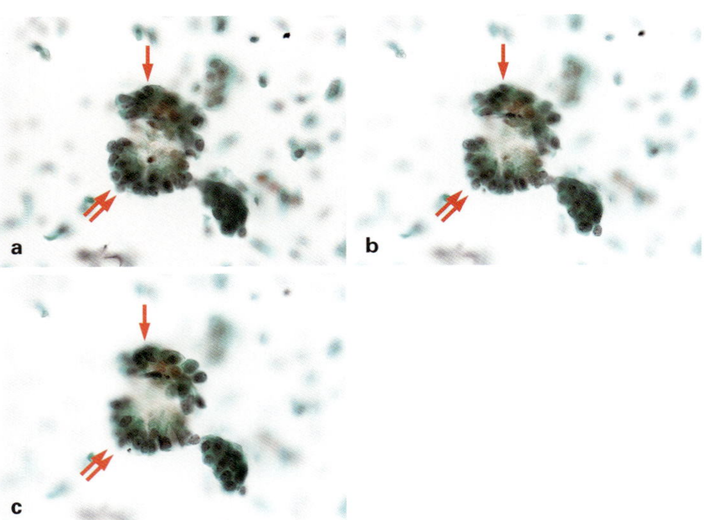

図 15　EAH/EIN

集塊内の 2 か所において 3 層を示す核重積が認められる（矢印）．
（SP-LBC 法/**a**～**c**：対物×40）

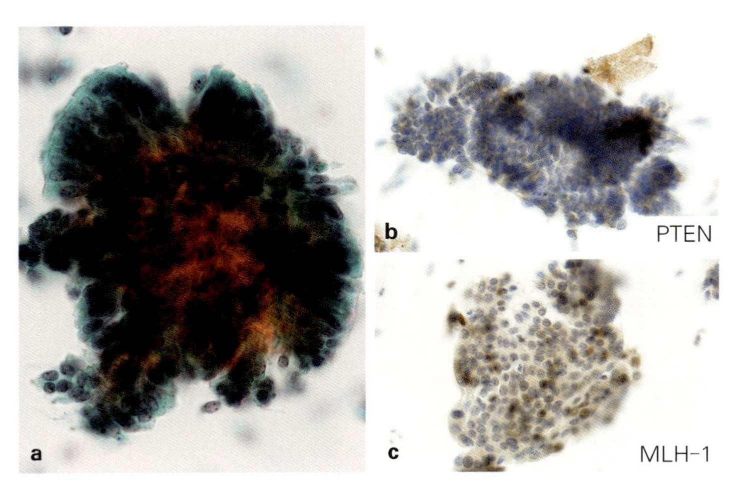

図 16　EAH/EIN

EAH/EIN における不整形集塊（**a**）．PTEN は異型内膜細胞において発現が欠失しているが，集塊に付着する間質細胞には発現が認められる（**b**）．MLH-1 も異型内膜細胞において発現が欠失しているが，付着する間質細胞には発現が認められる（**c**）．
（SP-LBC 法/**a**：対物×60，**b**，**c**：対物×40）

文献

1) Scully RE, Bonfiglio TA, Kurman RJ, et al (eds.). WHO International Histological Classification of Tumours. Histological Typing of Female Genital Tract Tumours. 2nd ed. Berlin：Springer-Verlag；1994. Pp13-18
2) Tavassoli FA, Devilee P (eds.). WHO Classification of Tumours. Pathology & Genetics. Tumours of the Breast and Female Genital Organs. 3rd ed. Lyon：IARC Press；2003：pp218-232
3) 日本産科婦人科学会，日本病理学会，日本医学放射線学会，日本放射線腫瘍学会(編)．子宮体癌取扱い規約第3版．金原出版；2012.
4) Kurman RJ, Kaminski PF, Norris HJ. The behavior of endometrial hyperplasia：a long-term study of untreated hyperplasia in 170 patients. Cancer. 1985；56：403-412
5) 前田大地．子宮内膜増殖症・子宮内膜異型増殖症，森谷卓也，柳井広之(編)．腫瘍病理鑑別診断アトラス　子宮体癌．文光堂；2014. 16-26
6) Trimble CL, Kauderer J, Zaino R, et al. Concurrent endometrial carcinoma in women with a biopsy diagnosis of atypical endometrial hyperplasia：a gynecologic oncology group study. Cancer. 2006；106：812-819
7) Rakha E, Wong SC, Soomro I, et al. Clinical outcome of atypical endometrial hyperplasia diagnosed on an endometrial biopsy：institutional experience and review of literature. Am J Surg Pathol. 2012；36：1683-1690
8) 清川貴子．特集　子宮腫瘍の病理　子宮体部の上皮内病変と初期病変の概念と診断基準．病理と臨床．2013；31：637-643.
9) 森谷卓也．Endometrioid intraepithelial neoplasia (EIN)の判定法，森谷卓也，柳井広之(編)．腫瘍病理鑑別診断アトラス　子宮体癌．文光堂；2014. 152-157
10) Mutter GL. Diagnosis of premalignant endometrial disease. J Clin Pathol. 2002；55：326-331
11) Baak JP, Mutter GL, Robboy S, et al. The molecular genetics and morphometry-based endometrial intraepithelial neoplasia classification system predicts disease progression in endometrial hyperplasia more accurately than 1994 world health organization classification system. Cancer. 2005；103：2304-2312
12) Owings RA, Quick CM. Endometrial intraepithelial neoplasia. Arch Pathol Lab Med. 2014；138：484-491
13) Zaino R, Carinelli SG, Ellenson LH, et al. Epithelial tumours and precursors. In：Kurman RJ, Carangiu ML, Herrington CS, et al. (eds.) WHO Classification of Tumor of Female Reproductive Organs, 4th ed. Lyon：IARC Press；2014：125-135
14) Lax SF, Mutter GL. Endometrial atypical hyperplasia/endometrioid intraepithelial neoplasia. In：edited by the WHO Classification of Tumor Editorial Board. WHO Classification of Tumor of Female Reproductive Organs, 5th ed. Lyon：IARC Press；2020：250-251
15) 日本産科婦人科学会，日本病理学会(編)．子宮体癌取扱い規約第4版．金原出版；2017.
16) Ellenson LH, Ronnett BM, Kurman RJ. Precursors of endometrial carcinoma. In：Kurman RJ, Ellenson LH, Ronnett BM editors. Blaustein's pathology of the female genital tract. 7th ed. New York：Springer-Verlag；2019：439-472
17) Kurman RJ, Norris H. Evaluation of criteria for distinguishing atypical endometrial hyperplasia from well-differentiated carcinoma. Cancer. 1982；49：2547-2559
18) Silverberg SG. Problems in the differential diagnosis of endometrial hyperplasia and carcinoma. Mod Pathol. 2000；13：309-327
19) 杉森甫．子宮内膜増殖症の分類と相互の鑑別点と意義，森脇昭介，杉浦甫(編)．取扱い規約に沿った腫瘍鑑別診断アトラス　子宮体部．文光堂；1993. 15-22
20) 清川貴子．特集　子宮内膜増殖症　子宮内膜増殖症の分類．病理と臨床．2004；22：351-355.
21) Kendall BS, Ronnett BM, Isacson C, et al. Reproducibility of the diagnosis of endometrial hyperplasia, atypical hyperplasia, and well differentiated carcinoma. Am J Surg Pathol. 1998；22：1012-1019
22) 加藤哲子．子宮内膜病変における核異型の判定，森谷卓也，柳井広之(編)．腫瘍病理鑑別診断アトラス　子宮体癌．文光堂；2014. 146-151
23) 公益社団法人　日本臨床細胞学会(編)．細胞診ガイドライン1　婦人科・泌尿器．金原出版；

2012. pp71-108
24) 上坊敏子，佐藤倫也，金井督之，ほか．子宮内膜細胞診診断精度の検討．日臨細胞誌．2000；39：381-388.
25) 則松良明，森谷卓也，香田浩美，ほか．分化型類内膜腺癌の細胞像に関する検討—腺密集増殖集塊について—．日臨細胞誌．2000；39：389-395.
26) Papaefthimiou M, Symiakaki H, Mentzelopoulou P, et al. Study on the morphology and reproducibility of the diagnosis of endometrial lesion utilizing liquid-based cytology. Cancer. 2005；105：56-64
27) Norimatsu Y, Shimizu K, Kobayashi TK, et al. Cellular feature of endometrial hyperplasia and well-differentiated adenocarcinoma using the Endocyte sampler：diagnostic criteria based on cyto-architecture of tissue fragments. Cancer. 2006；108：77-85
28) 吉田志緒子，楠奈々子，石山功二，ほか．子宮内膜細胞診判定基準の検討．日臨細胞誌．2008；47：227-235.
29) 清水恵子，則松良明，小椋聖子，ほか．内膜細胞診疑陽性例の検討—構造異型を加味した新判定基準の検討—．日臨細胞誌．2008；47：249-254.
30) 及川洋恵，則松良明，鷲尾尚子，ほか．子宮内膜細胞診はどこまで組織所見を捉えられるか—細胞像から組織構築を掴む—．日臨細胞誌．2010；49：297-305.
31) 坂本寛文，竹中麻紀代，牛丸一樹，ほか．液状処理細胞診による子宮内膜の細胞像について．日臨細胞誌．2013；52：8-11.
32) Norimatsu Y, Yanoh K, Kobayashi TK. The role of liquid-based preparation in the evaluation of endometrial cytology. Acta Cytologica. 2013；57：423-435
33) Yanoh K, Norimatsu Y, Munakata S, et al. Evaluation of endometrial cytology prepared with the Becton Dickinson SurePath™ method：a pilot study by the Osaki Study Group. Acta Cytol. 2014；58：153-161
34) Kandoth C, Schultz N, Cherniack AD, et al. Integrated genomic characterizaion of endometrial carcinoma. Nature 2013；497：57-73
35) Murali R., Soslow RA., Weigelt B.：Classification of endometrial carcinoma：more than two types. Lancet Oncol 2014；15：e268-278
36) Bosse T, Lortet-Tieulent J, Davidson B, et al. Endometrioid carcinoma of the uterine corpus. In：edited by the WHO Classification of Tumor Editorial Board. WHO Classification of Tumor of Female Reproductive Organs, 5th ed. Lyon：IARC Press；2020：252-255
37) Hecht LL, Mutter GL. Molecular and pathologic aspect of endometrial carcinogenesis. J Clin Oncol 2006；24：4783-4791
38) Monte NM, Webster KA, Neuberg D, et al. Joint loss of PAX2 and PTEN expression in endometrial precancers and cancer. Cancer Res. 2010；70：6225-6232
39) Faquin WC, Fitzgerald JT, Lin MC, et al. Sporadic microsatellite instability is specific to neoplastic and preneoplastic endometrial tissues. Am J Clin Pathol 2000；113：576-582
40) Chapel DB, Patil SA, Plagov A, et al. Quantitative next-generation sequencing-based analysis indicates progressive accumulation of microsatellite instability between atypical hyperplasia/endometrial intraepithelial neoplasia and paired endometrioid endometrial carcinoma. Mod Pathol. 2019；32：1508-1520

（前田宜延）

TYS 6 悪性腫瘍

類内膜癌
Endometrioid carcinoma

背景

類内膜癌発生の主因として，**エストロゲンの過剰刺激**が挙げられる．これは規則的な排卵を認めない排卵障害による場合が多い．この他にも，内因性(エストロゲン産生腫瘍の存在など)，外因性(エストロゲン補充療法など)のエストロゲン過剰状態が挙げられている．

類内膜癌の平均発症年齢は50歳代である．高率に**不正子宮出血症状**が認められることが知られている．この年代では，排卵障害に伴う月経周期の不整もしばしばみられるので，臨床症状をよく把握して不正子宮出血を見逃さないことが重要である．

若年者の**高分化型類内膜癌**の早期例においては，治療方法として，子宮内膜異型増殖症/類内膜上皮内腫瘍(EAH/EIN)と同様に**酢酸メドロキシプロゲステロン(medroxyprogesterone acetate：MPA)高用量投与**が選択される場合がある．再発率が高いため厳重なフォローアップが必要となるが，その際，再発の早期発見および病態評価のために子宮内膜細胞診が頻用されている(☞78頁)．

定義

- **類内膜癌**：類内膜癌は**子宮内膜癌のうち80%以上**と最も多くを占める組織型である．**円柱状細胞**からなる癌で子宮内膜腺に類似した構造をしている．分化の程度により以下のようにGradeを分ける．
- **類内膜癌 Grade 1**：**高円柱細胞**からなり，正常子宮内膜に類似した腺管が密に配列し，しばしば乳頭状増殖を示す．相接する腺管が**back to back 構造**や**篩状**の像を示し，内膜間質は乏しく，核分裂像は少ない．充実性増殖の占める割合が**5%以下**である(図**1～3**)．
- **類内膜癌 Grade 2**：Grade 1に比し腺様構造は減少して充実巣が増加する．細胞は異型度を増し，核も多形性を示す．核分裂像も増加し，しばしば異常分裂を認める．充実性増殖の占める割合が**6～50%以下**，あるいは**充実性増殖が5%以下でも細胞異型が著しく強い場合はGrade 1ではなくGrade 2**とする．
- **類内膜癌 Grade 3**：腺様構造は一部に不規則に残存しているが，きわめて不明瞭となり，大部分は充実性増殖を示す．癌細胞はその形態，核の大きさが多様性を示し，異型度が著明となる．核小体は，明瞭で腫大する．核分裂像は増加し，異常分裂が多くを占める．充実性増殖の占める割合が**50%を超える**．あるいは**充実性増殖の占める割合が6～50%でも細胞異型が著しく強い場合はGrade 2ではなくGrade 3**とする(図**4**，**5**)．
- **扁平上皮への分化を伴う類内膜癌**：類内膜癌成分と扁平上皮成分とが混在したもの

である．すなわち，良性ないし悪性の形態を示す扁平上皮への分化が局所的にみられる類内膜癌である[1]．

■ **高分化型類内膜癌**：篩状，乳頭状などが多くみられ，複雑な構造を伴っている（図6〜12）．化生性変化を伴う細胞は良性悪性にかかわらず出現する．子宮内膜癌のときにみられる**化生性不整形突出集塊**は複雑な構造を伴った重積を示すのに対し，子宮内膜腺・間質破綻（EGBD）でみられる化生性不整形突出集塊では規則性のある奥行きの浅い構造を示す．高分化型類内膜癌において核異型は弱いことも多く，構造異型をよく観察することが診断するうえで最も重要である．また，背景に**壊死物質**（図7，9），**扁平上皮化生**（図10）の出現の有無，集塊の辺縁に内膜間質細胞の付着がないことを確認することも大切である．

高分化型類内膜癌において，しばしば**血管結合織**を芯とする乳頭状増殖を反映した像もみられる（図11）．腫瘍細胞が垂直に血管結合織に接する所見がみられることがあり（図12），正常の血管構造との鑑別において重要である[2-10]．

診断基準[2-13]

SP-LBC法では，以下の特徴がある．

① 直接塗抹法と比べて**核重積性所見**が強調される．TYS式子宮内膜細胞診判定様式[13]はこれに対応した判定方式となっている．

② 内膜間質細胞が比較的容易に観察できる．そのため，細胞集塊辺縁に内膜間質細胞の付着の有無を確認することは重要な指標となる．

③ 標本作製の過程により背景の血液成分や壊死成分は適度に取り除かれるが，よく観察すると背景の壊死物質が集塊状に出現していることが確認できる．

④ **EAH/EIN**の診断で**子宮全摘手術**が施行された症例では，しばしば**子宮内膜癌の混在**が認められる．**EAH/EINと高分化型類内膜癌は相互に連続した一連の病変**とも考えられ，細胞所見によって両者を厳密に区別することの臨床的意義はそれほど大きくない．

⑤ そのため，TYS式子宮内膜細胞診判定様式[13]では両者を包含した1つの診断項目として分類し，判定する．

以下に，診断基準を示す．

■ **3層以上の核重積**を伴う**不整形突出集塊**を認める（図8，13）（TYS式子宮内膜細胞診判定様式[13]における第1ステップ）．

■ 以下の①〜③を認める．（同，第2ステップ）

① 核クロマチン増量，核の大小不同，著明な核小体，集塊最外層核の突出，核の重畳性などの異常所見を認める．

② 細胞集塊内部に多数の腺腔を認める（**back to back構造**，**篩状構造**，図7）．

③ 背景に**出血・壊死**，**扁平上皮化生**のいずれかを認める（図10，15）．

上記の場合，「**子宮内膜癌（EAH/EINも含む）**（**TYS 5またはTYS 6**）」を推定する．

類内膜癌 Grade 3 は，**類内膜癌 Grade 1** と比べ結合が低下するため**不整形突出集塊は小型化する傾向**がある(**図 16**).

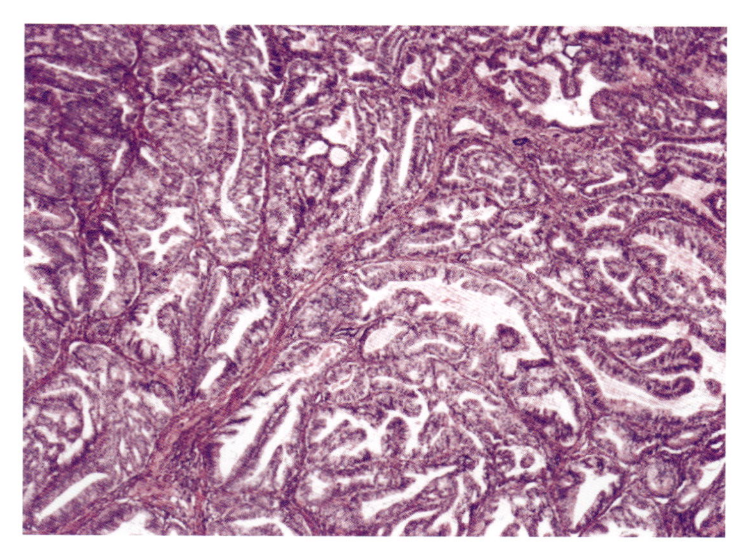

図 1　類内膜癌 Grade 1 組織像
内膜腺は血管結合織を芯とし，複雑な管腔状，癒合腺管状や乳頭状構造をとって増殖し，核異型を認める．充実性増殖部分はみられない．

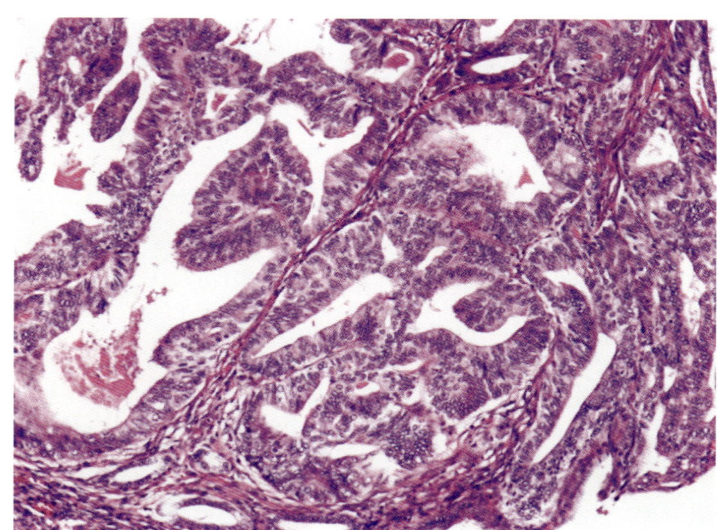

図 2　類内膜癌 Grade 1 組織像
不整な形状の腺管が back to back に増殖し，充実性増殖部分はみられない．核異型がみられる．

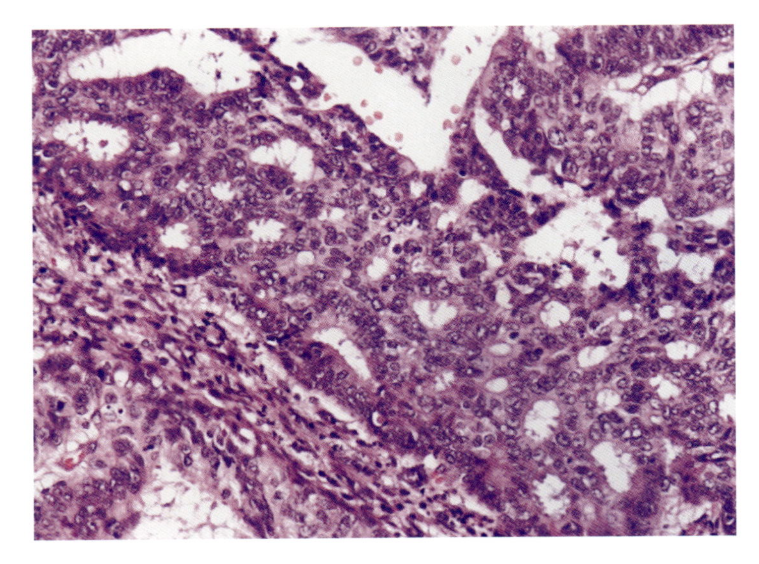

図 3　類内膜癌 Grade 1 組織像
腺管が複雑に癒合し，篩状構造を示す．充実性増殖部分はみられない．

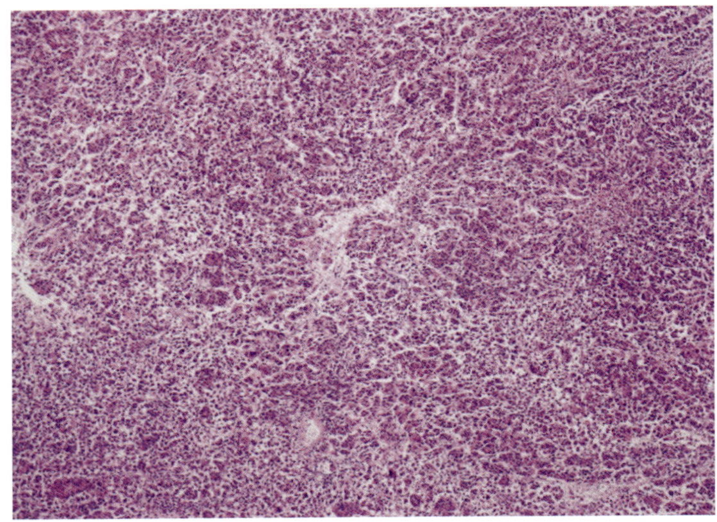

図 4　類内膜癌 Grade 3 組織像
大部分が充実性増殖を示し，非常に強い核異型を認める．

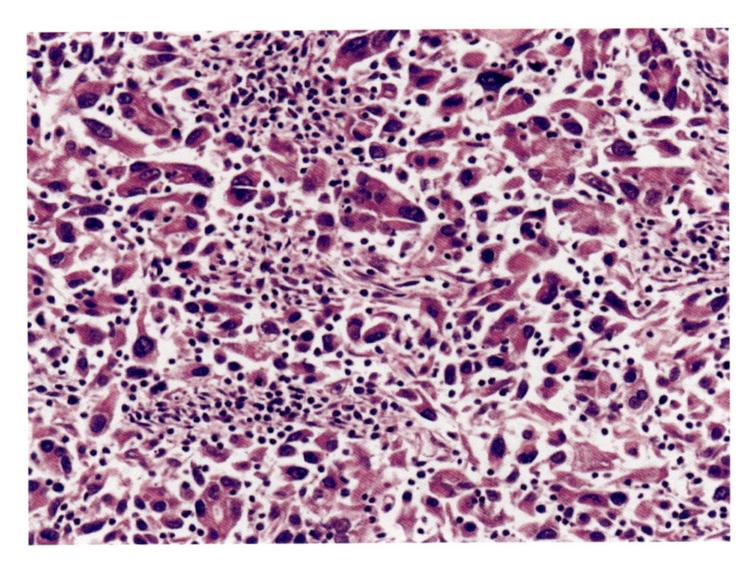

図 5　類内膜癌 Grade 3 組織像
壊死物質がみられるなか，非常に強い核異型をもつ腫瘍細胞が充実性にみられる．

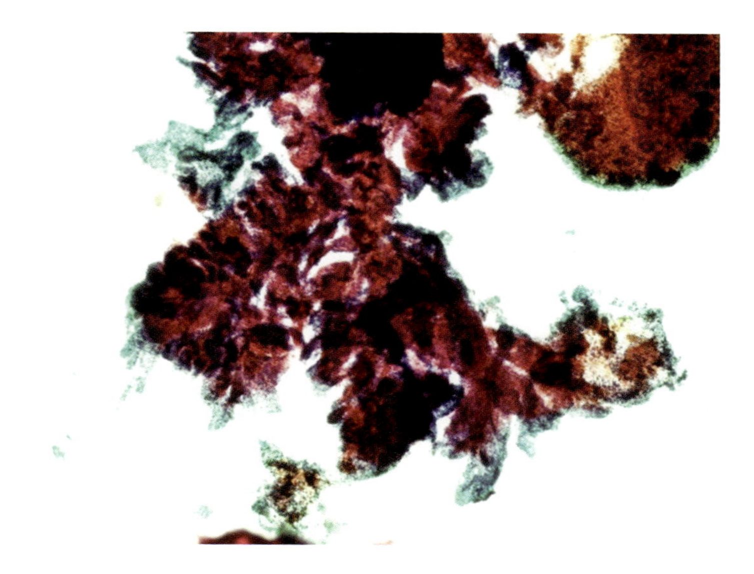

図 6　類内膜癌 Grade 1
腫瘍性背景の中に核重積を伴う大型の不整形突出集塊がみられる.
(直接塗抹法/対物×4)

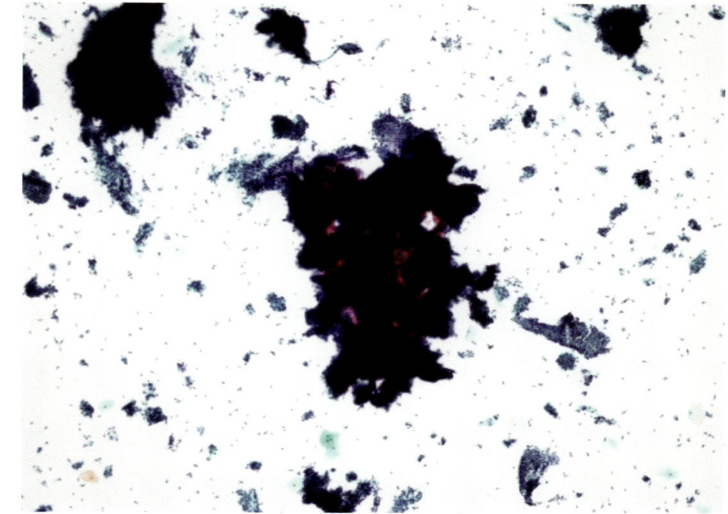

図 7　類内膜癌 Grade 1
背景に壊死物質がみられる中，不整形突出集塊の内部に多数の腺腔を認める．集塊周囲には内膜間質細胞の付着を認めない.
(SP-LBC 法/対物×4)

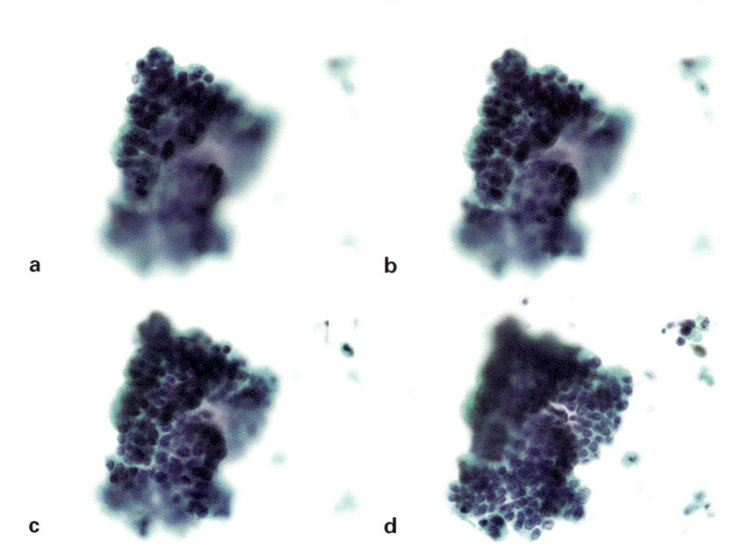

図 8　類内膜癌 Grade 1
不整形突出集塊を同一視野で焦点を調整することにより，3 層以上の核重積が確認できる(本例では 4 層).
核異型は強く，内膜間質細胞の付着はみられない.
(SP-LBC 法/対物×40)

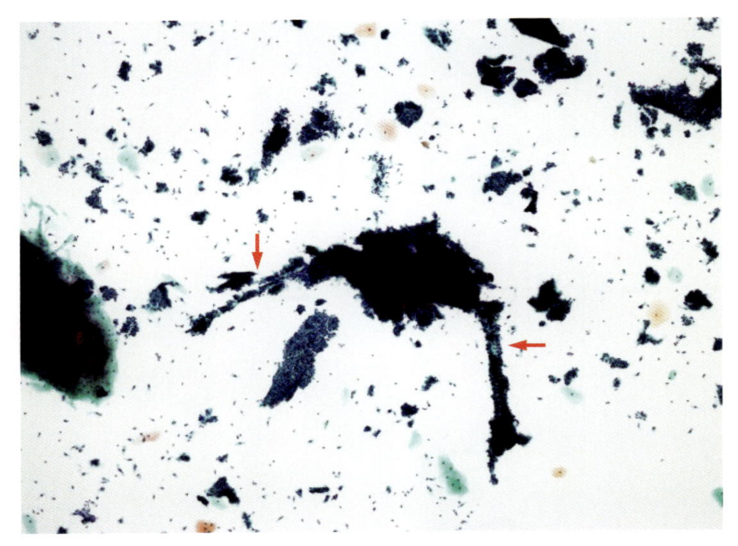

図 9　類内膜癌 Grade 1

背景に壊死物質がみられる中，不整形突出集塊を認める．集塊周囲には内膜間質細胞の付着を認めない．血管の突出を認める（矢印）．
（SP-LBC 法/対物×4）

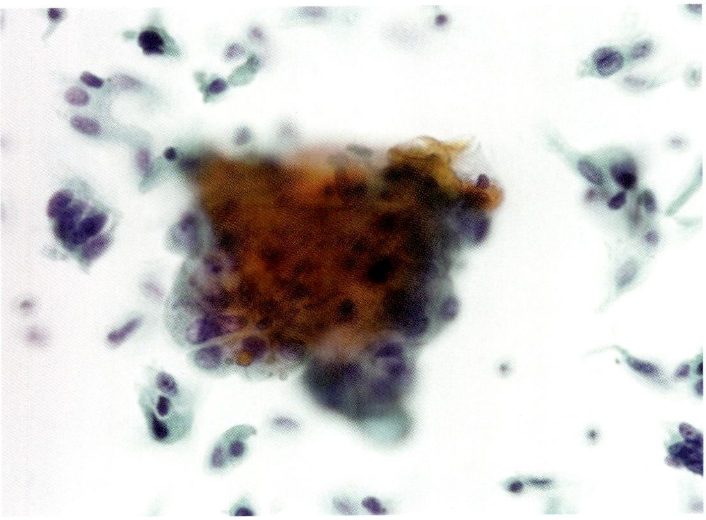

図 10　類内膜癌 Grade 1（扁平上皮化生）

高分化型類内膜癌では，しばしば化生性変化がみられ，その多くは扁平上皮化生が中心となる．
（SP-LBC 法/対物×40）

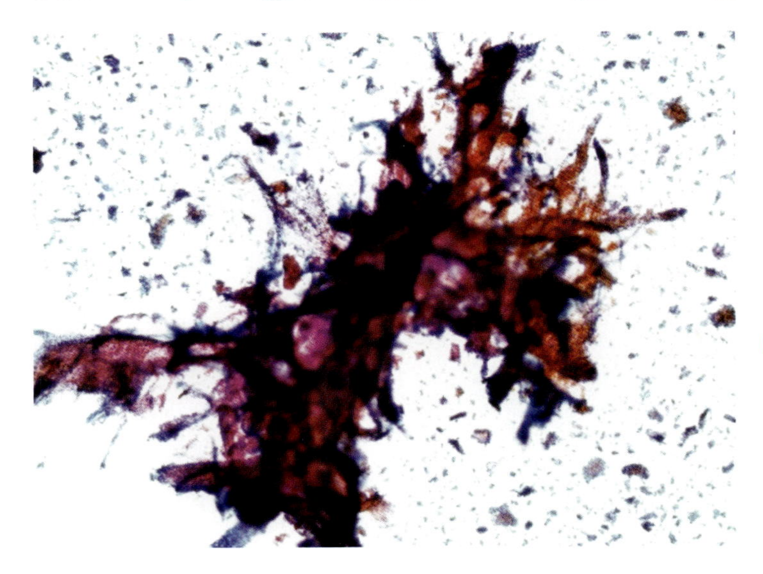

図 11　類内膜癌 Grade 1

SP-LBC 法は血管結合織が非常に観察しやすいといった特徴がある．類内膜癌において，複雑に分岐した異常な血管結合織をしばしば認めることがある．
（SP-LBC 法/対物×4）

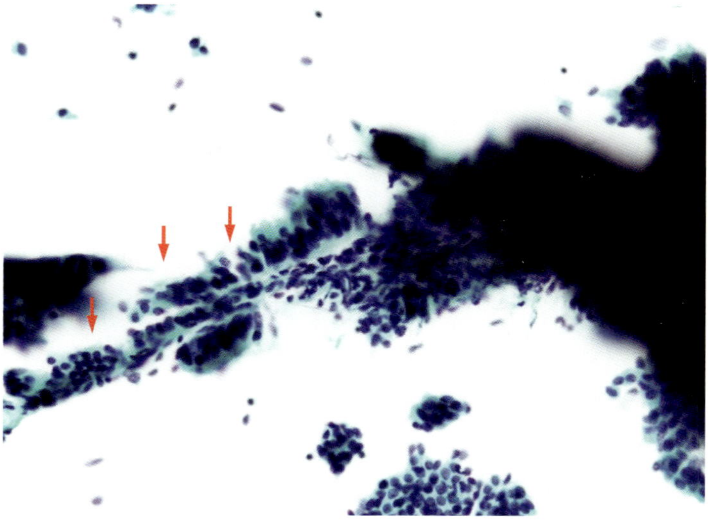

図 12　類内膜癌 Grade 1
不整形突出集塊にみられる血管結合織に垂直に接する腫瘍細胞を認める(矢印). 正常の血管構造との鑑別において重要な所見である.
(SP-LBC 法/対物×20)

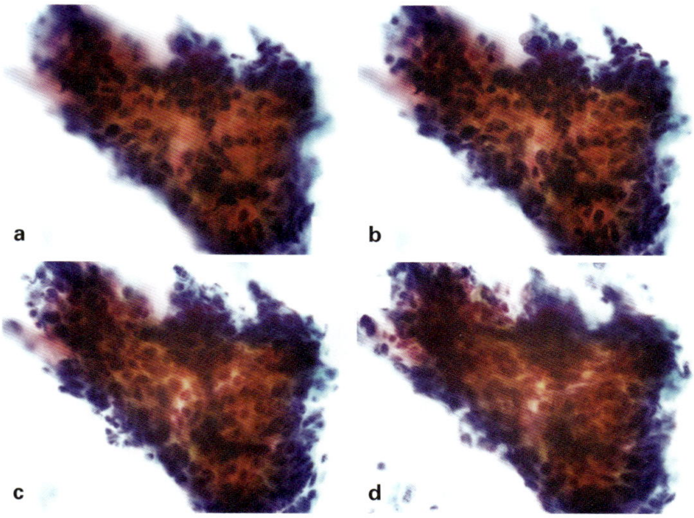

図 13　類内膜癌 Grade 3
不整形突出集塊を同一視野で焦点を調整することにより, 3 層以上の核重積が確認できる(本例では 4 層). 核異型は強く, 内膜間質細胞の付着はみられない.
(SP-LBC 法/**a〜d**：対物×40)

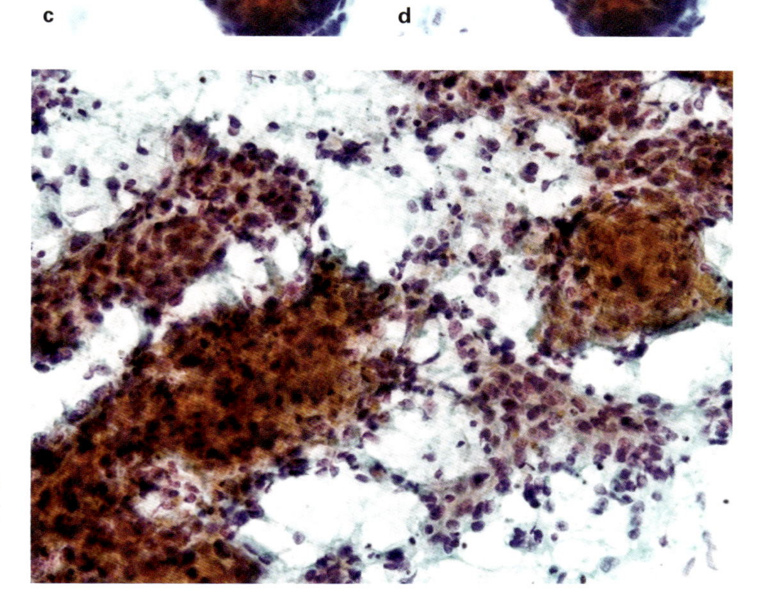

図 14　類内膜癌 Grade 3
大量の血液や壊死物質とともに不整形突出集塊や核異型の強い細胞が散在性にみられる.
(直接塗抹法/対物×20)

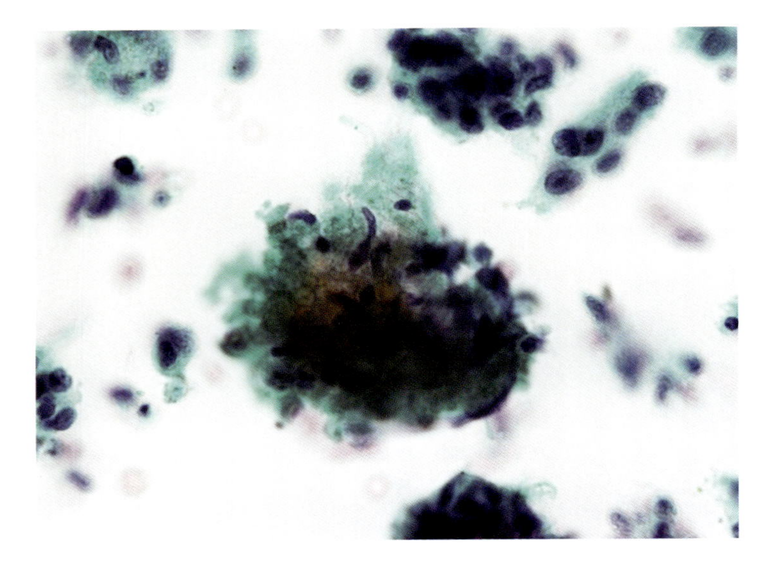

図 15 類内膜癌 Grade 3 (壊死物質)
直接塗抹法と比し，SP-LBC 法は血液や壊死物質が適度に取り除かれた背景を示し，少量の壊死物質は集団となってみられる.
(SP-LBC 法/対物×40)

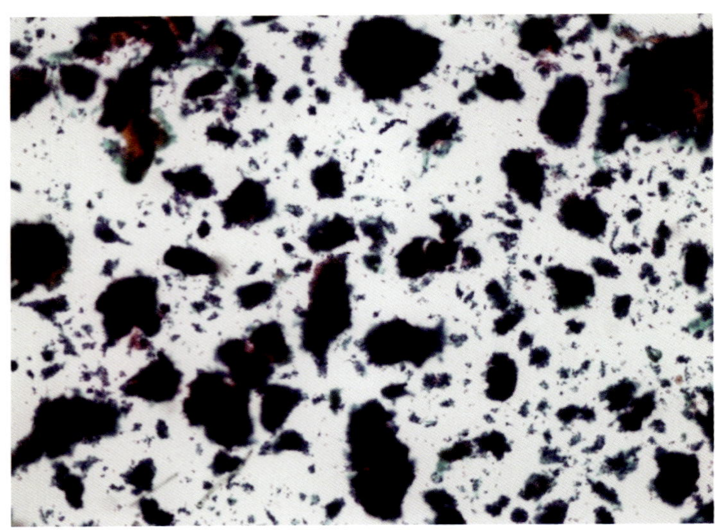

図 16 類内膜癌 Grade 3
強い腫瘍性背景を呈し，孤立散在性の内膜腺上皮細胞や小型の不整形突出集塊を多数認める．不整形突出集塊は，高分化型類内膜癌よりは小型を呈する.
(SP-LBC 法/対物×4)

文献

1) 日本産科婦人科学会，日本病理学会(編)．子宮体癌取扱い規約病理編(第 4 版)．金原出版；2017．20-29，50-56，65-72.
2) Norimatsu Y，Yanoh K，Kobayashi TK．The role of liquid-based preparation in the evaluation of endometrial cytology．Acta Cytol 2013；57：423-435.
3) Yanoh K，Hirai Y，Sakamoto A，et al．New terminology for intrauterine endometrial samples：A group study by the Japanese Society of Clinical Cytology．Acta Cytol 2012；56：233-241.
4) Yanoh K，Norimatsu Y，Munakata S，et al．Evaluation of endometrial cytology prepared with the Becton Dickinson SurePath™ method：a pilot study by the Osaki Study Group．Acta Cytol．2014；58：153-161.
5) Norimatsu Y，Kouda H，Kobayashi TK，et al．Utility of thin-layer preparations in the endometrial cytology：Evaluation of benign endometrial lesions．Ann Diagn Pathol．2008；12：103-111.

6) Norimatsu Y, Kouda H, Kobayashi TK, et al. Utility of liquid-based cytology in endometrial pathology：Diagnosis of endometrial carcinoma. Cytopathology. 2009；20：395-402.
7) Norimatsu Y, Shigematsu Y, Sakamoto S, et al. Nuclear features in endometrial cytology：Comparison of endometrial glandular and stromal breakdown and endometrioid adenocarcinoma grade 1. Diagn Cytopathol 2012；40：1077-1082.
8) Norimatsu Y , Shigematsu Y, Sakamoto S, et al. Nuclear characteristics of the endometrial cytology：Liquid-based versus conventional preparation. Diagn Cytopathol. 2013；41：120-125.
9) Norimatsu Y, Ohsaki H, Yanoh K, et al. Expression of immunoreactivity of nuclear findings by p53 and cyclin a in endometrial cytology：Comparison with endometrial glandular and stromal breakdown and endometrioid adenocarcinoma grade 1. Diagn Cytopathol. 2013；41：303-307.
10) 清水恵子(編). 子宮内膜細胞診の実際─臨床から報告まで. 近代出版；2012. 26-59, 118-145.
11) Yanoh K, Norimatsu Y, Hirai Y, et al. New diagnostic reporting format for endometrial cytology based on cytoarchitectural criteria. Cytopathology. 2009；20：388-394.
12) Nimura A, Ishitani K, Norimatsu Y, et al. Evaluation of cellular adequacy in endometrial liquid-based cytology. Cytopathology. 2019；30：526-531.
13) Fulciniti F, Yanoh K, Karakitsos P, et al. The Yokohama system for reporting directly sampled endometrial cytology：The quest to develop a standardized terminology. Diagn Cytopathol. 2018；46：400-412.

（平井康夫, 二村　梓, 古田則行）

TYS 6 悪性腫瘍

漿液性子宮内膜上皮内癌
Serous endometrial intraepithelial carcinoma（SEIC）

背景

漿液性癌の前駆病変として **endometrial intraepithelial carcinoma**（**EIC**）なる疾患概念が定着しているが，この名称からでは概念的にしか存在しないとされている**非浸潤性類内膜癌**と誤解してしまう可能性がある．このことを避けるために現在では，**serous endometrial intraepithelial carcinoma**（**SEIC**）とされるに至り[1, 2]，本邦の子宮体癌取扱い規約第3版にも明記されることとなった[3]．子宮体癌取扱い規約第4版にも引き継がれ，「漿液性癌の前駆病変あるいは初期の段階とされる癌」と記載されている[4]．

SEICは**間質浸潤**がないとされているが，類内膜癌とは違って間質浸潤がない状態であっても腹腔内等の子宮外組織への転移をきたすリスクが高いとされている．漿液性癌と同様に**萎縮内膜**や**子宮内膜ポリープ**を背景としている[3-8]．

高いリスクを有しているものの病変の範囲が小さいことが多く，子宮内膜細胞診が病変の発見の契機となる重要な役割を担っている．

定義

「間質浸潤は見られないが，漿液性癌を構成する細胞と同様な異型上皮が増殖する腫瘍」とされている[3, 4]．

固有の内膜腺内や表層に**被覆上皮**を置換するように増殖する（**図 1**）．固有の内膜腺構築を保つような**管状構造**を示すほか，小さな**乳頭状構造**や**篩状構造**もみられる．非腫瘍性の内膜腺上皮との間に**フロント形成**を示すことがある（**図 2**）．

腫瘍細胞は多角形ないし**鋲釘状**（**hobnail**）のものから**円柱状**のものまで認められる．核の異型性は漿液性癌と同様に強く，N/C比も高くなっている．核腫大の程度は背景にある萎縮内膜腺上皮細胞の核の4～5倍とされている（**図 3**）[1-8]．

診断基準

- **図 4～6** 参照[9-12]．
- 清明な背景．
- 萎縮した固有の**内膜腺上皮細胞**と混在する．
- 辺縁が不整な集塊を形成する．
- **集塊の重積性**は3層を超えることもあるが，概して **1～2 層程度**である．
- 腫瘍細胞には**核腫大**，**核の大小不同**がみられる．
- 腫瘍細胞は**ライトグリーン好性**の厚い細胞質を有する．
- 不整凝集を示す**核クロマチン**の増加．
- 明瞭な**核小体**を伴う（SP-LBC 標本では核小体がより明瞭化する傾向にある）．

鑑別
診断

好酸性化生では明瞭な核小体を伴った**腫大核**を有することがあり，時としてSEICとの鑑別を要する．好酸性化生では重積性に乏しく平面的な集塊として出現し，核形や核間も比較的揃っている点がSEICとの鑑別点となる(**図4**).

漿液性癌の発生に**p53遺伝子変異**が関与していることがよく知られているが(**図3，6**)[13)]，前駆病変であるSEICも同様にp53蛋白の過剰発現が認められ，**エストロゲンレセプター(ER)**もほぼ陰性もしくは部分的に弱陽性を示す程度である．一部の研究グループは休止状態にある萎縮内膜におけるp53の異常に始まって(p53 signature)，**腺異形成(endometrial glandular dysplasia：EmGD)**を経てEIC，漿液性癌に至る一連のスペクトラムを提唱している．

このEmGDの状態は萎縮内膜とEICの中間的な状態と位置付けられており，萎縮内膜やEICとの併存や移行する像を示す．核クロマチンの増加がみられるが，核小体は目立たず，異型核分裂像はみられない．約半数程度にp53蛋白の過剰発現があるとされている．病変の大きさも1 mmもしくはそれ以下と小さなものであり，病変の発見契機に細胞診が果たす役割は大きいと考えられる[14-16)]．

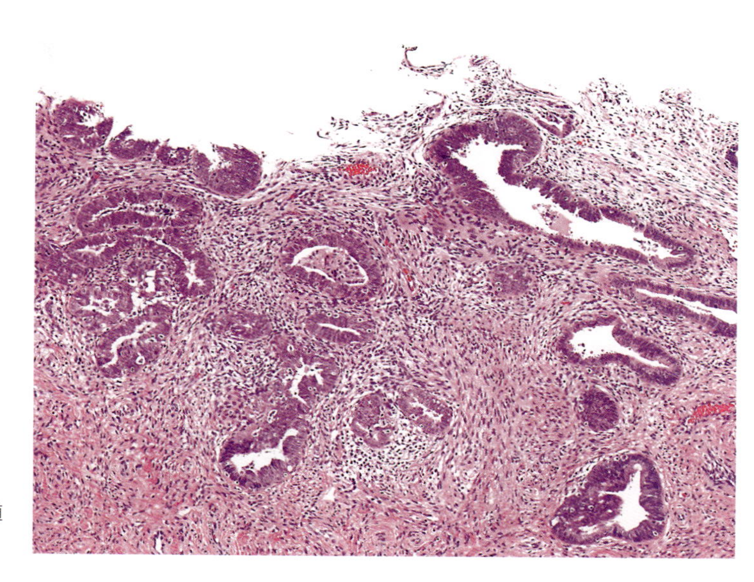

図1　漿液性子宮内膜上皮内癌(組織像)

固有の内膜腺を置換するように増殖している．

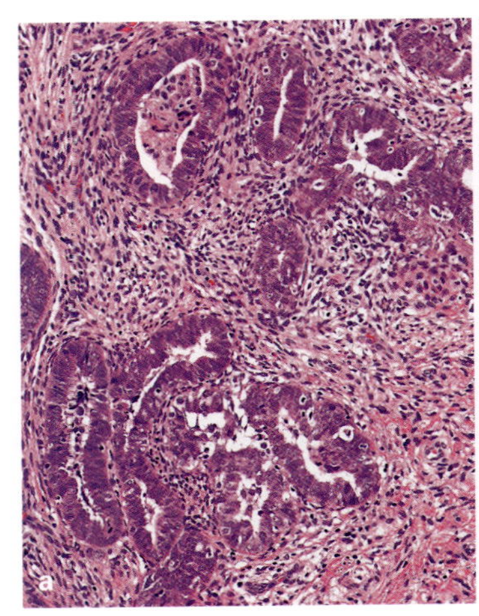
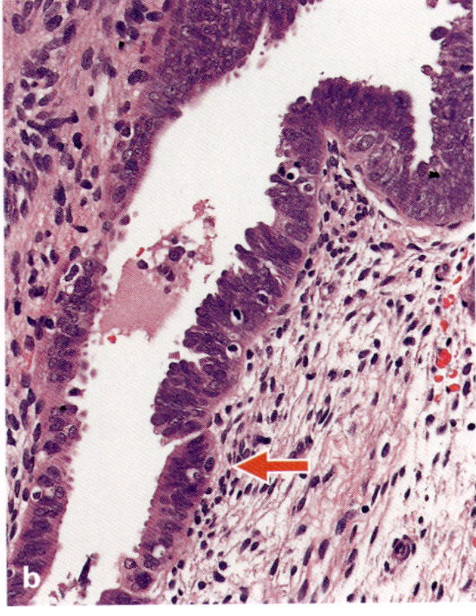

図 2　漿液性子宮内膜上皮内癌（組織像）

固有の内膜腺上皮を置換する他，腺腔に向かう小さく不整な乳頭状構造も示す(**a**)．固有の内膜腺上皮との間にフロント形成がみられる(**b**，矢印)．

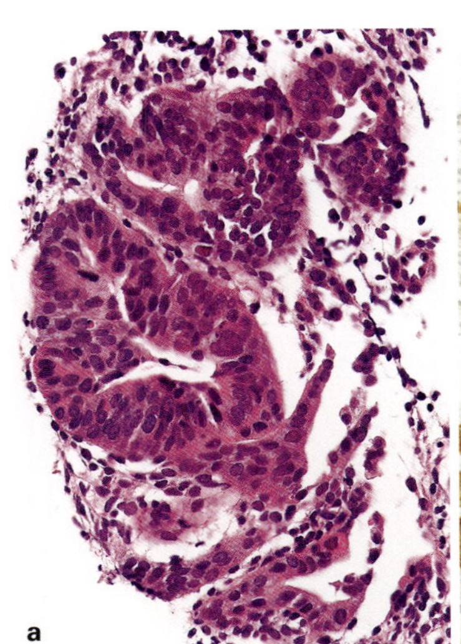
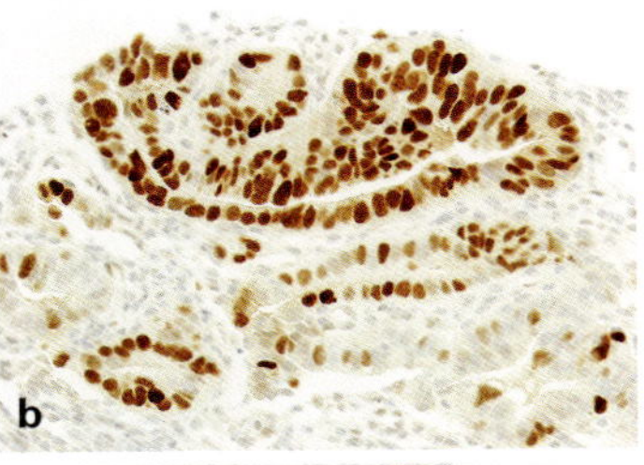
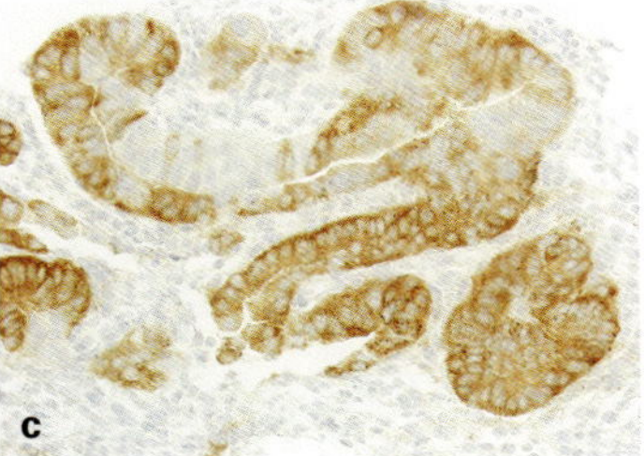

図 3　漿液性子宮内膜上皮内癌（組織像）

腫瘍細胞には核の大小不同や核形不整がみられ，N/C 比も増大している(**a**)．
多くの腫瘍細胞では核内に p53 の過剰発現が認められる他(**b**)，細胞質に IMP3 陽性のものもみられる(**c**)．

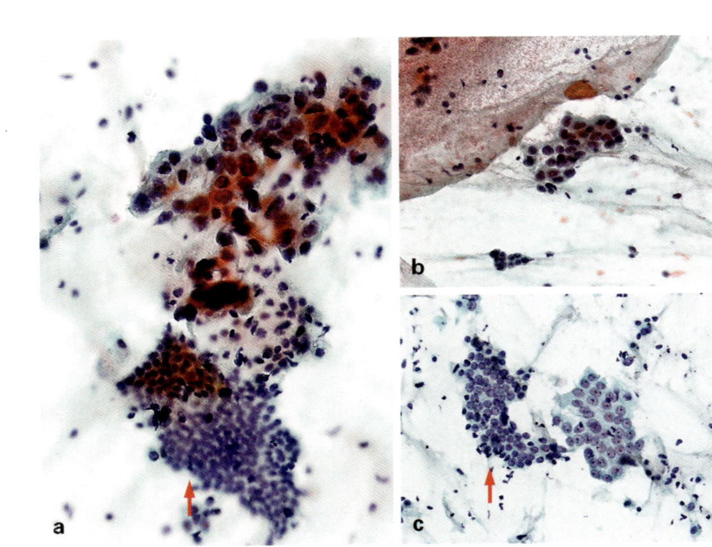

図 4　漿液性子宮内膜上皮内癌

1～2 層程度の集塊を形成している．ライトグリーン好性の細胞質を有し，核の大小不同や核形不整を示している．核クロマチンは増加し，肥大した核小体を有するものもみられる(**a**，**b**)．背景には萎縮内膜がみられる(**a**，矢印)．核腫大および核小体の明瞭化を示す好酸性化生の例(**c**)では，萎縮内膜から続く平面的な集塊(矢印)と均一な核間を示しており，これらの点が鑑別点となりうる．
(直接塗抹法/**a～c**：対物×40)

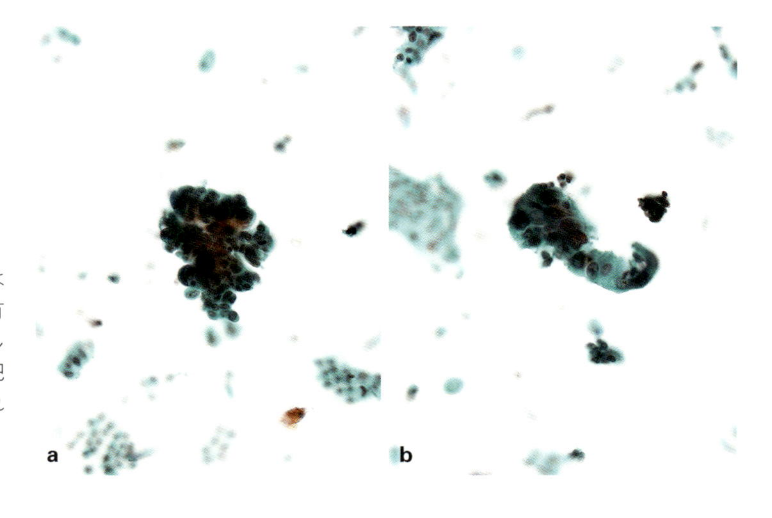

図 5　漿液性子宮内膜上皮内癌
直接塗抹標本と同様に，腫瘍細胞はライトグリーン好性の細胞質を有し，核の大小不同や核形不整を示している．核クロマチンは増加し，肥大した核小体を有するものもみられる．背景は清明である．
（SP-LBC 法/**a, b**：対物×40）

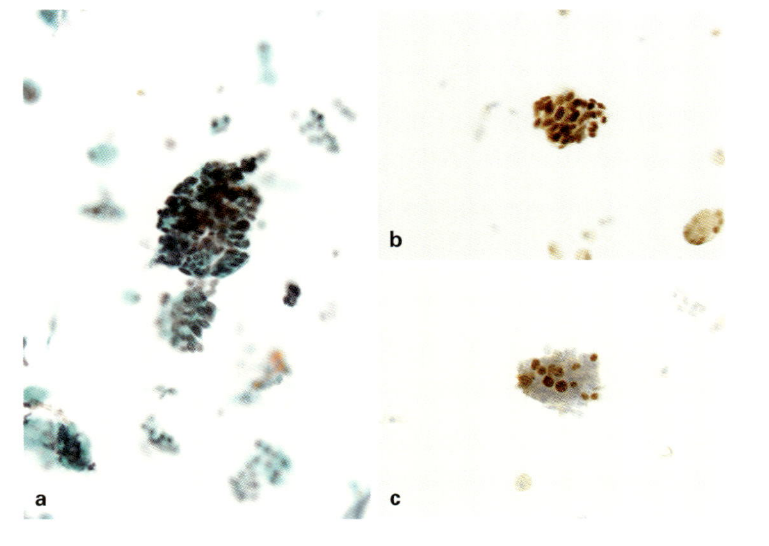

図 6　漿液性子宮内膜上皮内癌
腫瘍細胞はライトグリーン好性の細胞質を有し，核の大小不同や核形不整が見られる（**a**）．集塊内の腫瘍細胞の核には p53 の過剰発現が見られ（**b**），Ki-67 で標識されるものも多くなっている（**c**）．
（SP-LBC 法/**a**～**c**：対物×40）

文献

1）清川貴子．特集　子宮腫瘍の病理　子宮体部の上皮内病変と初期病変の概念と診断基準．病理と臨床．2013；31：637-643.
2）山本宗平．漿液性腺癌・明細胞腺癌，森谷卓也，柳井広之　編．腫瘍病理鑑別診断アトラス子宮体癌．文光堂；2014．43-51
3）日本産科婦人科学会，日本病理学会，日本医学放射線学会，日本放射線腫瘍学会(編)．子宮体癌取扱い規約第3版．金原出版；2012.
4）日本産科婦人科学会，日本病理学会(編)．子宮体癌取扱い規約第4版．金原出版；2017.
5）Ellenson LH, Ronnett BM, Kurman RJ, et al. Precursor lesion of endometrial carcinoma. In：Kurman RJ, Ellenson LH, Ronnett BM editor. Blaustein's pathology of the female genital tract. 6th ed. New York：Springer-Verlag；2011. 360-391
6）Spiegel GW. Endometrial carcinoma in situ in postmenopausal women. Am J Surg Pathol. 1995；19：417-432
7）Ambros RA, Sherman ME, Zahn CM, et al. Endometrial intraepithelial carcinoma：a distinctive lesion specifically association with tumors displaying serous differentiation. Hum Pathol. 1995；26：1260-1267
8）Soslow RA, Pirog E, Isacson C. Endometrial intraepithelial carcinoma with associated peritoneal carcinomatosis. Am J Surg Pathol. 2000；24：726-732
9）Yasuda M, Katoh T, Hori S, et al. Endometrial intraepithelial carcinoma in association with polyp：review of eight cases. Diagn Pathol. 2013；8：25
10）公益社団法人　日本臨床細胞学会(編)．細胞診ガイドライン1　婦人科・泌尿器．金原出版；2012．pp71-108
11）梅澤敬，野村浩一，土屋幸子，ほか．Serous endometrial intraepithelial carcinomaの1例．日臨細胞誌．2012；51：188-191
12）豊田進司，喜多恒和，杉浦敦，ほか．serous EIC (endometrial intraepithelial carcinoma) 30例の内膜細胞診の検討．日臨細胞誌．2013；52 suppl.：241
13）Moll UM, Chalas E, Auguste M, et al. Uterine papillary serous carcinoma evolves via a p53-driven pathway. Hum Pathol. 1996；27：1295-1300
14）Fadare O, Zheng W. Endometrial glandular dysplasia (EmGD)：morphological and biologically distinctive putative precursor lesion of Type II endometrial cancers. Diagn Pathol. 2008；3：6
15）Jarboe EA, Miron A, Monte N, et al. Evidence for a latent precursor (p53 signature) that may precede serous endometrial intraepithelial carcinoma. Mod Pathol. 2009；22：345-350
16）Zheng W, Xiang L, Fadare O, et al. A proposed model of endometrial serous carcinogenesis. Am J Surg Pathol. 2011；35：e1-e14

（前田宣延）

TYS 6 悪性腫瘍

漿液性癌

Serous carcinoma

背景

近年，子宮体癌は**エストロゲン依存性のⅠ型**と**エストロゲン非依存性のⅡ型**に大別されるようになった．Ⅰ型の代表は**類内膜癌**と**粘液性癌**であり，**内膜増殖症**を背景としている．これに対してⅡ型は**漿液性癌**や**明細胞癌**が代表的なものである．Ⅱ型の腫瘍自体の頻度は少なく，閉経後に発症することが多く，**萎縮内膜**を背景としている．

漿液性癌は1980年代に提唱されたが，子宮体癌全体の2～10％と比較的少ない頻度でありながら悪性度が高く予後不良で[1,2]，子宮体癌による癌死症例の約半数を占めている．早期のうちに発見することが良好な予後を得る必要条件とされるが[3-5]，無症状のことが多く早期発見と正確な診断には子宮内膜細胞診が大きな役割を担っていると考えられる．

定義

子宮体癌取扱い規約第4版では「高度な異型を示す腫瘍細胞の複雑な乳頭状・管状構造をなして増殖する悪性度の高い腺癌」と定義されている[6]．

萎縮内膜からの発生のほか(図1)，**子宮内膜ポリープからの発生**もある(図2)．

乳頭状構造を示す部分では繊細な間質を伴うものから広い線維性間質を伴うものまであり，その他，管状構造やスリット状の裂隙を伴う**充実性胞巣**をなすこともある．腫瘍細胞は多角形～円柱状で重積性を示す．N/C比は高く，核の異型性も強いが(図3)，円柱状の腫瘍細胞が管状構造をなし類内膜癌との鑑別を要するものもある．**砂粒体**が出現することはよく知られているが，実際の頻度は30％程度といわれている[1,2,6-10]．

診断基準

- 図4～6参照[11,12]．
- 背景は**出血性**のことが多い．
- **乳頭状構造**を示す小型～中型の集塊を形成することが多い．
- 集塊内での重積性を示し，辺縁部の配列も不整である．
- 腫瘍細胞は**ライトグリーン好性**の厚い細胞質を有する．
- 核は腫大し大小不同もみられ，時として奇異な核を有する細胞や多核化した腫瘍細胞も混じる．
- **粗い核クロマチン**の増加がみられる．
- **核小体の肥大**に伴う明瞭化(SP-LBC標本では核小体がより明瞭化する傾向にある)．
- 時として背景や集塊内に**砂粒体**がみられる．

鑑別診断

漿液性癌の95%程度に**p53遺伝子変異**が見られるとされており，免疫染色においてもp53蛋白の過剰発現が認められる(**図6**)[13]．**エストロゲンレセプター(ER)**もほぼ陰性もしくは部分的に弱陽性を示す程度であるほか，胎児期に発現するoncofetal proteinである**insulin-like growth factor Ⅱ mRNA-binding protein 3(IMP3)**も90%程度に過剰発現が認められる[14]．さらには**Ki-67**の標識率30〜50%以上と高く，90%以上に**p16**の発現がみられる[15]．

漿液性癌の診断に際し，著明な核異型や集塊の形状などが手掛かりとなるが，時として絨毛腺管型の類内膜癌，G3相当の類内膜癌，明細胞癌などが鑑別の対象となることがある．

SP-LBC標本では，未染標本の作製が簡便であり，免疫細胞学的な検索も容易である．p53，エストロゲンレセプターやIMP3など，漿液性癌に現れるとされる染色態度を確認することが診断の補助となり得る(**図7**)．

まれにp53が全く発現せず，p16がよく発現する例もあり，このような時には判定に注意を要する(**図8**)．

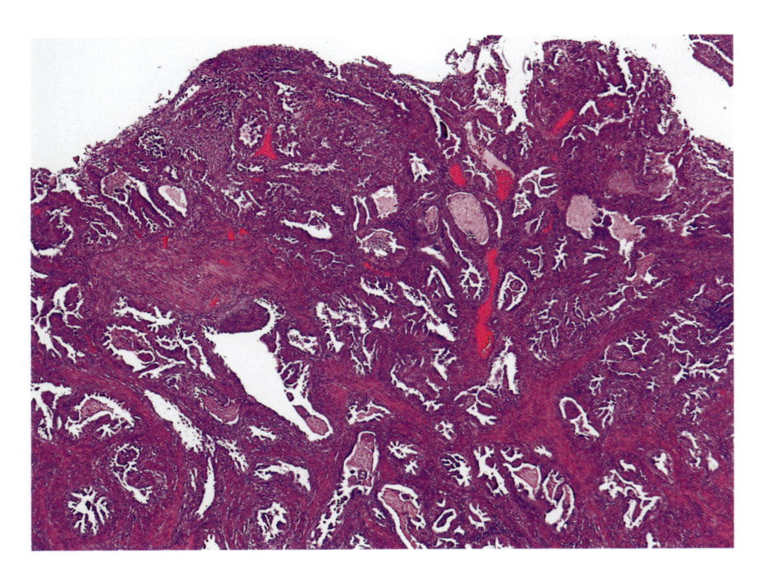

図1　漿液性癌(組織像)
萎縮内膜を背景に発生した例で，さまざまな大きさの乳頭状構造をなし，筋層内に浸潤性に増殖している．

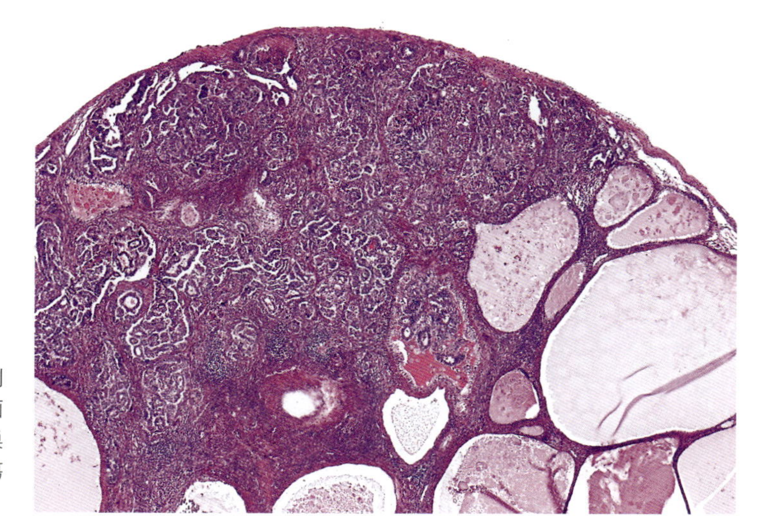

図 2　漿液性癌（組織像）

子宮内膜ポリープ内に合併した例で，拡張が目立つ内膜腺と一線を画して増殖巣を形成している．増殖巣内には不整な乳頭状構造をなす腫瘍組織が認められる．

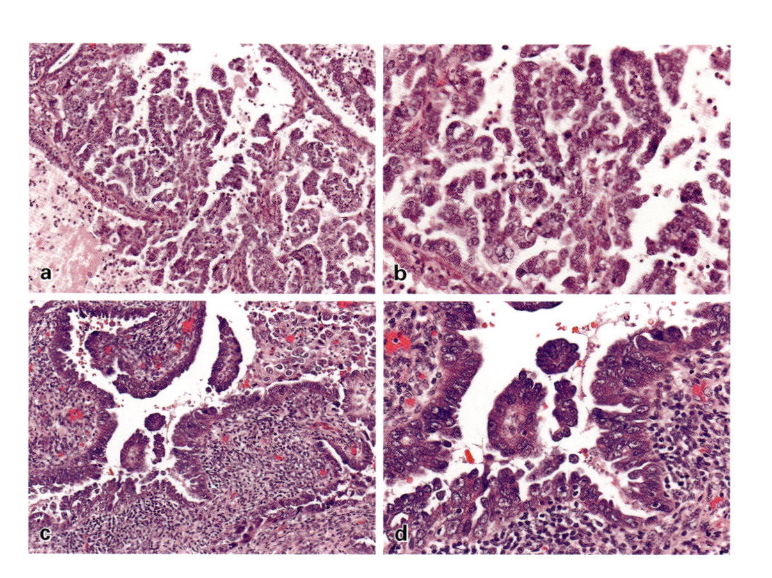

図 3　漿液性癌（組織像）

大小さまざまで不整な乳頭状構造が認められ，間質も繊細なものからやや広いものまで多彩である．腫瘍細胞は多角形から円柱状のものまでさまざまであり，核の大小不同や核形不整が目立つ．N/C 比は総じて増大している．

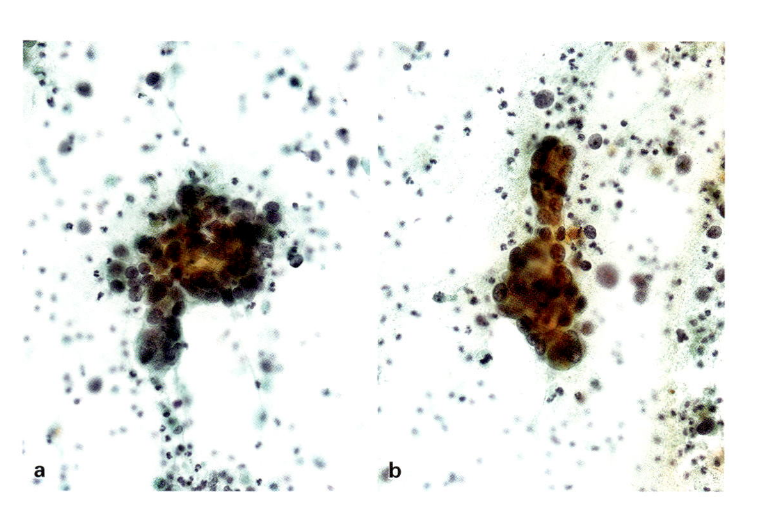

図 4　漿液性癌

乳頭状構造をうかがわせる不整な集塊を形成している．腫瘍細胞の結合性は比較的保持されているが，3 層以上の核重積を示している．核の大小不同や核クロマチンの増加が認められる．

（直接塗抹法/**a, b**：対物×40）

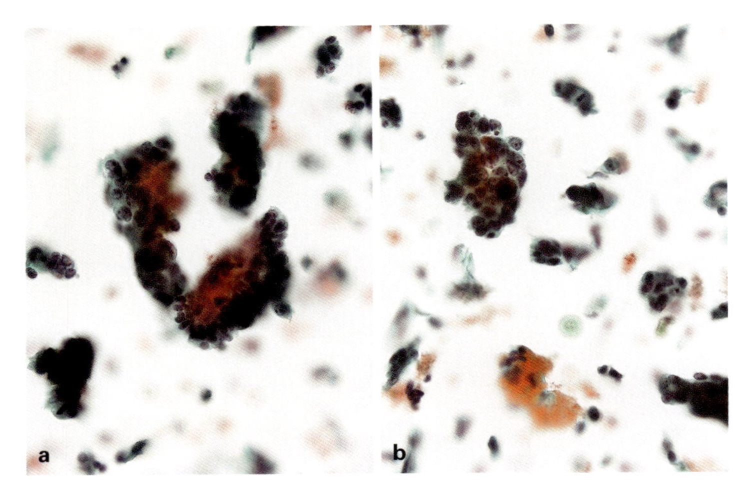

図 5　漿液性癌
直接塗抹標本と同様に大小さまざまで不整な集塊が認められる．3 層以上の核重積を示し，腫瘍細胞には核の大小不同や核クロマチンの増加が認められる．核小体も肥大し明瞭化している．細胞質はライトグリーン好性のものが主体で，厚みも増している．
（SP-LBC 法/**a, b**：対物×40）

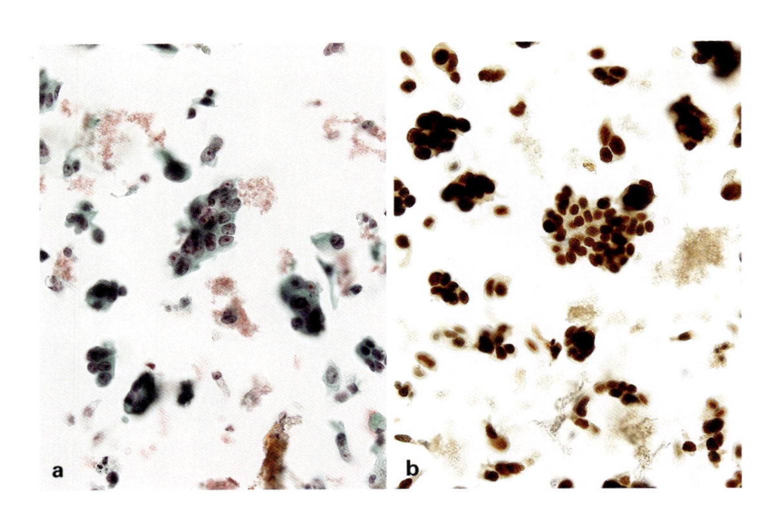

図 6　漿液性癌
比較的平面的な集塊も認められる（**a**）．ほとんどの腫瘍細胞に p53 の過剰発現が認められる（**b**）．
（SP-LBC 法/**a, b**：対物×40）

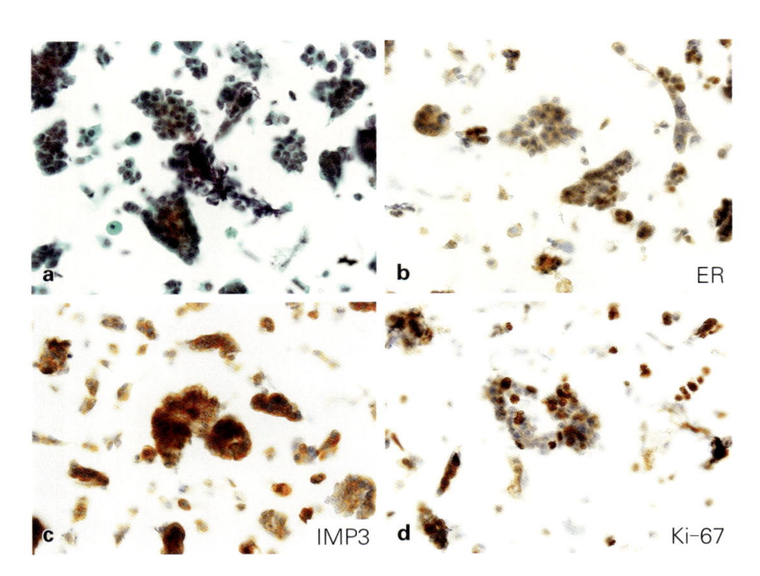

図 7　漿液性癌
漿液性癌の不整形集塊（**a**）．エストロゲンレセプター（ER）は多くの腫瘍細胞で発現が欠失している（**b**）．IMP3 は腫瘍細胞のほとんどが細胞質に陽性となる（**c**）．Ki-67 では腫瘍細胞の 30％程度が標識されている（**d**）．
（SP-LBC 法/**a～d**：対物×40）

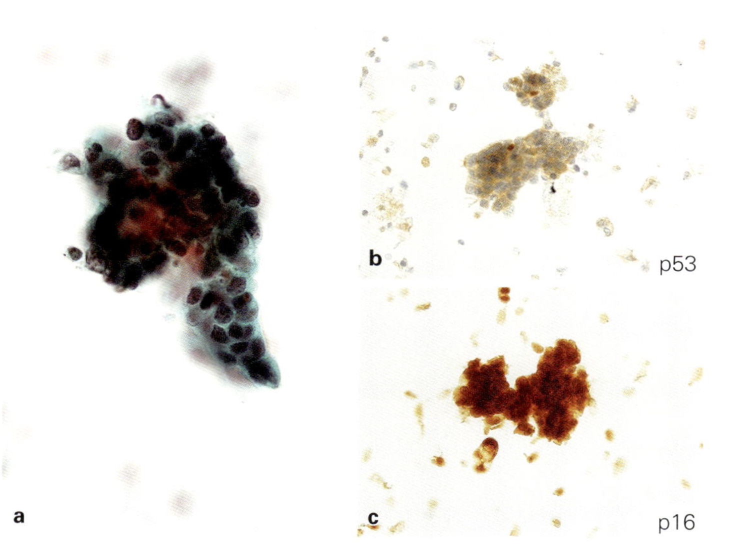

図 8　漿液性癌

漿液性癌の不整形集塊(**a**). p53 は腫瘍細胞において発現が全く認められない(**b**). p16 では腫瘍細胞のほとんどが核および細胞質が陽性である(**c**).
(SP-LBC 法/**a**：対物×60, **b**, **c**：対物×40)

文献

1) Hendrickson M, Ross J, Eifel, et al. Uterine papillary serous carcinoma. A highly malignant form of endometrial adenocarcinoma. Am J Surg Pathol. 1982；6：93-108
2) Sherman ME, Rosenshein NB, Kurman RJ, et al. Uterine serous carcinoma. A morphologically diverse neoplasm with unifying clinicopathologic features. Am J Surg Pathol. 1992；16：600-610
3) Carcangiu ML, Tan LK, Chambers JT. Stage I A uterine serous carcinoma：A study of 13 cases. Am J Surg Pathol. 1997；21：1507-1514
4) Wheeler DT, Bell KA, Kurman RJ, et al. Minimal uterine serous carcinoma. Diagnosis and clinicopathologic correlation. Am J Surg Pathol. 2000；24：797-806
5) Hui P, Kelly M, O'Malley DM, et al. Minimal uterine serous carcinoma：a clinicopathologic s study of 40 cases. Mod Pathol. 2005；18：75-82
6) 日本産科婦人科学会, 日本病理学会(編). 子宮体癌取扱い規約第 4 版. 金原出版；2017.
7) 森脇昭介, 万代光一. 子宮体部漿液性腺癌の組織像と悪性度. 森脇昭介, 杉浦甫(編). 取扱い規約に沿った腫瘍鑑別診断アトラス　子宮体部. 文光堂；1993. 42-51
8) 永井雄一郎. 特集　子宮の病理Ⅱ—子宮体部—　漿液性腺癌と明細胞腺癌. 病理と臨床. 2008；26：360-367.
9) 山本宗平. 漿液性腺癌・明細胞腺癌. 森谷卓也, 柳井広之(編). 腫瘍病理鑑別診断アトラス　子宮体癌. 文光堂；2014. 43-51
10) Ellenson LH, Ronnett BM, Kurman RJ, et al. Precursor lesion of endometrial carcinoma. In：Kurman RJ, Ellenson LH, Ronnett BM editor. Blaustein's pathology of the female genital tract. 6th ed. New York：Springer-Verlag；2011.360-391
11) 公益社団法人　日本臨床細胞学会(編). 細胞診ガイドライン 1　婦人科・泌尿器. 金原出版；2012. pp71-108
12) 根本玲子, 杉山裕子, 荒井祐司, ほか. 子宮体部漿液性腺癌と卵巣・卵管原発漿液性腺癌の子宮内膜細胞像の比較検討. 日臨細胞誌. 2000；39：137-141
13) Moll UM, Chalas E, Auguste M, et al. Uterine papillary serous carcinoma evolves via a p53-driven pathway. Hum Pathol. 1996；27：1295-1300
14) Zheng W, Yi X, Fadare O, et al. The Oncofetal protein IMP3. A novel biomarker for endometrial serous carcinoma. Am J Surg Pathol. 2008；32：304-315
15) Yemelyanova A, Ji H, Shih IM, et al. Utility of p16 expression for distinction of uterine serous carcinomas from endometrial endometrioid and endocervical adenocarcinomas. Immunohistochemical analysis of 201 cases. Am J Surg Pathol. 2009；33：1504-1514

（前田宜延）

TYS 6 悪性腫瘍

明細胞癌

Clear cell carcinoma

背景

明細胞癌(clear cell carcinoma：CCC)は，1973年に提唱され，**エストロゲン非依存性**の子宮内膜癌のひとつとして分類された[1)]．CCCの発生頻度は子宮体癌の1〜6%程度で，漿液性癌と同様に65歳以上の患者に発生し，**閉経後の不正性器出血**が主な症状とされている．CCCは核異型が強く，**高異型度**としての形態を示す傾向があり，子宮筋層の深部への浸潤および血管侵襲の頻度も比較的高いとされている．**萎縮内膜**を背景に発生するが，時に**子宮内膜ポリープ**内にも発生する．子宮外への進展を起こしやすいほか，**静脈血栓塞栓症**のリスクも高まるといわれている．全体の5年生存率は55〜78%とされている[2-4)]．

子宮内膜由来のCCCは，従来，Ⅱ型子宮内膜癌に分類されてきたが，一方，類内膜癌と漿液性癌の中間的な腫瘍としても位置付けられてきた．DeLairらは子宮内膜のCCCでは**POLE**，**MMR-deficient**，**p53 wild**および**p53-mutated**のいずれのパターンの遺伝子異常がみられると報告している[5)]．ゲノムプロファイルから多様な性格が示されたことは，CCCの性格を理解していく上で興味をもたれる部分である．

定義

WHO分類第5版および子宮体癌取扱い規約第4版では，明細胞癌は淡明または好酸性の細胞質を有する，多角形，立方状，平坦もしくは**鋲釘状(hobnail)の腫瘍細胞**で構成され，乳頭状，管状嚢胞状および/または充実性の構造を示すものとされている[4, 6)]．

核異型は一般に中等度から高度で，核の大小不同を示し，肥大した好酸性の核小体を伴う．核分裂像は多くなく，異型分裂像はほとんどみられない．**Ⅳ型コラーゲン**や**ラミニン**を含む基底膜様物質の沈着は，好酸性の硝子様物質として間質内に認められる[7, 8)](図1〜3)．

診断基準

- 図4〜6参照．
- 軽度の核重複を伴うシート状または小さな乳頭状の集塊を形成することが多い．
- 腫瘍細胞は，淡明で豊かな細胞質を有し，時に**ライトグリーン好性**の細胞質を有するものもみられる．
- 核は卵円形から類円形のものが多く，大小不同を示し，細顆粒状となった**核クロマチン**の増加も伴う．
- 肥大した**好酸性の核小体**を有する．

■ **鋲釘状の腫瘍細胞**は，厚い細胞質を有し，N/C 比が低く，集塊の辺縁から突出する．

鑑別診断

分泌性の変化ないし扁平上皮への分化に伴う明細胞様の変化を示す**類内膜癌**は，CCC と鑑別する必要がある．免疫組織化学的に，CCC は通常，**エストロゲンレセプター**（**ER**）および**プロゲステロンレセプター**（**PgR**）の発現が欠失または減弱しているのに対し，**hepatocyte nuclear factor-1β**（**HNF-1β**）および **Napsin A** に対して，それぞれ 67～100％と 56～93％と高い頻度で陽性を示すと報告されている．**p53 の過剰発現**も 22～72％の頻度とされている[4, 9]．HNF-1β，Napsin A，ER，および PgR の陽性率は，明細胞様の変化を伴う類内膜癌の場合，それぞれ 43％，14％，86％，および 75％であると報告されている[10]．

HNF-1β，Napsin A，ER，および PgR の免疫細胞化学的な検討は，明細胞様の変化を伴う類内膜癌を CCC と区別するのに有用と考えられる．しかしながら，漿液性癌や高悪性度類内膜癌でも HNF-1β の発現が多いことが報告されており，鑑別診断に注意を払う必要がある（**図 7，8**）．

ホルモン環境の異常に伴う**化生性変化**および**アリアス-ステラ反応**（**Arias-Stella 反応**）も CCC との鑑別に困難な場合がある．これらの変化は良性の状態であるため，過剰診断となることを避ける必要がある．アリアス-ステラ反応では核形不整，核の大小不同を示し，HNF-1β および Napsin A もそれぞれ 100％，96％と高頻度に発現し，ER および PgR も発現が欠失もしは減弱するとされている[11, 12]．CCC とアリアス-ステラ反応の免疫細胞化学的な特徴は類似する点が多く，核内細胞質封入体の存在，妊娠ないしホルモン剤の使用の有無などの臨床情報が重要となる．

一方，CCC でみられる大きな核小体を有するような化生性変化は，ER および PgR はよく発現し，HNF-1β および Napsin A も陰性であり，CCC との鑑別には有用な補助的な所見となり得る．

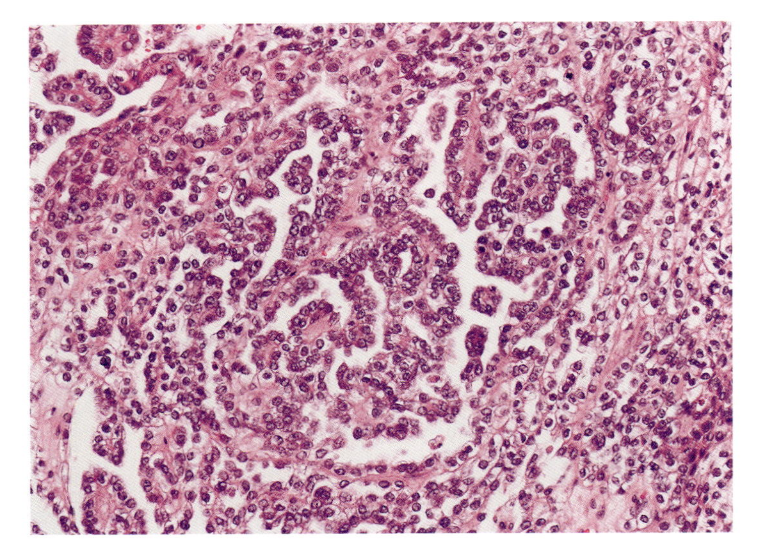

図 1　明細胞癌（組織像）

淡明な細胞質を有する立方状～多角形の腫瘍細胞が小型～中型の複雑な乳頭状構造を形成している.

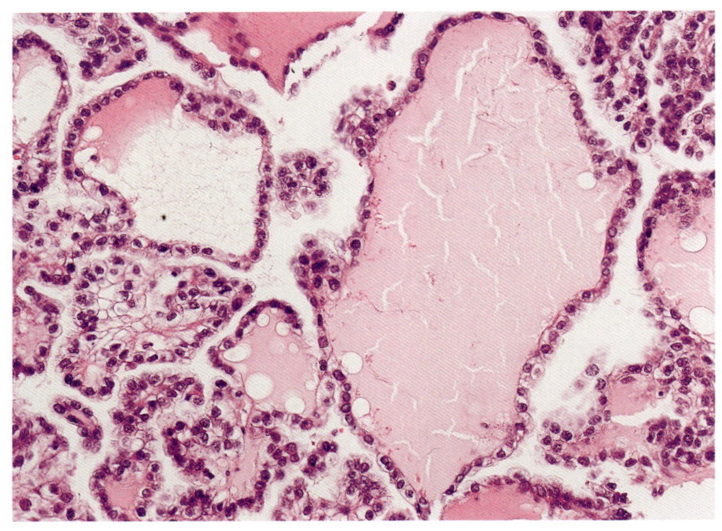

図 2　明細胞癌（組織像）

立方状の腫瘍細胞が大小の管状構造を形成している. 嚢胞状の拡張を示す部分もみられる.

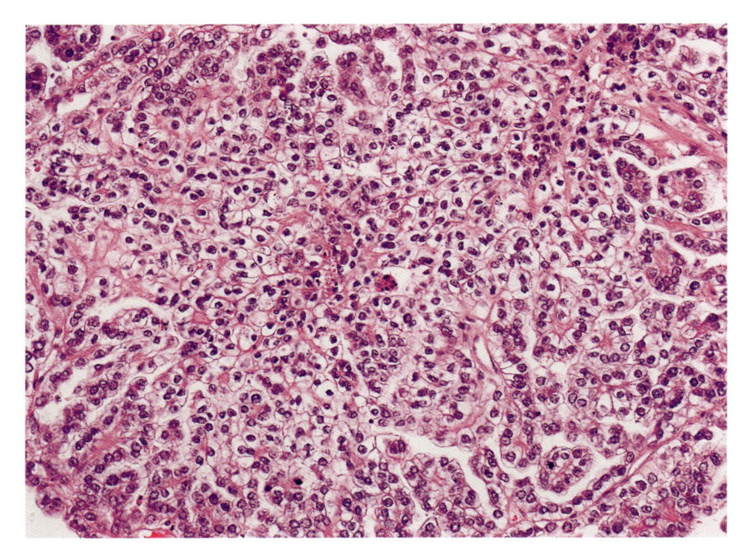

図 3　明細胞癌（組織像）

乳頭状もしくは敷石状の充実性胞巣を形成している.

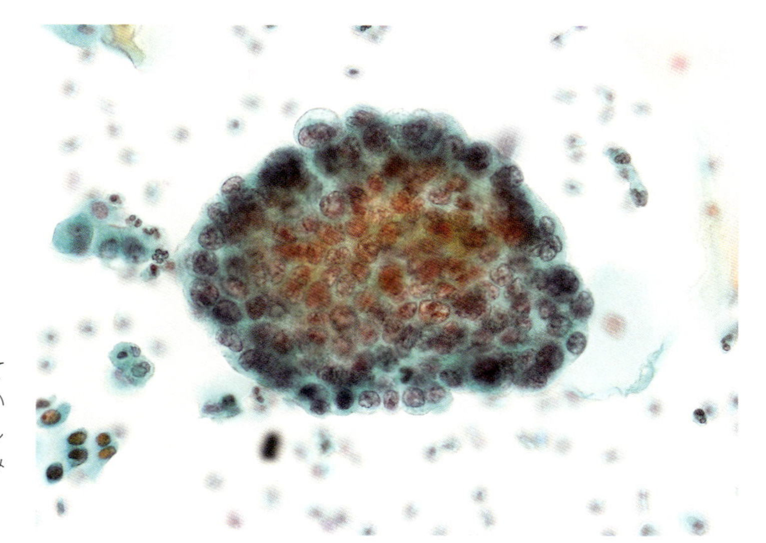

図 4　明細胞癌

重積性を示す球状の集塊を形成している．腫瘍細胞は淡明もしくは淡いライトグリーン好性の細胞質を有している．核腫大，核の大小不同がみられる．
(SP-LBC 法/対物×60)

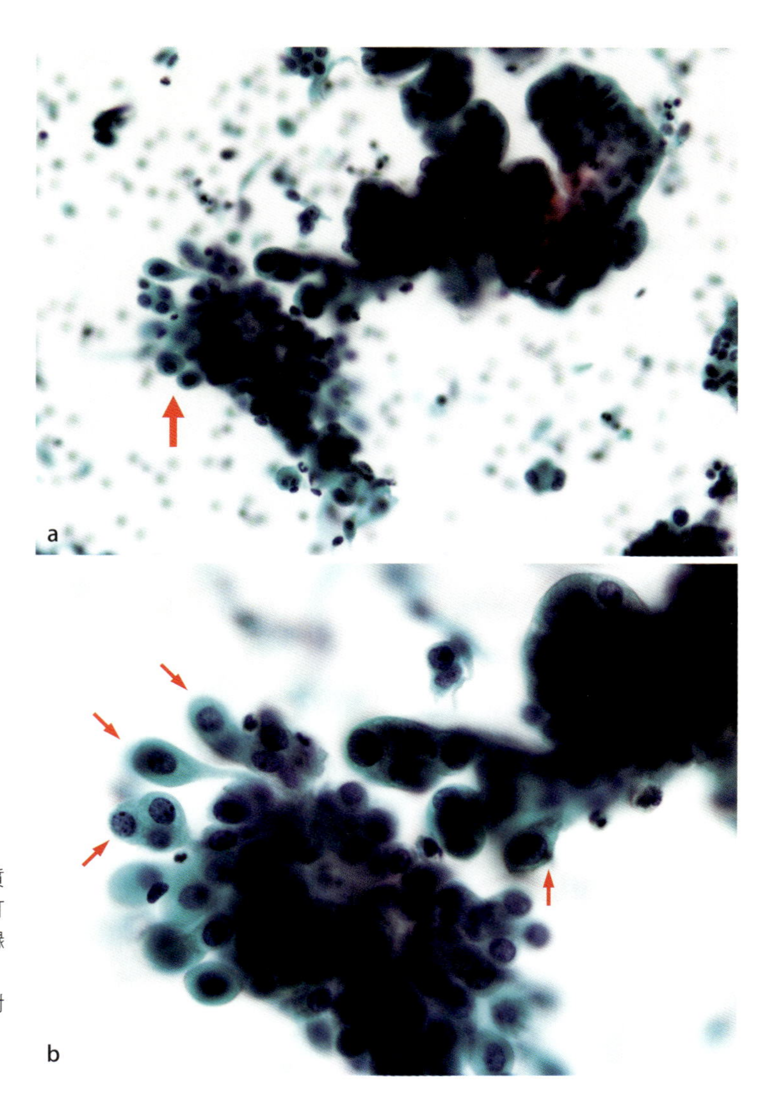

図 5　明細胞腺癌

a, **b**：乳頭状集塊で出現し，細胞質は豊富で一方向に突起を有する鋲釘状(hobnail)細胞(矢印)が集塊辺縁に並んでいる(**b** は **a** の強拡大)．
(SP-LBC 法/**a**：対物×20，**b**：対物×40)
(提供：久留米大学病院病理診断科)

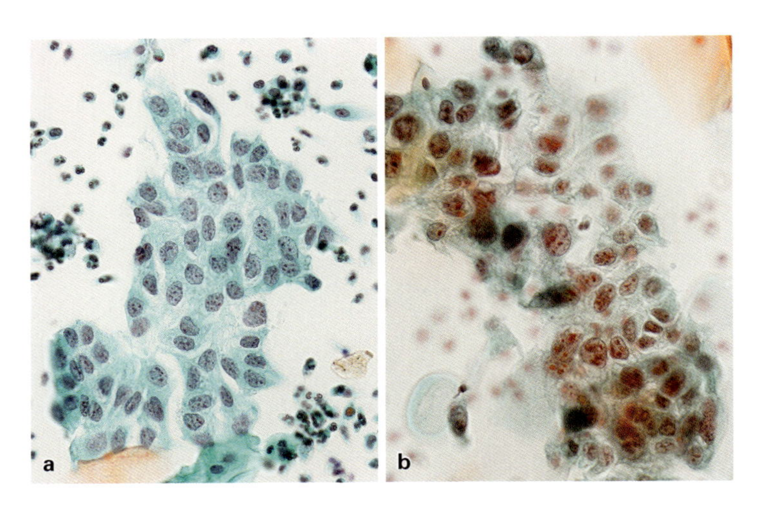

図 6　明細胞癌

単層でシート状の集塊もしくは 2 層程度の軽度の重積性を示す集塊を形成している．腫瘍細胞は淡明もしくは淡いライトグリーン好性の細胞質を有している．核腫大，核形不整，核の大小不同がみられる．核クロマチンは細顆粒状から顆粒状に増加し，核小体も明瞭で 1～数個程度みられる．
（SP-LBC 法/**a, b**：対物×60）

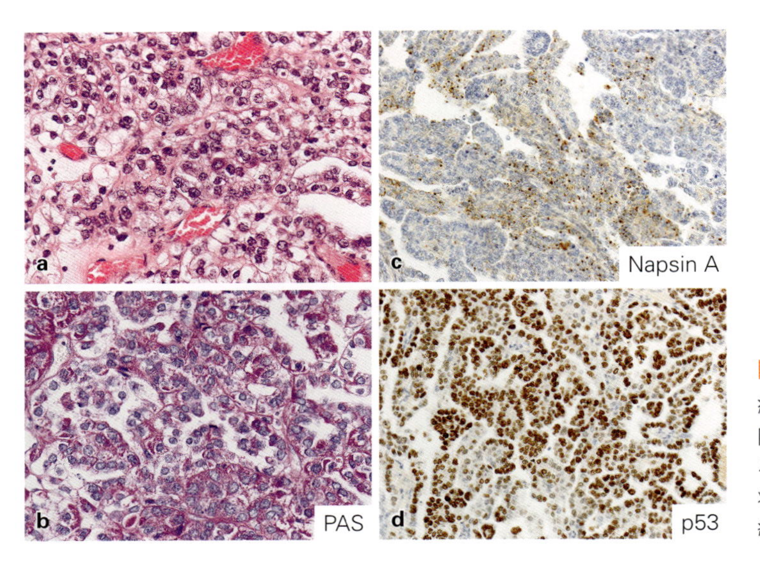

図 7　明細胞癌

組織像（**a**）．細胞質内には PAS 染色陽性のグリコーゲン顆粒を有している（**b**）．Napsin A では細胞質が顆粒状に陽性で（**c**），p53 も多くの腫瘍細胞で過剰発現が認められる（**d**）．

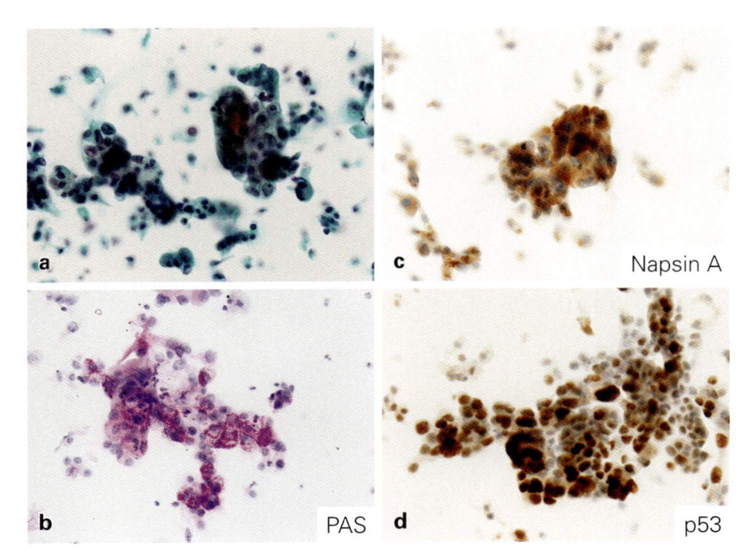

図 8　明細胞癌

細胞像（**a**）．図 7 同様に細胞質内には PAS 染色陽性のグリコーゲン顆粒がみられる（**b**）．Napsin A も細胞質が顆粒状に陽性で（**c**），p53 も多くの腫瘍細胞で過剰発現が認められる（**d**）．
（SP-LBC 法/**a～d**：対物×40）

文献

1) Silverberg SG, DE Giorgi LS. Clear cell carcinoma of the endometrium. Clinical, pathologic, and ultrastructural findings. Cancer. 1973；31：1127-1140
2) Ellenson LH, Ronnett BM, Soslow RA, et al. Endometrial carcinoma. In：Kurman RJ, Ellenson LH, Ronnett BM editor. Blaustein's pathology of the female genital tract. 7th ed. New York：Springer-Verlag；2019. 473-533
3) Abeler VM, Vergote IB, Kjorstad KE, et al. Clear cell carcinoma of the endometrium. Prognosis and metastatic pattern. Cancer. 1996；78：1740-1747
4) Fadare O, Stewart CJR. Clear cell carcinoma of the uterine corpus. In：WHO Classification of Tumor Editorial Board (eds). WHO Classification of Tumor of Female Reproductive Organs, 5th ed. Lyon：IARC Press；2020：258-259
5) DeLair DF, Burke KA, Selenica P, et al. The genetic landscape of endometrial clear cell carcinomas. J Pathol 2017；243：230-241
6) 日本産科婦人科学会，日本病理学会(編)．子宮体癌取扱い規約第4版．金原出版；2017.
7) Ellenson LH, Ronnett BM, Soslow RA, et al. Endometrial carcinoma. In：Kurman RJ, Ellenson LH, Ronnett BM editor. Blaustein's pathology of the female genital tract. 7th ed. New York：Springer-Verlag；2019. 473-533
8) 涌井加奈子，松井成明，安田政実，ほか．子宮体部明細胞腺癌の細胞学的検討　腫瘍細胞の出現パターンおよび類内膜腺癌との比較．日臨細胞誌．2008；47：269-274.
9) Fadare O, Desouki MM, Gwin K, et al. Frequent expression of Napsin A in clear cell carcinoma of the endometrium. Potential diagnostic utility. Am J Surg Pathol. 2014；38：189-196
10) Lim D, Philip PC, Cheung ANY, et al. Immunohistochemical comparison of ovarian and uterine endometrioid carcinoma, endometrioid carcinoma with clear cell change, and clear cell carcinoma. Am J Surg Pathol. 2015；39：1061-1069
11) Ip PPC, Djordjevic B. Arias-Stella reaction of the uterine corpus. In：WHO Classification of Tumor Editorial Board (eds). WHO Classification of Tumor of Female Reproductive Organs, 5th ed. Lyon：IARC Press：2020：271
12) Philip PC, Wang SY, Wong OGW, et al. Napsin A, Hepatocyte Nuclear Factor -1-Beta (HNF-1β), Estrogen and Progesterone receptor expression in Arias-Stella reaction. Am J Surg Pathol. 2019；43：325-333

（前田宣延）

TYS 6 悪性腫瘍

混合癌
Mixed carcinoma

背景

子宮体部混合癌は発生頻度が全子宮体癌の約2%とまれな腫瘍である[1]．WHO分類第4版では類内膜癌，粘液性癌などの**I型**と，漿液性癌，明細胞癌などの**II型**が混在するものを混合癌と定義している[2,3]．類内膜癌に扁平上皮成分が混在するものが認められるが，このような腫瘍は混合癌に含めず，扁平上皮への分化を伴う類内膜癌としている[4]．混合癌における組織型は，**類内膜癌**と**漿液性癌**（**図1～3**）からなる頻度が最も高くみられ，両者の発生については，低異型度の類内膜癌から漿液性癌への進展が考えられている[3]．Roelofsenらの報告によると，混合癌における組織型の組み合わせは，漿液性癌と類内膜癌が77.6%で，漿液性癌と明細胞癌が13.8%，漿液性癌と未分化癌が8.6%であった[5]．

予後に関して漿液性癌が腫瘍の10%を占めると，低分化型類内膜癌と比較して予後不良であるため[6]，混合癌の予後は異型度の最も高い成分に依存する．また，漿液性癌の**pure type**と**mixed type**（混合癌）の比較では，mixed type（混合癌）よりもpure typeのほうが予後不良とも報告されている[5]．一方，50%以上の漿液性癌成分を含む混合癌の予後は，pure typeの漿液性癌の予後と類似しているという報告もある[7]．

定義

複数の組織型が混在する癌腫で，II型に属する組織型（漿液性癌もしくは明細胞癌）が少なくとも1つは5%以上含まれているものとされている[2,8]．また，類内膜癌に**扁平上皮化生**を伴うもの，類内膜癌と粘液性癌が混在するものは混合癌に分類しない[4]．

診断基準

- 混合癌の診断は，子宮内膜細胞診にて悪性と診断することは容易であるが，複数の腺癌の組織型を推定することはきわめて難しい（**図4, 5**）．
- 混合癌と診断する際は，低異型度の類内膜癌とともに漿液性癌や明細胞癌などの高異型度の腫瘍細胞が出現する（**図6, 7**）．
- このような場合には高異型度の癌腫成分を中心に記載し臨床側へ報告することも重要である．

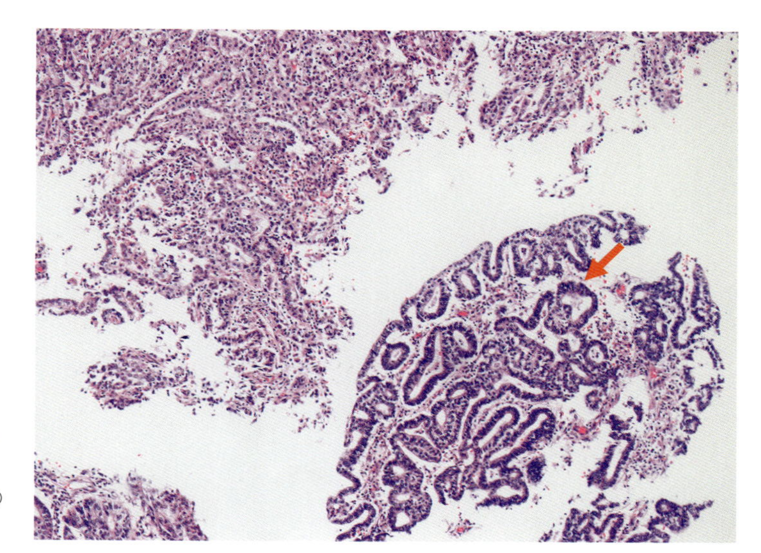

図 1　漿液性癌と類内膜癌からなる混合癌の組織像

左がⅡ型の漿液性癌で，右がⅠ型の類内膜癌(矢印)の組織像である．

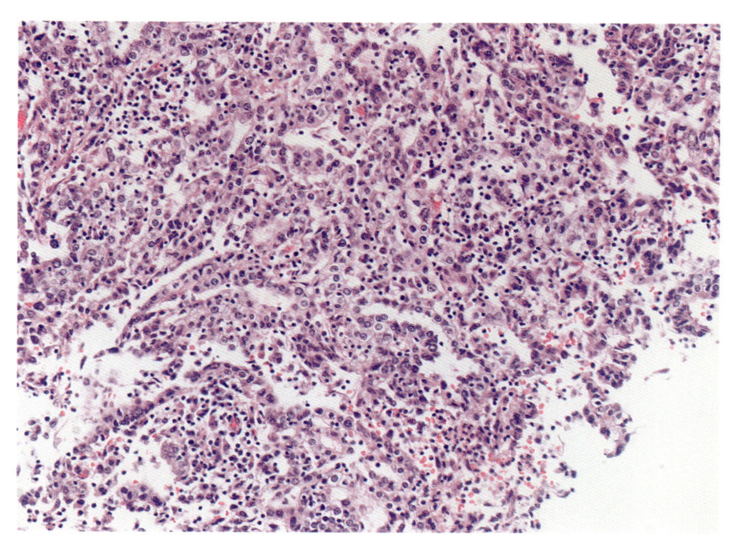

図 2　漿液性腺癌部分の組織像

図 1 の左にみられる漿液性癌の強拡大像．充実性増殖を示し，核異型が著明である．

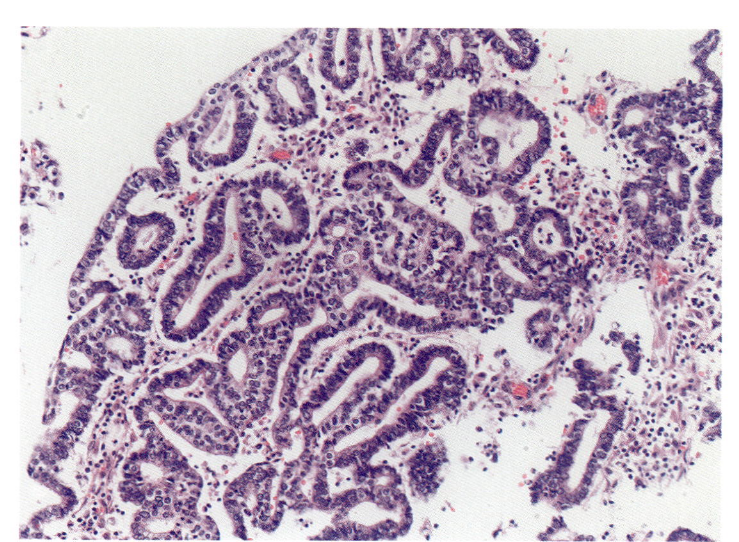

図 3　類内膜腺癌部分の組織像

図 1 の右にみられる類内膜癌の強拡大像．円柱状を示す腫瘍細胞が密な腺管構造を形成し，増殖している．

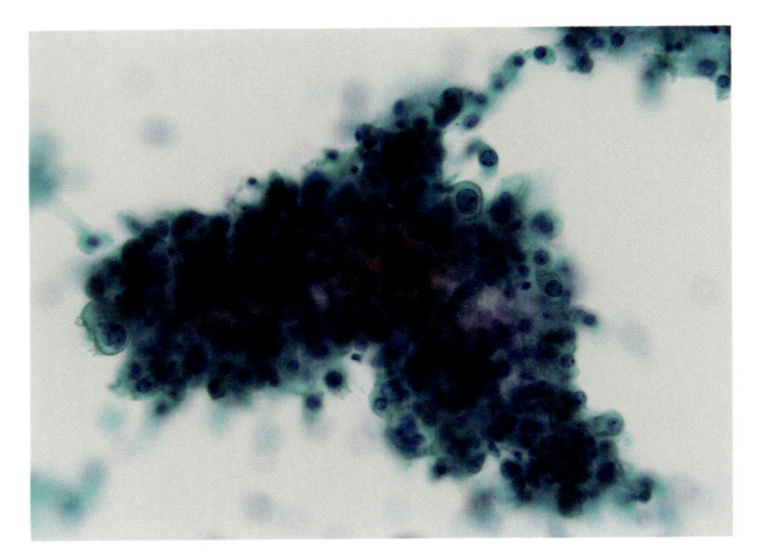

図 4　漿液性癌と類内膜癌からなる混合癌の細胞像

漿液性癌と類内膜癌からなる混合癌の症例であったが，内膜細胞診標本には漿液性癌成分のみ認められた．腫瘍細胞は 3 層以上の重積性を示し，細胞異型は著明で大型核小体を有している．
（SP-LBC 法/対物×40）

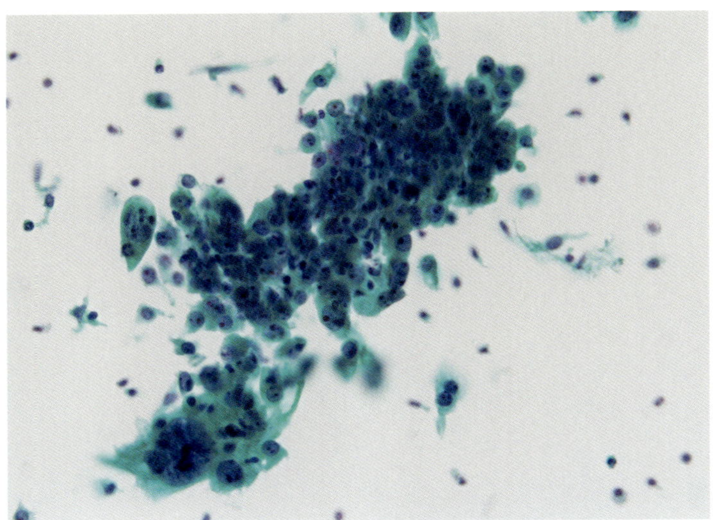

図 5　漿液性癌と類内膜癌からなる混合癌の細胞像

漿液性癌と類内膜癌からなる混合癌の症例であったが，内膜細胞診標本には漿液性癌成分のみ認められた．腫瘍細胞の細胞異型は著明で多核巨細胞の混在も認める．
（SP-LBC 法/対物×40）

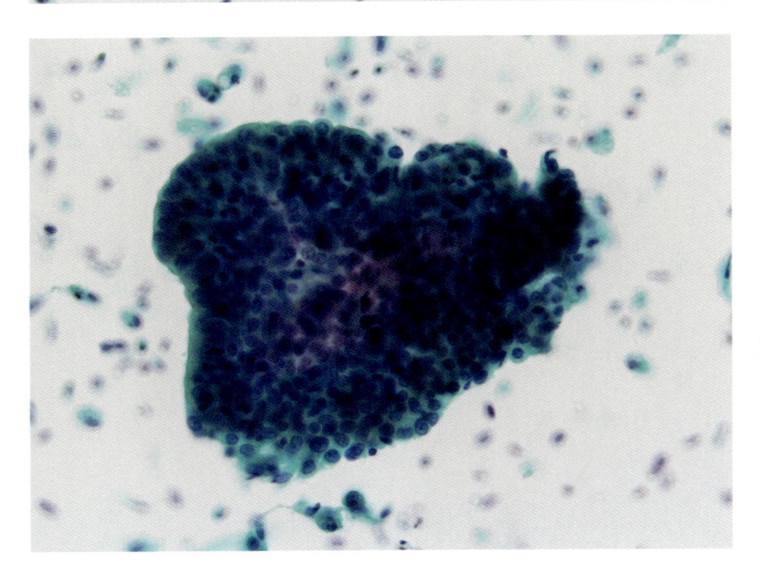

図 6　漿液性癌と類内膜癌からなる混合癌の細胞像

類内膜癌成分は核密度の増加を伴う集塊としてみられ，核クロマチンの増量や 3 層以上の重積異常を呈している．
（SP-LBC 法/対物×40）

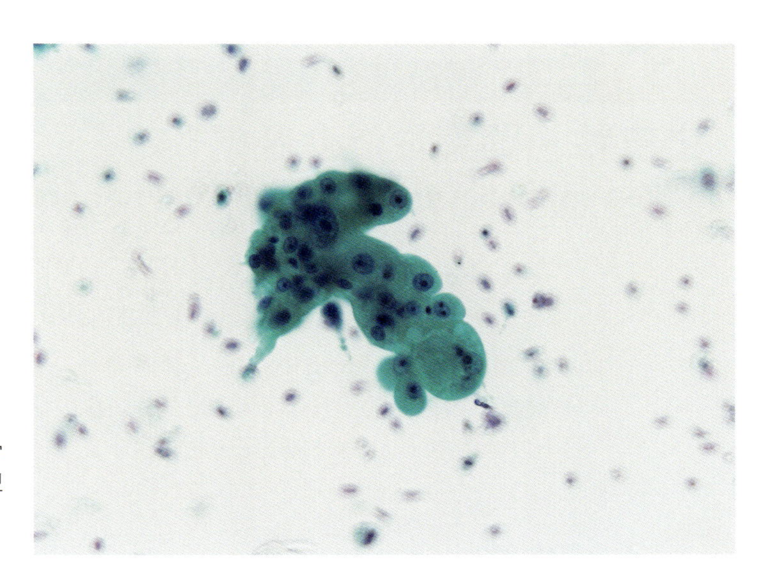

図 7　漿液性癌と類内膜癌からなる混合癌の細胞像

漿液性癌成分は 3 層以上の重積異常を認めないが，核の大小不同や大型で明瞭な核小体を有している．
（SP-LBC 法/対物×40）

文献

1）土田　秀，鹿沼達哉，神山晴美，ほか．子宮体癌混合癌の 1 例．日臨細胞誌 2012；51：431-434.
2）Kurman RJ，Carcangiu ML，Herrington CS，et al．WHO classification of tumours of female reproductive organs．IARC 4th ed．2014：132.
3）日本産科婦人科学会・日本病理学会（編）．子宮体癌取扱い規約（病理編）．金原出版．2017：33.
4）深山正久，森永正二郎（編集主幹）．外科病理学第 5 版 子宮体部．文光堂；2020．1129.
5）Roelofsen T，van Ham MA，Wiersma van Tilburg JM，et al．Pure compared with mixed serous endometrial carcinoma．Obstet Gynecol．2012；120：1371-1381.
6）Boruta DM 2nd，Gehrig PA，Groben PA，et al．Uterine serous and grade 3 endometrioid carcinomas：Is there a survival difference? Cancer．2004；101：2214-2221.
7）Williams KE，Waters ED，Woolas RP，et al．Mixed serous-endometrioid carcinoma of the uterus：pathologic and cytopathologic analysis of a high-risk endometrial carcinoma．Int J Gynecol Cancer．1994；4：7-18.
8）Rabban JT，Gilks CB，Malpica A，et al．Issues in the differential diagnosis of uterine low-grade endometrioid carcinoma，including mixed endometrial carcinomas：Recommendations from the International Society of Gynecological Pathologists．Int J Gynecol Pathol．2019；38：S25-S39.

（河原明彦，秋葉　純）

TYS 6 悪性腫瘍

上皮性・間葉性混合腫瘍
Mixed epithelial and mesenchymal tumors

子宮上皮性・間葉性混合腫瘍は，腺筋腫(adenomyoma)，異型ポリープ状腺筋腫(atypical polypoid adenomyoma)，腺線維腫(adenofibroma)，腺肉腫(adenosarcoma)および癌肉腫(carcinosarcoma)に分類されている．この章では癌肉腫，異型ポリープ状腺筋腫および腺肉腫について解説する．

1 癌肉腫 carcinosarcoma

背景

本腫瘍の発生頻度は全子宮腫瘍の5%未満で比較的まれなものである[1]．臨床的に本腫瘍は，閉経後の女性に多く発生し，不正子宮出血と急速な増大を伴う予後不良な腫瘍である[2]．子宮癌肉腫患者は乳癌治療後に発症することがあり，**タモキシフェン療法**(☞76頁)との関連も指摘されている[1]．早期の子宮癌肉腫患者において**横紋筋肉腫成分**の存在，転移性疾患，肉腫成分が腫瘍の大部分を伴う子宮癌肉腫患者の5年生存率は不良である[1-3]．また，転移部において癌腫成分のみを認める症例が多いとされている[4]．

定義

癌肉腫は**悪性混合ミュラー管腫瘍(malignant mixed müllerian tumor：MMMT)**と呼ばれていた腫瘍であり，高悪性度の上皮性成分と間葉性成分を含む悪性腫瘍である(図1，2)[5]．本腫瘍は肉眼的にポリープ状を示し，腫瘍割面は柔らかく広範な出血や壊死を伴う[6]．癌肉腫の上皮性成分の多くは類内膜癌であるが，漿液性癌，明細胞癌および粘液性癌の形態を示すこともある．肉腫成分は平滑筋肉腫，子宮内膜間質肉腫および未分化肉腫様を示し，これらの成分がさまざまな割合で混在しているものは**同所性癌肉腫(homologous carcinosarcoma)**と呼ばれている．一方，横紋筋肉腫，軟骨肉腫，まれに骨肉腫などの異所性成分が含まれるものは**異所性癌肉腫(heterologous carcinosarcoma)**と呼ばれている[5]．

癌肉腫の組織発生の説としていくつか提唱されているが，いまだ議論されている．癌および肉腫が別々に発生し一つの腫瘍を形成する**真の癌肉腫説**(true carcinosarcoma, collision hypothesis)と，本来癌であるが，その一部が形態学的に肉腫様に変化した**いわゆる癌肉腫説**(so-called carcinosarcoma, combination hypothesis)とに大別される[5]．後者は，両方の腫瘍成分が腫瘍形成の初期段階で単一の**幹細胞**(cancer stem cells)から派生することを示唆している[5]．近年，分子生物学的手法の進歩により上皮性悪性腫瘍細胞が肉腫様に変化したものとする考え方である**上皮性腫瘍説**(epithelial-mesenchymal transition；conversion hypothesis)が広く支持を受けている[3,5,7].

診断基準

癌肉腫の細胞判定で，悪性と判定することは容易である[8,9]．組織型推定は上皮性成分と非上皮性成分の両細胞成分を標本上にみられた時に限られる(図 3〜7).

a 上皮性成分(図 4a，6)

- **3 層以上の核重積**を示し，**不整形突出集塊**としてみられる.
- 集塊形成が乏しい上皮成分では，非上皮性成分との鑑別が難しいことがある.
- 異型細胞は核腫大，クロマチン増量や明瞭な**核小体**を有する.

b 非上皮性成分(図 4b，5，7)

- 弱い結合性あるいは孤立散在性に出現する.
- 異型細胞は，**紡錘形**あるいは**多稜形**，**裸核状**を示し，**核腫大**や明瞭な**核小体**を有する.
- しばしば**多核巨細胞**がみられることもある.

異型ポリープ状腺筋腫 atypical polypoid adenomyoma

背景

異型ポリープ状腺筋腫(APA)は 1981 年に Mazur によって初めて報告されたまれな疾患である[10]．比較的若年者(平均年齢 38 歳，幅：22〜58 歳)の子宮下部または頸部に発生するポリープ状の腫瘍である[11]．本腫瘍は，臨床的に子宮内膜ポリープや粘膜下筋腫に類似した画像所見を呈することから，術前診断は非常に難しいといわれている[12]．また，子宮内膜生検や掻爬術材料による病理診断は筋層浸潤を示す類内膜癌と鑑別が難しい症例もある.

本腫瘍はしばしば類内膜癌と合併することが知られており，Matsumoto ら[11]は 17％に，Heatley ら[13]は 8.8％に類内膜癌の合併を認めたと報告している．また，Longacre らは構造異型の強い領域が病変全体の 30％以上を占める場合を atypical polypoid adenomyoma-low malignant potential として扱うことを提唱している[14].

子宮温存症例の再発において，Longacre らは子宮内膜掻爬，ポリープ切除などの温存的治療では 44.8％に，Biasioli らは 38.0％に再発を認めている[14,15]．治療法などについてはまだ確立されていないのが現状であるが，子宮摘出術は閉経後の患者に対する主な治療選択肢であり，経頸管的切除術(transcervical resection：TCR)は生殖能力を維持したい患者のために推奨するという報告もある[11,16].

定義

本腫瘍の病理組織像は，**細胞異型を示す子宮内膜腺上皮**と**α-smooth muscle actin陽性の平滑筋細胞**からなり，しばしば**squamous morule**（**桑実胚様細胞巣**）と伴っている．この上皮成分と異型のない平滑筋成分が密に混ざり合ったポリープ状の隆起性病変である（**図8**）．

本腫瘍の細胞像は，清浄な背景に腺上皮が密となった集塊が多数みられ，腺上皮集塊は不規則な分岐や拡張を示す．異型のない**短紡錘形細胞**がsquamous moruleを伴う腺上皮集塊内あるいは周囲にみられる[17]．また，EAH/EINを伴うAPA症例もあるため，細胞診断は平滑筋由来の間質細胞と上皮細胞の増殖を確認すべきである[18]．

診断基準

- 内膜間質細胞の付着がみられない**不整形突出集塊**が出現する（**図9a**）．
- **Squamous morule**が混在し，**オレンジ好性の角化物**を伴うことがある（**図9b**）．
- **3層以上の核重積**を伴い，核は**類円形～楕円形**を示し，核クロマチンの増量を伴う．
- 悪性も否定できないため**ATEC-AE**（**TYS 4**），さらに核の異常所見が確認された場合は，「**子宮内膜癌**（**EAH/EINも含む**）（**TYS 5またはTYS 6**）」と判定し，組織学的精査が望まれる．

3 腺肉腫 adenosarcoma

背景

本腫瘍は1971年にClementらによって**ミュラー管混合腫瘍**の組織型の1つとして報告されたまれな悪性腫瘍である[19]．本腫瘍は，閉経後の女性（平均年齢59歳．幅12～88歳）に多くみられ，若年者を含む閉経前の女性にも約25％程度でみられる[20]．通常，患者は不正子宮出血や腟分泌物を主訴としている．骨盤内放射線療法，長期のエストロゲン療法で特に**タモキシフェン療法**（☞76頁）との関連が報告されている[21]．

術前組織診断は，反復生検にて76％が悪性と診断されており，腺肉腫と正しく診断されたのは33％（内膜生検で19％，腫瘍生検で79％）である．一方，捺印細胞診では腺肉腫の所見を十分にとらえることが可能であるが[22]，通常診断において腺肉腫と正しく診断されるのは困難である[20]．

腫瘍は主に外方向性の発育を示すポリープ状の腫瘤形態を示し，大きさは約5 cmとされている[23]．腫瘍割面は嚢胞・充実性構築を示し，嚢胞腔内に乳頭状もしくはポリープ状の形態をとる[23]．本腫瘍の予後は他の肉腫と比較して良好であるが[24]，高悪性度の肉腫成分が腫瘍全体の25％以上を占める場合は**肉腫成分過剰増殖を伴う腺肉腫**（adenosarcoma with sarcomatous overgrowth）と呼ばれ，転移のリスクが高い[23, 25]．

定義

良性腺上皮と肉腫成分が混在する悪性腫瘍である．良性腺上皮は通常，子宮内膜に類似した形態を示し，しばしば化生性変化(一般的に粘液性と扁平上皮細胞)を呈することもある[23]．腺上皮成分は腺腔を形成し，その周囲を細胞密度の高い肉腫成分が取り囲む(図 10)．腺上皮に増殖性変化の所見はないが，軽度から中等度の核異型を示すこともある．

肉腫成分の異型性は必ずしも明瞭でなく，通常低悪性度の**子宮内膜間質肉腫**からなる(図 11)．核分裂像は少なくとも高倍率 10 視野で 2 個みられる[23]．肉腫成分の構成の違いにより，**同所性腺肉腫**(homologous adenosarcoma)，と横紋筋や軟骨への分化を示す**異所性腺肉腫**(heterologous adenosarcoma)に分類される[21]．

診断基準

子宮内膜細胞診で腺肉腫を特定することは困難である．しかしながら，肉腫成分の異型細胞は，緩やかな細胞集塊や散在性に出現する細胞が多く，異型所見を指摘することは可能である[20]．そのため，散在性に出現した細胞に核形不整や核クロマチンの増量などの核異型がみられた際には，非上皮性細胞の悪性腫瘍も疑われる旨を臨床へ促すことも重要である．

a 内膜上皮細胞(図 12a)

- 子宮内膜上皮細胞が**シート状集塊**で出現する．
- 細胞集塊の辺縁はスムーズである．
- 核は類円形で，核クロマチンの増量はみられない．

b 異型を伴う非上皮性細胞(本項では内膜間質細胞を示す)(図 12b，13，14)

- 内膜上皮細胞集塊の焦点をずらすと，正常内膜間質細胞と比べて核腫大を伴う細胞が散在性にみられる．
- 細胞質の境界は不明瞭で，核は**卵円形～短紡錘形**で多彩である．
- 核クロマチンの増量がみられる．
- 細胞異型を認める場合，悪性も疑われることを臨床へ促すことが重要である．

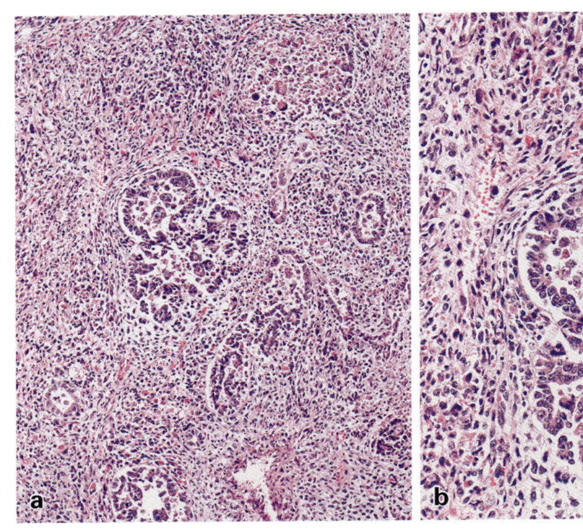

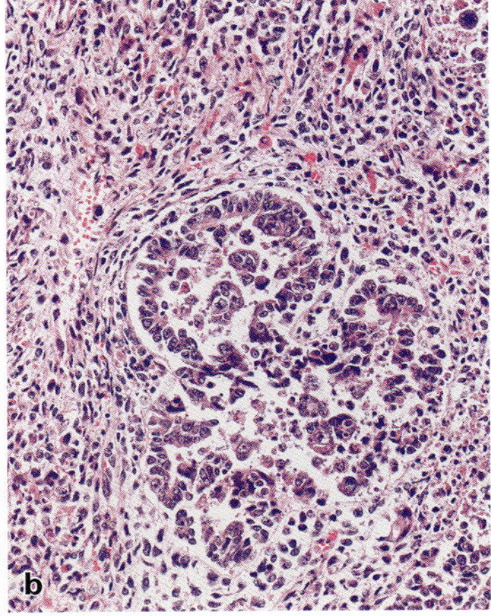

図 1　癌肉腫の組織像

上皮成分は類内膜癌の組織像を呈し（**a**），肉腫成分と混在してみられる（**b**）.

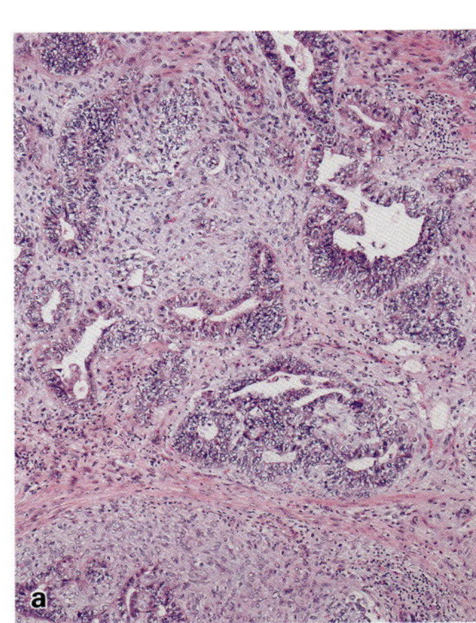

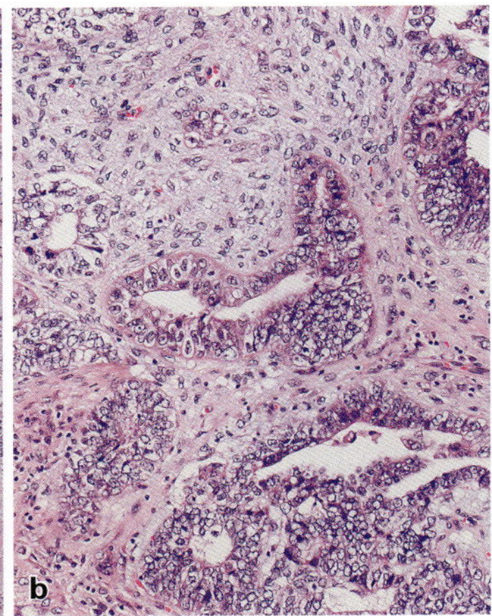

図 2　癌肉腫の組織像

上皮成分は大きさが不揃いな管状腺癌と（**a**），肉腫成分が併存してみられる（**b**）.

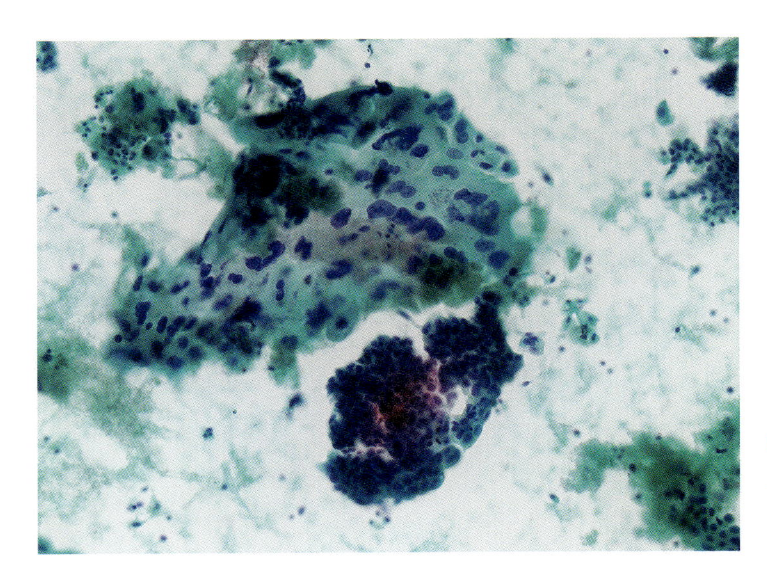

図 3　癌肉腫の細胞像

上皮性成分と非上皮性成分の両細胞成分が標本上にみられる.
（SP-LBC 法/対物×20）

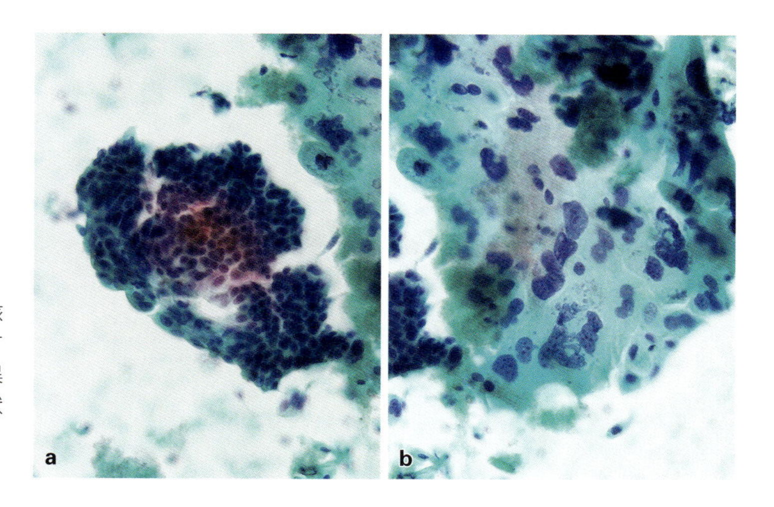

図 4　上皮性成分と非上皮性成分の細胞像

子宮内膜上皮細胞は，3 層以上の核重積を伴う不整形突出集塊が出現する(**a**)．大型で細胞境界不明瞭な異型細胞がみられ，細胞質はレース状で多稜形を示す(**b**)．
(SP-LBC 法/**a, b**：対物×40)

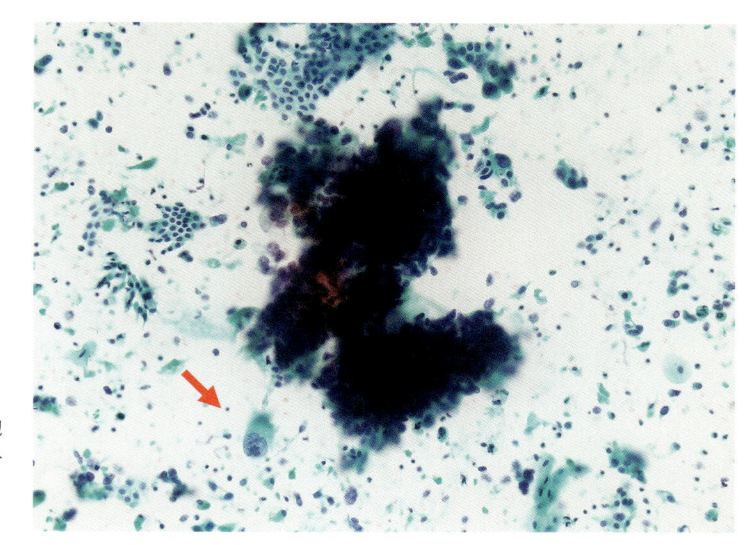

図 5　癌肉腫の細胞像

上皮性成分と非上皮性成分の両細胞成分が標本上にみられ，肉腫成分(矢印)が孤立散在性にみられる．
(SP-LBC 法/対物×20)

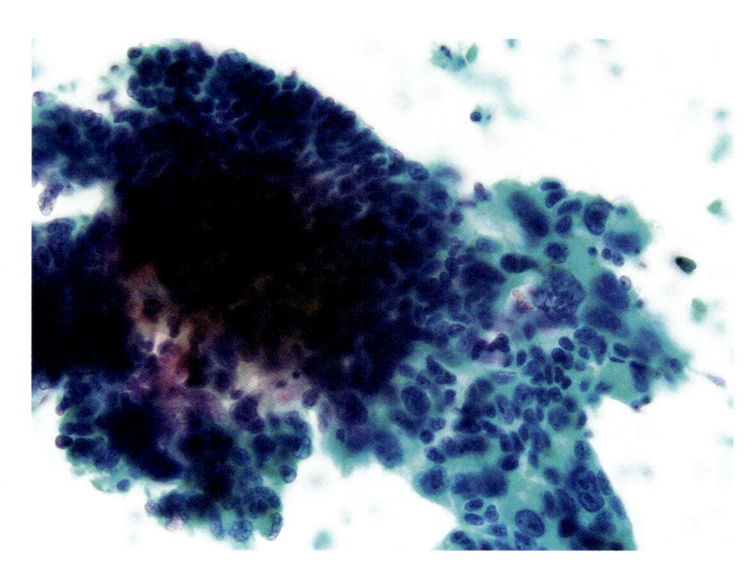

図 6　癌肉腫の細胞像

上皮性成分は結合性の強い集塊から結合性の低下を示す低分化あるいは肉腫様の変化を呈している．
(SP-LBC 法/対物×40)

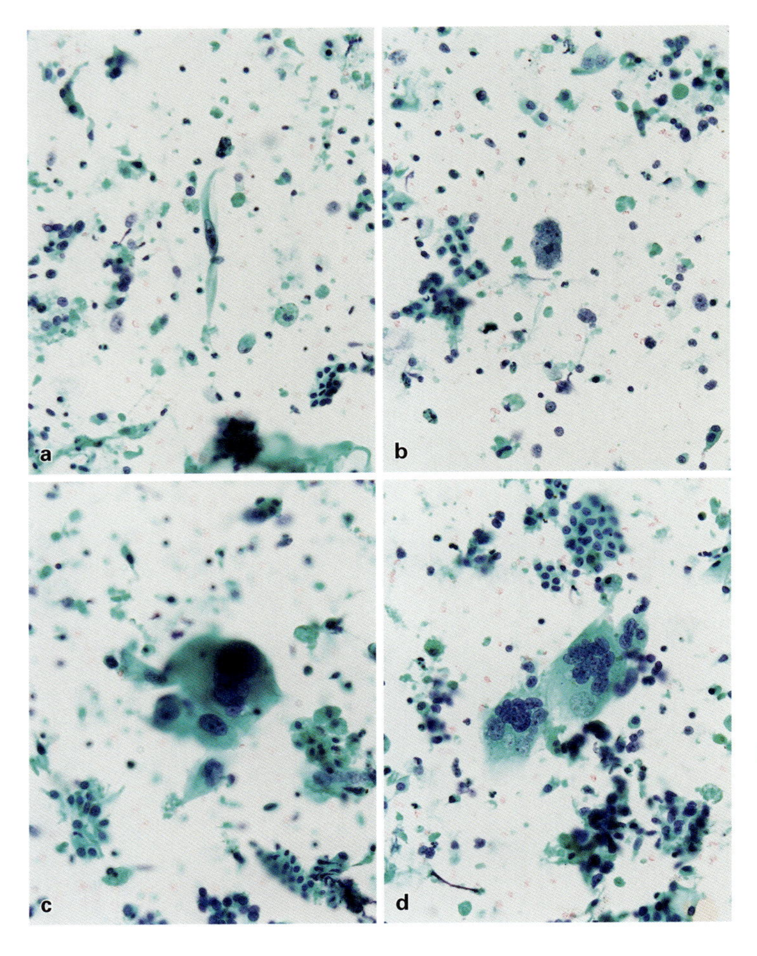

図 7　癌肉腫の非上皮成分の細胞像

癌肉腫の非上皮性成分の細胞所見は，紡錘形(**a**)や裸核状(**b**)の他に，大型巨細胞(**c**)あるいは多核巨細胞(**d**)などさまざまである．
(SP-LBC 法/**a**～**d**：対物×40)

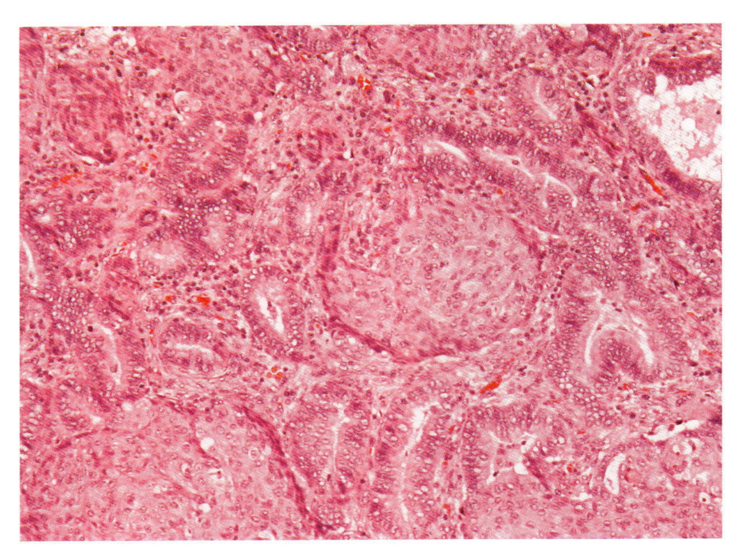

図 8　異型ポリープ状腺筋腫の組織像

細胞異型を示す子宮内膜腺上皮が複雑な構造を呈し，squamous morule を伴う．

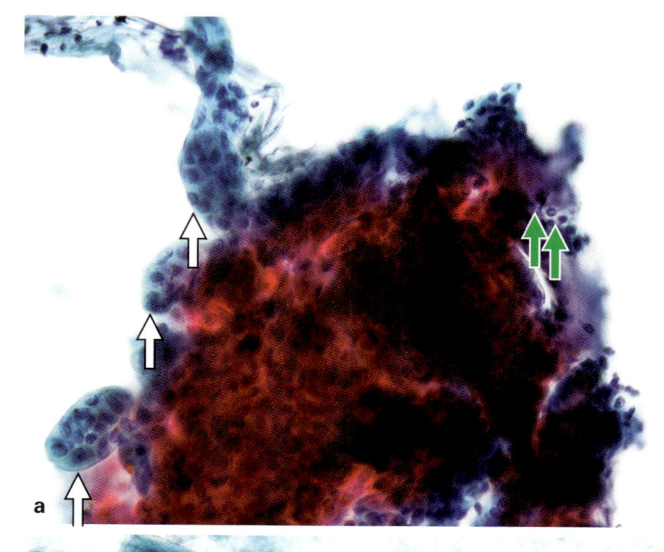

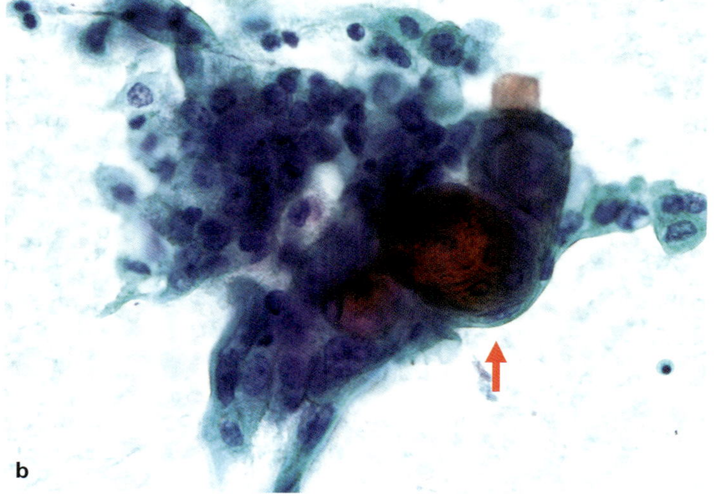

図 9　異型ポリープ状腺筋腫

a：3 層以上の核重積を伴う不整形突出集塊がみられ，一部に squamous morule とされる細胞集塊(白矢印)や腺腔構造(緑矢印)も散見される．核は類円形～楕円形を呈し，核クロマチンの増量がみられる．
b：豊富で厚い細胞質を有し，一部に角化を伴う扁平上皮化生(赤矢印)が周囲に出現する．以上の所見より，「子宮内膜癌(EAH/EIN も含む)(TYS 5 または TYS 6)」と判定し，組織学的精査を実施した．
(SP-LBC 法/**a**：対物×10，**b**：対物×40)

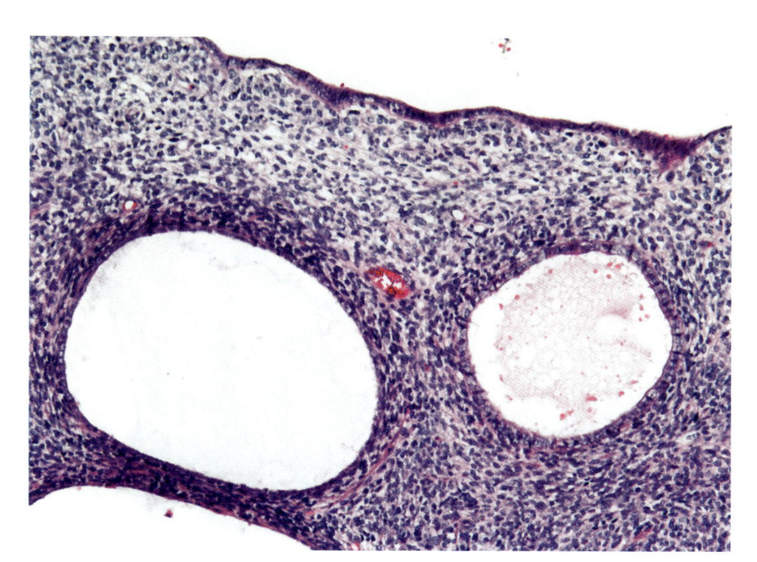

図 10　腺肉腫の組織像

萎縮内膜腺上皮に類似した腺上皮が拡張した腺管を形成している．その周囲を細胞密度の高い肉腫成分が取り囲んでいる．

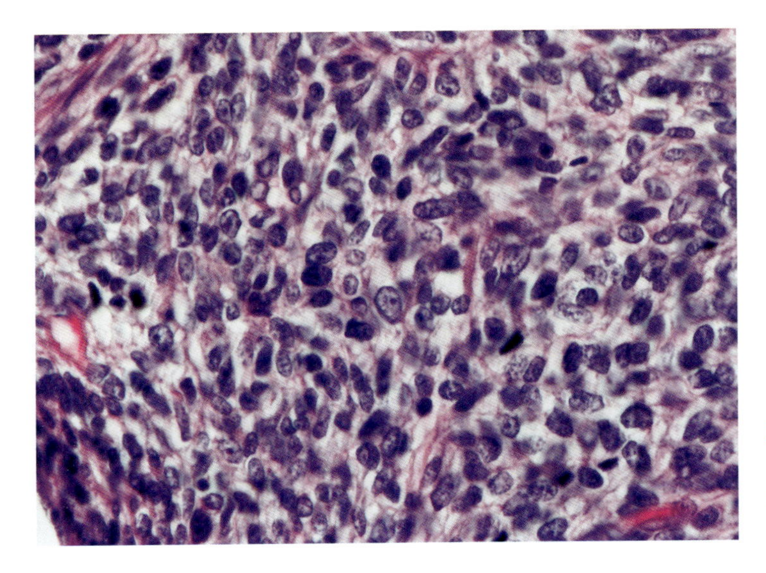

図 11　腺肉腫の組織像

通常，肉腫成分は軽度～中等度の異型性を示し，低悪性度の子宮内膜間質肉腫としての所見を呈している．

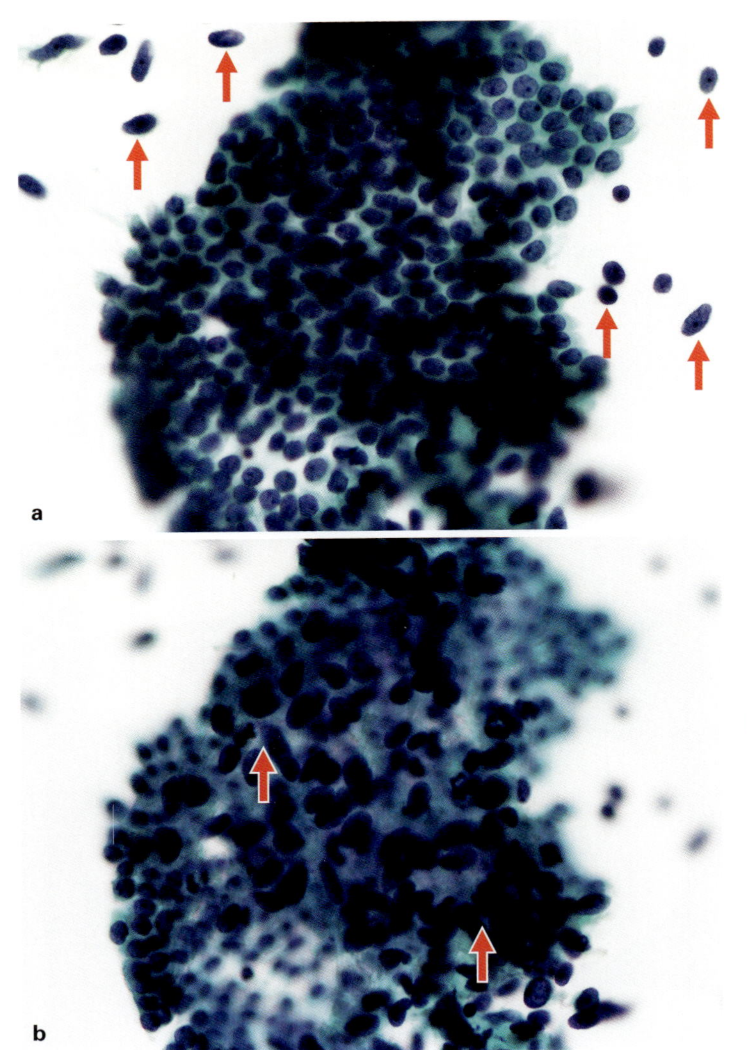

図 12　腺肉腫の細胞像

a：異型のない内膜上皮細胞がシート状集塊で出現し，その周囲には内膜間質と思われる非上皮性成分（矢印）がみられる．

b：子宮内膜上皮細胞の焦点をずらすと，裸核状で核腫大と核型不整を示す内膜間質成分（矢印）の付着を認め，核クロマチンの増量も伴っている．

（SP-LBC 法/**a, b**：対物×40）

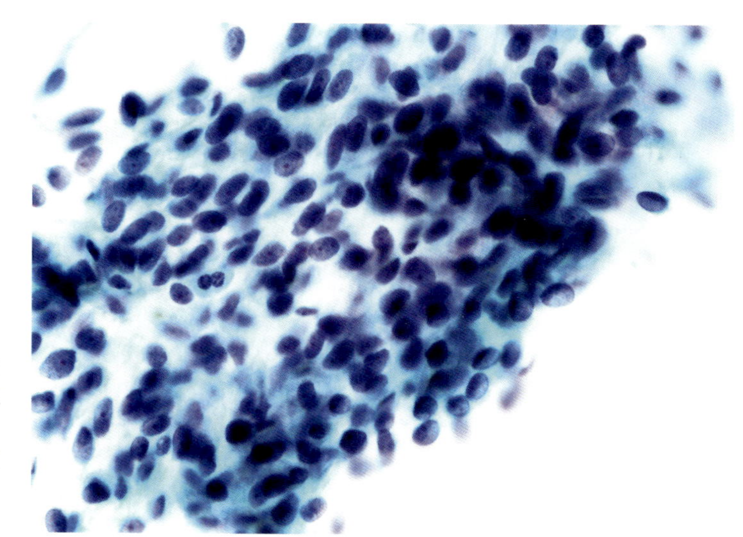

図 13　腺肉腫の細胞像
類円形～短紡錘形を示す内膜間質と思われる非上皮性成分の集塊を認め，細胞質の境界は不明瞭である．核クロマチンの増量を認め，内膜間質肉腫の成分と推測した．
（SP-LBC 法/対物×40）

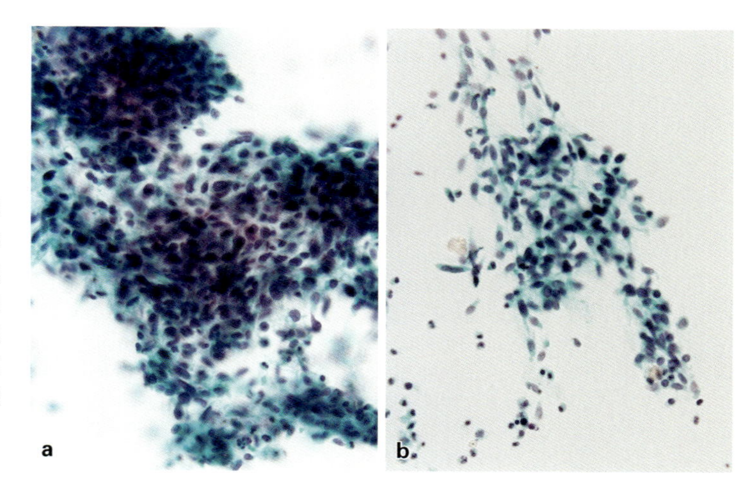

図 14　腺肉腫の細胞像
類円形～短紡錘形を示す腫瘍細胞が集簇してみられ，細胞質の境界は不明瞭である．腫瘍細胞は不規則な配列を示し，核クロマチンの増量を認める（**a**）．短紡錘形を示す腫瘍細胞が緩やかな集塊または孤立散在性にみられる．紡錘形の細胞質形状を示し，細胞境界は不明瞭である（**b**）．
（SP-LBC 法/**a**, **b**：対物×40）

文献

1) Kurnit KC, Previs RA, Soliman PT, et al. Prognostic factors impacting survival in early stage uterine carcinosarcoma. Gynecol Oncol. 2019；152：31-37.
2) Bansal N, Herzog TJ, Seshan VE, et al. Uterine carcinosarcomas and grade 3 endometrioid cancers：evidence for distinct tumor behavior. Obstet Gynecol. 2008；112：64-70.
3) Matsuzaki S, Klar M, Matsuzaki S, et al. Uterine carcinosarcoma：Contemporary clinical summary, molecular updates, and future research opportunity. Gynecol Oncol. 2021；160：586-601.
4) Sreenan JJ, Hart WR. Carcinosarcomas of the female genital tract. A pathologic study of 29 metaplastic tumors：Further evidence for the dominant role of the epithelial component and the conversion theory of histogenesis. Am J Surg Pathol. 1995；19：666-674.
5) Pezzicoli G, Moscaritolo F, Silvestris E, et al. Uterine carcinosarcoma：An overview. Crit Rev Oncol Hematol. 2021；163：103369.
6) Singh R. Review literature on uterine carcinosarcoma. J Cancer Res Ther. 2014；10：461-468.

7) Zhao S, Bellone S, Lopez S, et al. Mutational landscape of uterine and ovarian carcinosarcomas implicates histone genes in epithelial-mesenchymal transition. Proc Natl Acad Sci USA. 2016；113：12238-12243.
8) 藤井和晃，佐藤俊作，冨山眞弓，ほか．子宮体部原発癌肉腫の3例．日臨細胞誌．1998；37：52-55.
9) Okano K, Ishida M, Sandoh K, et al. Cytological features of uterine carcinosarcoma：A retrospective study of 20 cases with an emphasis on the usefulness of endometrial cytology. Diagn Cytopathol. 2019；47：547-552.
10) Mazur MT. Atypical polypoid adenomyomas of the endometrium. Am J Surg Pathol. 1981；5：473-482.
11) Matsumoto T, Hiura M, Baba T, et al. Clinical management of atypical polypoid adenomyoma of the uterus. A clinicopathological review of 29 cases. Gynecol Oncol. 2013；129：54-57.
12) Yamashita Y, Torashima M, Hatanaka Y, et al. MR imaging of atypical polypoid adenomyoma. Comput Med Imaging Graph. 1995；19：351-355.
13) Heatley MK. Atypical polypoid adenomyoma：a systematic review of the English literature. Histopathology. 2006；48：609-610.
14) Longacre TA, Chung MH, Rouse RV, Hendrickson MR. Atypical Polypoid Adenomyofibromas (Atypical Polypoid Adenomyomas) of the Uterus A Clinicopathologic Study of 55 Cases. Am J Surg Pathol. 1996；20：1-20.
15) Biasioli A, Londero AP, Orsaria M, et al. Atypical polypoid adenomyoma follow-up and management. Systematic review of case reports and series and meta-analysis. Medicine (Baltimore). 2020；99：e20491.
16) Ma B, Zhu Y, Liu Y. Management of atypical polypoid adenomyoma of the uterus. Medicine (Baltimore). 2018；97：e0135.
17) Ebisu Y, Arimoto T, Ishida M, et al. Cytological features of atypical polypoid adenomyoma of the endometrium：A case report with literature review. Diagn Cytopathol. 2017；45：345-349.
18) Horita A, Kurata A, Komatsu K, et al. Coexistent atypical polypoid adenomyoma and complex atypical endometrial hyperplasia in the uterus. Diagn Cytopathol. 2010；38：527-532.
19) Clement PB, Scully RE. Müllerian adenosarcoma of the uterus. A clinicopathologic analysis of ten cases of a distinctive type of müllerian mixed tumor. Cancer. 1974；34：1138-1149.
20) Tate K, Watanabe R, Yoshida H, et al. Uterine adenosarcoma in Japan：Clinicopathologic features, diagnosis and management Asia Pac J Clin Oncol. 2018；14：318-325.
21) 日本産科婦人科学会，日本病理学会(編)：子宮体癌取扱い規約　病理編　第4版．金原出版，2017.
22) Takeshima N, Tabata T, Nishida H, et al. Müllerian adenosarcoma of the uterus：report of a case with imprint cytology. Acta Cytol. 2001；45：613-616.
23) Pinto A, Howitt B. Uterine Adenosarcoma. Arch Pathol Lab Med. 2016；140：286-290.
24) Arend R, Bagaria M, Lewin SN, et al. Long-term outcome and natural history of uterine adenosarcomas. Gynecol Oncol. 2010；119：305-308.
25) Kaku T, Silverberg SG, Major FJ, et al. Adenosarcoma of the uterus：a Gynecologic Oncology Group clinicopathologic study of 31 cases. Int J Gynecol Pathol. 1992；11：75-88.

（河原明彦，秋葉　純）

TYS 6 悪性腫瘍

子宮外悪性腫瘍

Extrauterine malignant tumors

背景

子宮外悪性腫瘍は，卵巣癌，卵管癌，中皮腫，癌性腹水などからの混入や直接浸潤によって推定される．卵巣癌，卵管癌，中皮腫，癌性腹水などは，子宮頸部・体部と異なり病変から細胞診検体を擦過採取することは，**手術時以外に困難**である．しかし，子宮への癌の直接浸潤や転移がなくても，子宮頸部・体部の細胞診中に腫瘍細胞が出現することは少なくない．これは，腹腔内から卵管を経由して到達した腫瘍細胞が採取されることによる．特に**上皮性卵巣癌**において頻度が高く，約2割の症例では子宮内膜細胞診において腫瘍細胞が検出され，その検出率は臨床進行期や腹水細胞診の陽性率と相関する[1]．

また，卵巣癌のうちでも特に**漿液性癌**では子宮内膜細胞診における陽性率が高い．卵巣腫大に乏しい漿液性癌や**漿液性表在性乳頭状癌**(**serous surface papillary carcinoma：SSPC**)では，診察時点で腹水貯留例が多いためと考えられるが，貯留腹水が少量であると**腹水細胞診**が困難である．よって，**非婦人科腫瘍**(胃癌や乳癌などの転移性卵巣癌や癌性腹膜炎)との鑑別や術前化学療法の選択において，子宮内膜細胞診は一定の診断的意義がある[2-6]．

定義

子宮外悪性腫瘍は，子宮内悪性腫瘍を除外しうる「その他の悪性腫瘍すべて」となるので，腫瘍の由来はさまざまであり，おのおのの由来となる腫瘍の形態学的特徴を有する．まずは子宮外悪性腫瘍を診断するうえで，壊死組織を認めない清明な背景で出現する大多数の子宮内膜腺細胞が正常所見である点や，注目する腫瘍細胞が子宮由来(頸管腺や内膜腺など)の特徴に乏しい点が重要であり，子宮内悪性腫瘍を除外する．

子宮外悪性腫瘍として診断しうる頻度が高い疾患の1つである**SSPC**の組織像は，線維血管性間質を中心に**乳頭状増殖**を示し，多数の**砂粒体**を認める．**多数の核分裂像**を認め，**核は腫大**し，**N/C比は増大**，**著明な核小体**を有するなど，**核異型が非常に強い**(図1，2)．細胞像では，きれいな背景に類円形核で配列の揃った正常の内膜上皮細胞がシート状集塊でみられるのとは別に，**同心円状の層をなす砂粒体**を有する乳頭状の**異型細胞集塊**を認める．細胞質は淡く，**空胞変性**もみられ，核は腫大し，N/C比は増大，核クロマチン増量，著明な核小体を有する(図3〜7)．

卵巣漿液性癌の組織像は，**SSPC**と同様に線維血管性間質を付随し，複雑に分岐する**乳頭状構造**と**細胞重積からなる芽出像**がみられる．個々の細胞の**核異型が強く**，**大型核小体や核分裂像**が目立ち，**多核細胞を伴う**こともある(図8，9)．細胞像も表在性漿液性乳頭状癌と同様に，正常の内膜上皮細胞とは別に，核は腫大し，N/C比は増大，核クロマチン増量，著明な核小体を有する**異型細胞集塊**を認める(図 10～13)[2-6].

診断基準[2-13)]

- 類内膜癌の場合と同様な，**3 層以上の核重積**を伴う**不整形突出集塊**を認める(図 5～7，12，13)(TYS 式子宮内膜細胞診判定様式[13)]における第 1 ステップ).
- 以下の①～③を認める(同，第 2 ステップ).
  - ① 核クロマチン増量，核の大小不同，著明な核小体，集塊最外層核の突出，核の重畳性などの異常所見を認める.
  - ② 細胞集塊内部に多数の腺腔を認める(**篩状構造，back to back 構造**).
  - ③ 背景に**出血・壊死，扁平上皮化生のいずれか**を認める.

上記の所見を認めた場合，「**悪性腫瘍(TYS 6)**」を推定する.

通常の類内膜癌の場合と異なり，**子宮外由来の悪性腫瘍**(extrauterine malignant tumors. 卵巣癌，卵管癌，中皮腫，癌性腹水などからの混入)の場合には，悪性腫瘍細胞集塊の数が少なく，**清明な背景中に唐突に少数の変性を強く伴った小集塊として出現**することが多いので，注意して判定する必要がある.

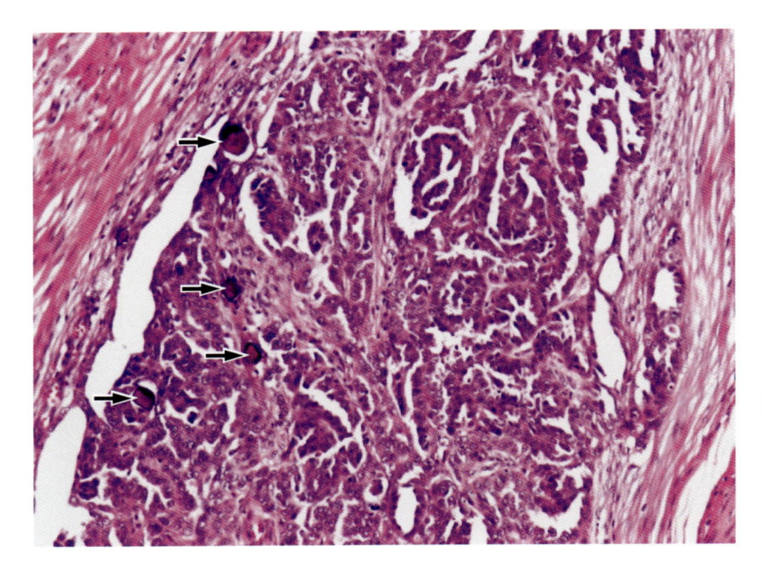

図 1　子宮外悪性腫瘍の組織像(SSPC)

線維血管性間質を中心に，乳頭状増殖を示す．多数の砂粒体(矢印)を認める.

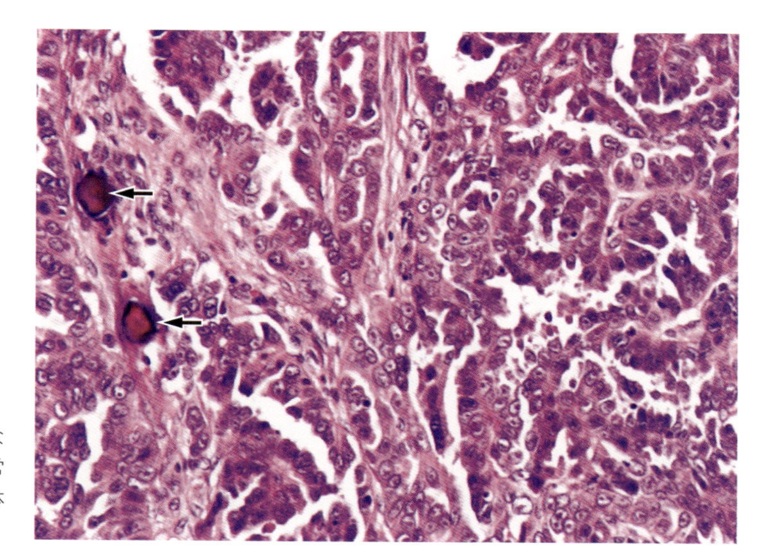

図 2　子宮外悪性腫瘍の組織像（SSPC）

核は腫大し，N/C 比は増大，著明な核小体を有するなど，核異型が非常に強い．多数の核分裂像や砂粒体（矢印）を認める．

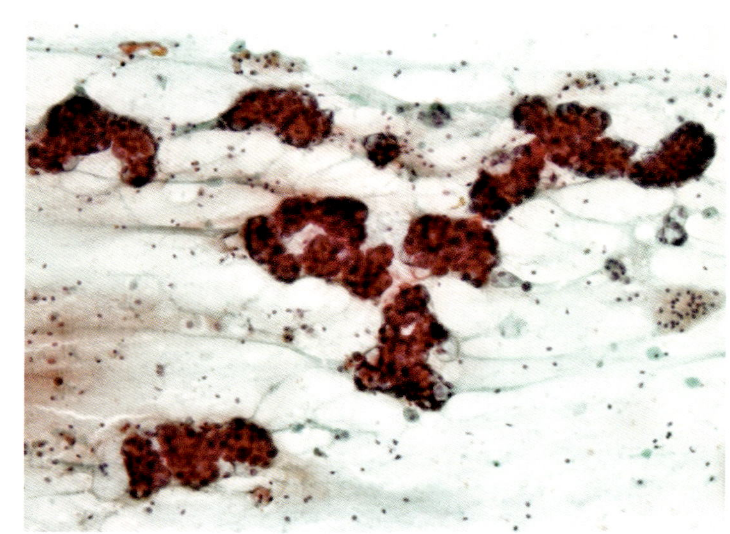

図 3　子宮外悪性腫瘍（SSPC）

清明な背景の中，乳頭状の異型細胞集塊が出現している．
（直接塗抹法/対物×10）

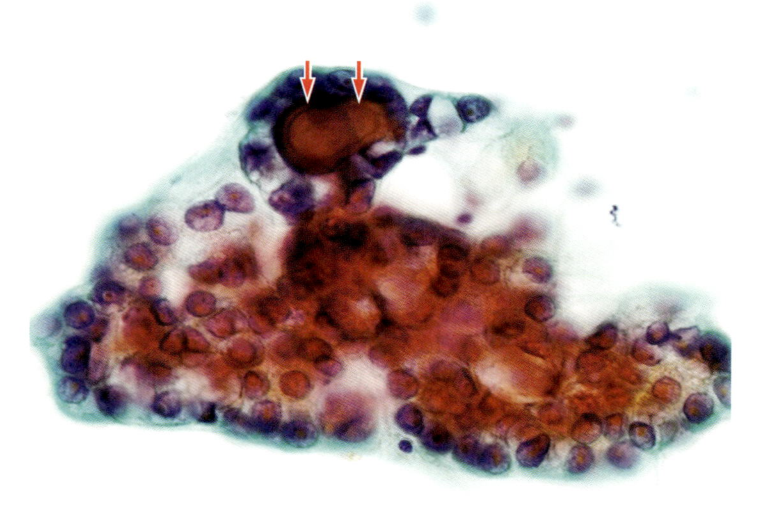

図 4　子宮外悪性腫瘍（SSPC）

同心円状に層をなす砂粒体（矢印）を有する乳頭状の細胞集塊が出現している．核は腫大し，N/C 比は増大，著明な核小体を有する．
（直接塗抹法/対物×40）

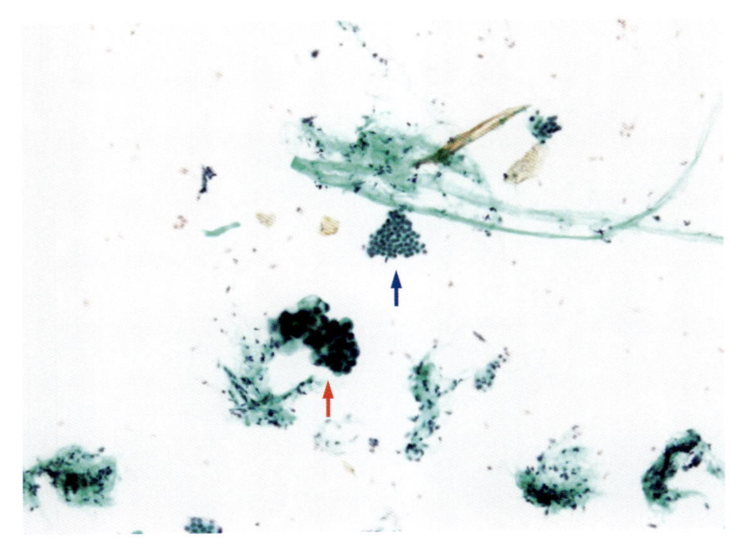

図 5　子宮外悪性腫瘍(SSPC)

清明な背景の中，類円形核で配列の揃ったシート状集塊(青矢印)と，核は腫大し，N/C 比は増大，核クロマチン増量した異型細胞集塊(赤矢印)が出現している.
(SP-LBC 法/対物×10)

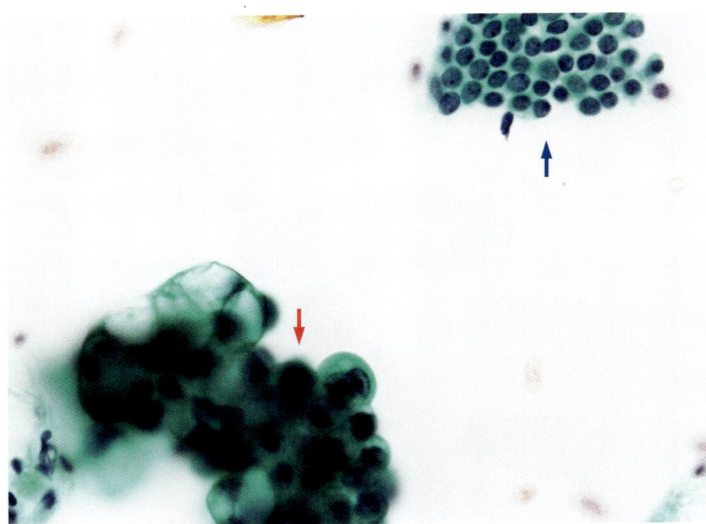

図 6　子宮外悪性腫瘍(SSPC)

類円形核で配列の揃った正常の内膜上皮細胞がシート状集塊(青矢印)でみられる．この正常の内膜腺上皮細胞とは別に，核は腫大し，N/C 比は増大，核クロマチン増量，著明な核小体を有する異型細胞(赤矢印)が乳頭状に出現している.
(SP-LBC 法/対物×40)

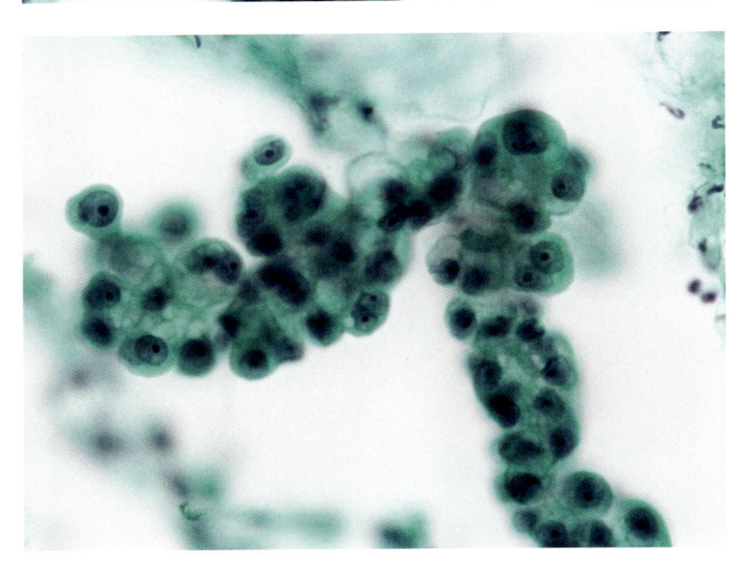

図 7　子宮外悪性腫瘍(SSPC)

乳頭状の異型細胞集塊が出現している．細胞質は淡く，空胞変性もみられる．核は腫大し，N/C 比は増大，著明な核小体を有する.
(SP-LBC 法/対物×40)

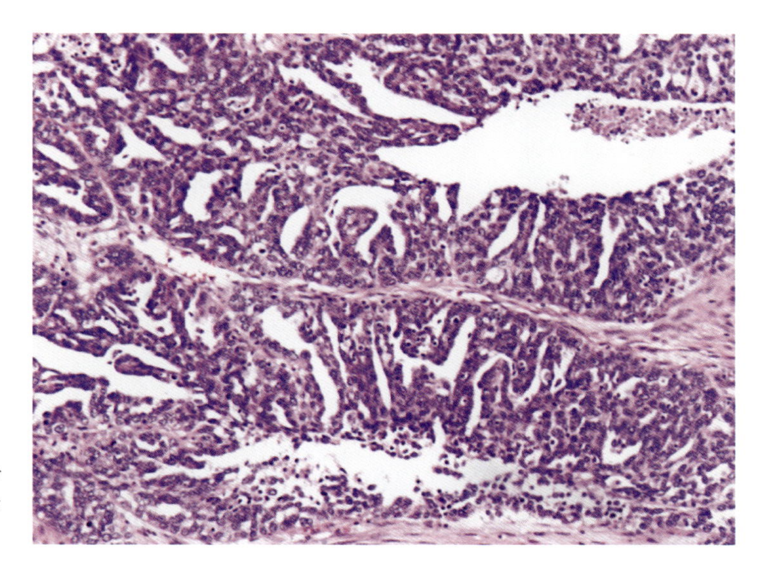

図 8　子宮外悪性腫瘍の組織像（漿液性癌）

線維血管性間質を付随し，複雑に分岐する乳頭状構造と細胞重積からなる芽出像がみられる．

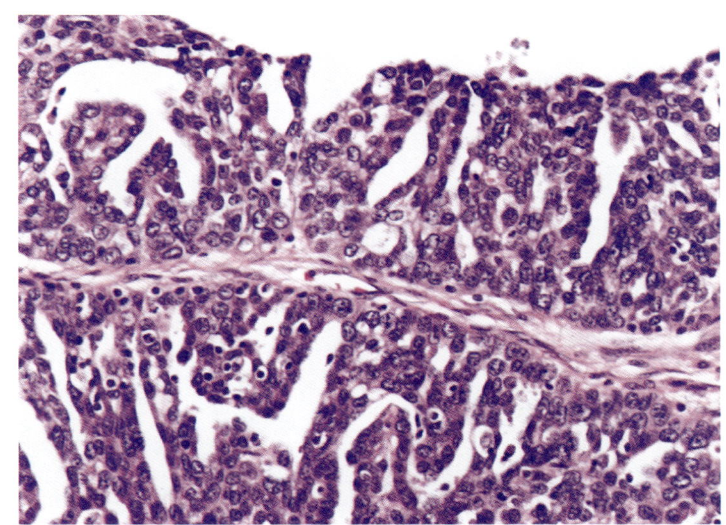

図 9　子宮外悪性腫瘍の組織像（漿液性癌）

個々の細胞の核異型が強く，大型核小体や核分裂像が目立ち，多核細胞を伴うこともある．

図 10　子宮外悪性腫瘍（漿液性癌）

出血性背景の中，類円形核で配列の揃ったシート状集塊（青矢印）と，核は腫大し，N/C 比は増大，核クロマチン増量した異型細胞集塊（赤矢印）が出現している．
（直接塗抹法/対物×10）

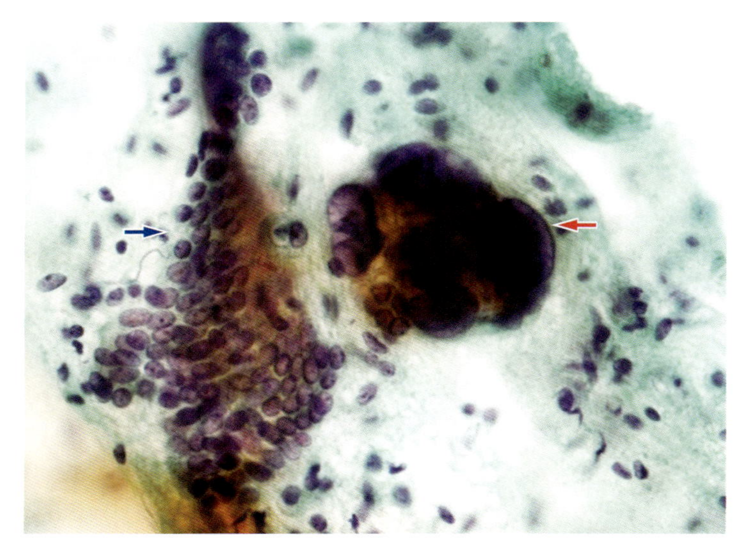

図 11　子宮外悪性腫瘍(漿液性癌)
正常の内膜腺上皮細胞がシート状集塊(青矢印)でみられる．この正常の内膜腺上皮細胞と比し，核は腫大し，N/C 比は増大，核クロマチン増量，著明な核小体を有する異型細胞集塊(赤矢印)が出現している．
(直接塗抹法/対物×40)

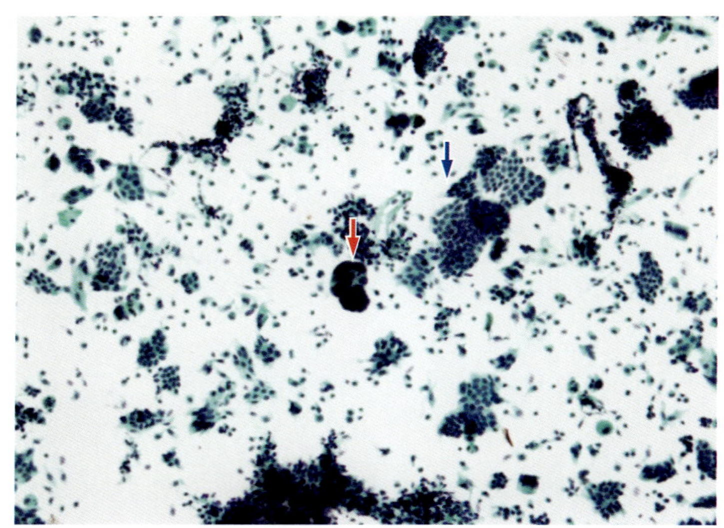

図 12　子宮外悪性腫瘍(漿液性癌)
清明な背景の中，類円形核で配列の揃ったシート状集塊(青矢印)．核は腫大し，N/C 比は増大，核クロマチン増量した異型細胞集塊(赤矢印)が出現している．
(SP-LBC 法/対物×10)

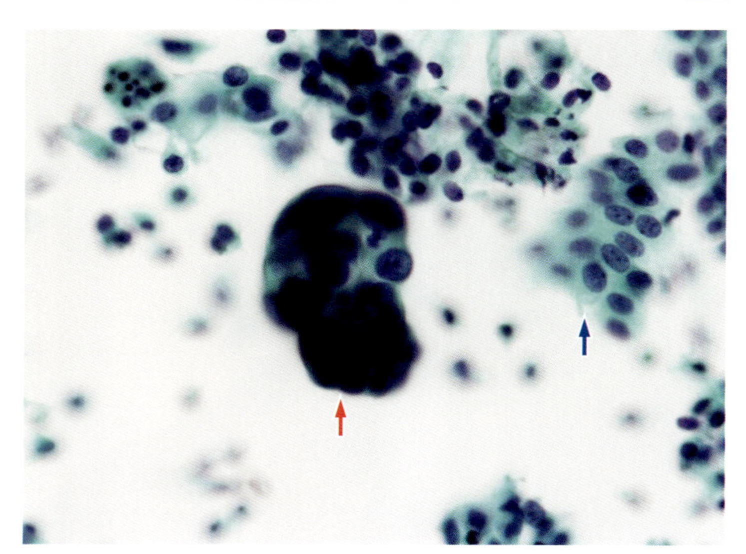

図 13　子宮外悪性腫瘍(漿液性癌)
直接塗抹法と同様に，正常の内膜腺上皮細胞がシート状集塊(青矢印)でみられる．この正常の内膜腺上皮細胞とは別に，核は腫大し，N/C 比は増大，核クロマチン増量，著明な核小体を有する異型細胞(赤矢印)が出現している．
(SP-LBC 法/対物×40)

文献

1）片渕秀隆，岡村　均．臨床検査—病態のアプローチ　上皮性卵巣がん．医学検査．2003；779-794.

2）日本産科婦人科学会，日本病理学会(編)．卵巣腫瘍取扱い規約 第1部(第2版)．金原出版；2009．15-18，49-51.

3）日本産科婦人科学会，日本病理学会(編)．卵巣腫瘍・卵管癌・腹膜癌取扱い規約(第1版)．金原出版；2016．15-39，60-61，66-82，106-108.

4）笹川 基，西野幸治，本間 滋，ほか．卵巣癌の診断における子宮細胞診の意義．日臨細胞誌．2003；42：1-4.

5）神田雄司，大野光春，高階俊光，ほか．腟頸管，子宮内膜細胞診における卵巣癌細胞の出現機序．日臨細胞誌．1987；26：1027-1029.

6）Saji H，Kurose K，Sugiura K，et al．Endometrial aspiration cytology for diagnosis of peritoneal lesions in extrauterine malignancies．Acta Cytol．2007；51：533-540.

7）Norimatsu Y，Yanoh K，Kobayashi TK．The role of liquid-based preparation in the evaluation of endometrial cytology．Acta Cytol．2013；57：423-435.

8）Yanoh K，Hirai Y，Sakamoto A，et al．New terminology for intrauterine endometrial samples：A group study by the Japanese Society of Clinical Cytology．Acta Cytol．2012；56：233-241.

9）Yanoh K，Norimatsu Y，Munakata S，et al．Evaluation of endometrial cytology prepared with the Becton Dickinson SurePath™ method：a pilot study by the Osaki Study Group．Acta Cytol．2014；58：153-161.

10）Norimatsu Y，Kouda H，Kobayashi TK，et al．Utility of liquid-based cytology in endometrial pathology：Diagnosis of endometrial carcinoma．Cytopathology．2009；20：395-402.

11）Norimatsu Y，Shigematsu Y，Sakamoto S，et al．Nuclear characteristics of the endometrial cytology：Liquid-based versus conventional preparation．Diagn Cytopathol．2013；41：120-125.

12）Yanoh K，Norimatsu Y，Hirai Y，et al．New diagnostic reporting format for endometrial cytology based on cytoarchitectural criteria．Cytopathology．2009；20：388-394.

13）Fulciniti F，Yanoh K，Karakitsos P，et al．The Yokohama system for reporting directly sampled endometrial cytology：The quest to develop a standardized terminology．Diagn Cytopathol．2018；46：400-412.

（平井康夫，二村　梓）

索　引

欧　文

ギリシャ文字・ローマ数字

A

B, C

D, E

F, H

I

K

L, M

N

O, P